知念実希人

久遠の檻
天久鷹央の事件カルテ
完全版

実業之日本社

実業之日本社文庫

目次

久遠の檻
The Timeless Cell
天久鷹央の事件カルテ
［完全版］

プロローグ

唸(うな)るようなエンジン音を聞きながら、松本誠二(まつもとせいじ)はレバーを複雑に動かし、巨大なショベルを巧みに操っていく。ショベルカーのオペレーターとなって十二年。いまや巨大な重機は自らの体の一部となっていた。

ショベルで掻(か)きとった土を、わきに停まっているトラックの荷台へ移した誠二は、首に掛けているタオルで額の汗を拭(ぬぐ)いつつ、辺りに視線を移す。

古びた六階建てのコンクリート造りのビルに、作業員たちがせわしなく出入りし、廃材を運び出している。

西武新宿線田無(たなし)駅から徒歩で十分ほどのところにあるビル、その解体現場に誠二は派遣されていた。ビル本体の解体には、まだ重機の出番はない。誠二が担当しているのは、敷地内にある桜の大木の処理だった。

まったく管理がなされていなかったのか、幹の大部分が枯れているこの樹木を引き抜く。それが、誠二に与えられた仕事だ。そのためにはまず、周囲の地面を掘って、根を処理する必要がある。

大仕事になりそうだな。

いまさっき掘った土の下に、人の胴体ほどの太さの根が何本も走っているのを見て、誠二は小さく舌を鳴らす。もしかしたら、ショベルだけでは根を完全には切断できないかもしれない。そうなったら面倒だ。特別な重機が必要になる。

誠二は再びレバーを複雑に動かし、ショベルを地面に突き刺すと、土を掬い上げようとする。その瞬間、金属同士が激しくこすれ合う不快な音が響き渡った。誠二は慌ててレバーから手を離す。

「なんだよ、いまの音⁉」

同僚の作業員が小走りに近づいてくる。誠二は「俺にも分からねえよ！」と叫びながら、操縦室から飛び降りた。

地面に突き刺さったままのショベルに近づいた誠二は、鼻の付け根にしわを寄せる。ショベルが金属製の巨大な箱を掘り出していた。横二メートル、縦三メートルほどのその箱は、中央部がショベルの先端に貫かれ、大きくひしゃげて蓋が浮いていた。

「箱？」

作業員が箱の表面についた土を払う。そこには大きく『コスモポリタン芸能　タイムカプセル』と記されていた。

「タイムカプセルってなんだ？」

　作業員の眉根が寄る。

「あれだろ。なにか大切なものを埋めて、何年後か決められた日にそれを掘り起こすってやつだろ」

　誠二が言うと、作業員は「へー、松本さんよく知ってるな」と箱を小突いた。

「中学生のとき、やったことがあるんだよ。たしか俺は、その日に返ってきたテストの答案用紙を入れたっけな」

「じゃあ、掘り起こすのには参加しなかっただろ。どうせ、赤点だったんだから」

「決めつけるなよ。まあ、その通りだけどさ」

　松本は苦笑しながら箱の表面に顔を近づけ、刻まれている年月日を確認する。

「埋められたのは十六年前みたいだな。それで……、なんだよ、去年掘り起こす予定だったんじゃねえか」

「埋めたはいいけど、忘れられちまったんだろうな。その『コスモポリタン芸能』っていうの、芸能事務所かなにかじゃないか。もしかしたら、有名芸能人のお宝とか入っているかも」

　作業員がはしゃいだ声を上げる。誠二は「なわけねえだろ」とかぶりを振った。

「こんな芸能事務所、聞いたことねえよ。潰れたから、タイムカプセルもそのまま放置したんだろ。どうせ、大した芸能人なんていなかったさ。それよりもこれ、邪魔だな。どうする？」

「土と一緒にトラックに積み込んで、廃棄場に持っていけばいいんじゃないか？　掘り返されなかったってことは、ゴミみたいなものだろ。ただ、その前に……」

作業着のポケットからペンライトを取り出した同僚は、ひしゃげて開いた蓋の隙間（すきま）を覗（のぞ）き込む。

「なにか面白いものが入っていないか確認しないとな」

「さっさとしろよ。今日中にその樹を倒さないといけないんだからな」

呆（あき）れ声で言う誠二に「分かった分かった」と返事をしながら、作業員は箱の中をライトで照らす。

「なんか、封筒が多いなあ。これって、ファンレターかなにかだな。あと、服も見える。派手でフリルがついているから、多分アイドルの衣装だ。ということは、なにかお宝がはいってるかもよ。下着とかさ」

作業員の顔が緩むのを見て、誠二は大きくため息をつく。

「そんなものあったって、十六年前のやつだぞ。それを着けてたアイドルは、いまごろ中年になってるよ。ほら、早く作業に戻るぞ」

「夢を壊さないでくれよ。あとちょっとだけ……」

次の瞬間、かぶりつくように箱を覗き込んでいた作業員が突然、大きな悲鳴を上げて尻餅をつく。その手からペンライトが零れ落ちた。

「どうした⁉」

誠二が駆け寄るが、作業員は問いに答えることなく、這うようにして箱から離れていった。

何度も転びながら走り去っていく同僚の姿を唖然として見送った誠二は、ゆっくりと振り返り、箱を凝視する。

この中になにが……？

ひしゃげて開いた隙間から、瘴気が漏れだしているような気がした。

やめろ、見るな。見るんじゃない。

理性がそう告げるにもかかわらず、誠二はまるで何者かに操られるかのように、落ちているペンライトを拾い、ゆっくりと箱に顔を近づけていく。

同僚がいう通り、まず大量の封筒とフリルのついたパステルカラーのスカートらしきものが見えた。

いったい何に、あんなに怯えていたんだ？

そのとき誠二の視界に、なにか茶色いものが映った。

あれは……？　誠二は目を凝らす。

表面に、茶色く変色した薄い和紙が付着しているような球状の物体。そこから、黒い繊維が大量に生えている。

心臓の鼓動が加速する。それがなんなのか分からないにもかかわらず、不吉な予感が胸の中で膨れ上がっていく。

息苦しさをおぼえながら、誠二はペンライトを動かす。衣装の陰になって見えなかった部分が照らし出された瞬間、喉の奥から細い悲鳴が駆け上がってきた。

そこに『顔』があった。眼球が消え、鼻の部分には二つの小さな穴が開き、そして干からびた唇が上下の歯茎に貼り付いた顔が。

「み、ミイ……ラ……」

かすれ声が口から零れる。それは確かにミイラだった。ホラー映画などで何度も見た、干からびた遺体。

全身から脂汗が染み出してくる。膝が震え、下半身の感覚が消え去っていく。ミイラが動き出し、箱をこじ開けてくるような錯覚に襲われる。

逃げなくては。そう思うのだが、金縛りにあったように体はピクリとも動かなかった。誠二は巨大な棺桶を覗き込み続ける。

闇が揺蕩う空洞と化した双眸が、恨めしそうに誠二を見つめていた。

第一章　不老の少女

1

「……綺麗だよ」

嫋やかな曲線を描く光沢を孕んだボディに、僕はそっと指を這わせる。指先に滑らかな感触が伝わってきた。

「とっても綺麗だ。君と出会えてよかった。もう離さないよ」

僕は目の前の『恋人』に優しく囁きかける。

「……なにやってんだ、お前？」

唐突に背後から声をかけられた僕、小鳥遊優は、全身を震わせて振り返る。若草色の手術着の上に白衣を纏った小柄な女性が、猫を彷彿させる大きな二重の瞳を、いぶかしげに細めていた。僕が所属する天医会総合病院、統括診断部の部長である天久鷹央だ。

「た、鷹央先生。いつからそこに？」

「お前がなんか痴漢っぽい手つきで、車を撫でまわしはじめたときからだ」

鷹央は呆れ顔で、僕のそばにある新車のマツダCX－8を指さす。一ヶ月ほど前、『人体自然発火現象事件』の際に、愛車のマツダRX－8が犠牲になった。それから、(とある研修医にバイクをたかられて金欠だったりしたせいもあって)車がない状態が続いていたのだが、このたび晴れてローンの審査が通り、新しい愛車を迎えることができたのだ。

「痴漢ぽいって、失礼な！　ただ、新しいパートナーのボディを眺めてうっとりしていただけじゃないですか」

「ああ、悪かった。たしかに他人に迷惑をかけない限り、どんな歪んだ性癖をもっていても非難されることじゃないよな。たとえ、性欲の対象が無機物だとしても」

「そんな特殊な性癖もってない！　ただ、この機能美に溢れる造形には、誰でも目を惹かれるものでしょ」

「いんや、別に惹かれないけどな」

鷹央は後頭部で両手を組むと、漆黒の光沢を放つCX－8をつまらなそうに眺める。

「なに言っているんですか。猛獣を彷彿させるほどに骨太でありながらスポーティな、チタニウムフラッシュに輝くボディ。野性味あふれるフロントグリルとヘッドライト。四輪駆動を支える武骨なホイールと、そこに力を与えるエンジンはスカイアクティブD2・2。日本が誇る自動車メーカーであるマツダが、世界一の低圧縮比で世界を驚かせたクリーン・ディーゼル・エンジンの最新版で、その最高出力は……」

「人間の言葉を喋ってくんないかな」心底興味なげに、鷹央は耳をほじる。

「ひどい！　鷹央先生も少しは車の知識を持ってくださいよ」

「興味ない知識はいんない。シャーロック・ホームズだって天文学に興味なかったから、地球が太陽の周りをまわっていることすら知らなかっただろ」

「興味を持ってくださいよ。車を選ぶとき、先生の要望も考慮したんだから」

その小さな体躯に収まりきらない無限の好奇心を持つ鷹央は、奇妙な事件などの噂を聞くと嬉々として首を突っ込み、調査をしだす。その際、移動の足として僕の自家用車を使うことになるのだ。

新車はツーシータのスポーツカーにしようかとも思っていたのだが、鷹央が「それじゃ、なんかのときに必要な荷物載せたりできなくて不便だろ」と文句を言ってきたので、しかたなくSUVタイプのCX－8を選んでいた。

「ちゃんと走って人や荷物を十分に載せられるなら、車の種類なんて私にはどうでもいい。エンジン音で発情するお前みたいな変態とは違うんだ」

「発情なんてしない！」

「必死に否定するところが怪しいな。別にカミングアウトしてくれてもかまわないんだぞ。怪しい行為は人目のないところでやると約束してくれればな」

鷹央はにやにやといやらしい笑みを浮かべる。これ以上、この話題を続けても疲れるだけだ。僕は大きくため息をついて話題を変えた。

「で、なんの用なんですか？　もう帰るところだったんですけど」

すでに時刻は午後六時を回っている。今日の仕事を一通り終えた僕は、下したての愛車で帰宅しようと、病院の裏手にある駐車場へやってきたところだった。

「ちょっと用事ができたから付き合え」

僕は「嫌です」と即答する。どうせ、なにかおかしな事件の噂でも聞きつけたんだろう。そのたびに助手のように付き合わされ、振り回されるのだ。

「なんだよ。なにか予定でもあるのか？」

「これから、お台場の方まで車を飛ばして、ベイサイドをドライブする予定なんです」

「男一人で？」

「ほっといてください！　この新しい恋人に乗って走れるなら、一人でも幸せなんです」

「言ってて哀しくならないか、お前？」

容赦ない追い打ちに、僕はうなだれる。

「なんにしろ、今夜は鷹央先生の趣味に付き合うつもりはありませんから」

「趣味じゃなくて、仕事だ」

「仕事？」運転席のドアノブに伸ばしかけていた手が止まる。

「ああ、そうだ。私に診て欲しい患者がいるって墨田から連絡があったんだ」

「墨田先生からですか？」

墨田淳子はこの天医会総合病院の精神科部長だった。鷹央を毛嫌いしているあの人が診察を依頼してくるということは、よほどのことだろう。

「でも、鷹央先生に直接連絡が入ったんですよね。なら、一人で診に行けばいいのでは？」

「絶対にお前も連れて来いって、墨田が言うんだよ。そうじゃなきゃ、精神科病棟には入れないって。ったく、自分が依頼してきたくせにどういうつもりだよな」

鷹央は唇を尖らすが、墨田の気持ちは痛いほど理解できた。突拍子もない行動をとる鷹央を自分だけでは制御できないから、扱いに慣れている僕とセットで呼び出したのだろう。

「お守り役ってわけか……」

小声でつぶやくと、耳のいい鷹央が「なんか言ったか？」と睨んでくる。

「いや、なんでもありません。分かりました、僕も行きますよ」

診察依頼となれば完全な仕事だ。拒否するわけにはいかない。

「ごめん。また今度、絶対に海沿いのドライブに連れていくからね」

CX－8に優しく語りかける僕に、鷹央は冷たい視線を浴びせてきた。

「やっぱり、いくら女に振られまくっているからって、鉄の塊で代用しようとするのはどうかと思うぞ」


エレベーターを降りた僕と鷹央は、ナースステーションへと向かう。

「統括診断部の天久鷹央だ。墨田に呼ばれてやってきた。文句ないな」

ステーション内に入った鷹央は、戦国武将のように名乗りを上げた。精神科部長である墨田に蛇蝎のごとく嫌われている鷹央は、精神科病棟に出禁を食らっている。だから、診察依頼を受けてこの病棟にやってくるたび、勝ち誇るかのような態度をとっていた。

「子供なんだから」

僕がぼそりとつぶやくと、鷹央は「あ？」と刃物のような視線を向けてきた。

「お前、いまなんつった？」

小柄なうえ童顔の鷹央は、よく高校生、場合によっては中学生にすら見間違えられる。自らを『大人のレディ』と自負する彼女にとっては子ども扱いされることは屈辱らしく、そのたびに不機嫌になる（そして、八つ当たりしてくる）。

慌てて「なんでもありません」とごまかした僕は、近くにいた看護師に話しかける。

「墨田先生はどちらに？　診察依頼があるということでうかがったんですけど」

「墨田先生なら、患者さんのＭＲＩ撮影に付き添っています」

「こんな時間にＭＲＩ撮影ですか？」

「本当なら、午後四時から検査の予定だったんですけど、患者さんが暴れてしまって撮影できなかったんですよ。それで、鎮静剤を打って落ち着くのを待ってから改めて撮影することになったんです」

なるほど、それならしかたない。ＭＲＩは重低音を上げるドーナツ状の撮影装置の中で二、三十分おとなしくしている必要がある。精神症状が強く出ている患者には行えない。

「じゃあ、少し待たせてもらうとするか」鷹央は椅子に腰かける。「なあ、なにか甘いものとかないのか？　呼び出されてわざわざ来てやったっていうのに。待たすなら、茶菓子くらい出してもらってもバチは……った⁉」

僕に軽く頭をはたかれた鷹央は両手で後頭部を押さえる。

「なにすんだ、お前⁉」

「調子に乗りすぎです」

「だって、墨田の方から依頼してきたんだぞ。こんな機会、なかなかないぞ。せっかくだから、ふんぞり返っとかないと損だろ」

「……小さい」

こういうことするから、僕がお守り役として付き添わないといけないのだ。

「小さいとはなんだ⁉　失礼な！」鷹央は椅子から腰を浮かす。「身長が低くてなにが悪い。女にとっては低身長も武器になるってこの前、舞にもらった雑誌にも書いてあったぞ」

鷹央先生にどんな雑誌を読ませているんだよ。二年目の研修医にして、僕の天敵でもある鴻ノ池舞に心の中で文句を言う。

「身長の話じゃありません」

「じゃあ、なにか？　バストサ……」

「人間としての器の話です！」

僕がセクハラ発言をしているととられかねないセリフを慌てて遮ると、鷹央は「あ、器ね。ならいいや」と椅子に腰を戻した。

いいのかよ。疲労感をおぼえながら僕が胸の中で突っ込んだとき、ガチャガチャという音が聞こえてきた。見ると、白衣を着て眼鏡をかけた女性が看護師とともにストレッチャーを引いて、廊下からナースステーションに入ってくるところだった。精神科部長の墨田淳子だ。彼女たちの後ろから、不安そうな表情を浮かべた大柄な中年女性がついてくる。

続いてストレッチャーに視線を向けた僕ははっと息を呑んだ。それほどに、横たわる少女は美しかった。雪のように白い肌、薄い桃色の唇、高く涼やかな鼻梁。瞳は閉じられ、長い睫毛が目立つ。年齢は中学生くらいだろうか。あまりにも整い過ぎたその容姿は、どこか現実離れして見えた。

「なにぼーっとしてるんだよ」

目を奪われていた僕は、鷹央に脇腹を突かれて我に返る。

「いや、綺麗な患者さんだなと思って……」

「お前な、相手は子供だぞ。いくら大人の女に相手にされないからって、子供に手を出したら犯罪だ。せめて、車にしておけ。そっちなら罪には問われないから」

「そういうんじゃないです！　決してそういうんじゃないんです！」

院内でおかしな噂が流れたらたまらない。そうじゃなくても、鷹央と付き合っているという話を某研修医に吹聴されたせいで、僕の恋愛事情は悲惨なものになっているのだ。

「焦るとよけい怪しく見えるぞ。まあ、たしかにお前の気持ちも分かるよ。とんでもない美少女だな。ありがたやありがたや」

「……鷹央先生。よだれ」

僕に指摘された鷹央は、慌てて白衣の袖で口元を拭った。

閉鎖病棟へと繋がる扉を開け、ストレッチャーを運び込もうとしている墨田に、鷹央が「よう、来てやったぞ」と声をかける。墨田の頬が引きつった。自分で呼び出したとはいえ、苦手意識が消えたわけではないらしい。

「患者さんを病室に送るから、あんたはそこでおとなしくしていなさい。おとなしく、よ」

墨田は看護師とともにストレッチャーを押して閉鎖病棟に入っていく。そのあとに先ほどの中年女性が続いた。年齢からすると、患者の母親だろうか。

「なんだよ、あの言い草は。わざわざ来てやったっていうのに」

鷹央は頰を膨らませると椅子に逆向きに腰掛け、背もたれにあごを載せた。そのまま、ぐるぐると椅子を回転させはじめる鷹央を見て、僕はため息をつく。

「みっともないですよ、子供じゃないんですから」

「誰が子供だ！　レディに向かって失礼だろ」

「レディはそんな行動をとりません」

反撃された鷹央は、さらに頬を膨らませる。完全にふて腐れた子供だ。

「ったく、いつまでかかるんだよ。普通、他科の部長を呼び出して、こんなに待たせたりするか？　他の奴(やつ)らなら帰っちまうぞ」

「先生は帰ったりしないんですか？」

僕が訊(たず)ねると、鷹央はようやく椅子の回転を止め、皮肉っぽく唇の片端を上げた。

「帰る？　そんなもったいないことするわけないだろ」

「もったいない？」

「いいか、墨田はなぜか私を毛嫌いしている」

なぜかって、あなたが研修医時代に、墨田先生に大恥かかせたからでしょ。胸の中で指摘しつつ、僕は「そうですね」と流す。

「その墨田がわざわざ私に診察を頼むということは、それだけ手に負えない事態だということだ。私でなければ解決できないような謎(なぞ)があるということだ。そんなお宝を前にして、帰れるわけがないだろ」

鷹央の瞳がキラキラと輝きだす。その小さな頭に詰まっている膨大な知識と、超人的な知能を持て余している鷹央にとって、不可思議な『謎』はなによりも貴重なご馳走だ。それを前にすれば、墨田との軋轢(あつれき)など些細(ささい)なことなのだろう。

鷹央の機嫌が直ったことに安堵(あんど)していると、墨田がナースステーションへと戻ってきた。

「待たせたわね。悪かったわ」

「ああ、悪かった。大いに反省しろ」

鷹央の返答に、眼鏡の奥の墨田の目がきりきりと三角形に吊り上がっていく。

「そ、それで、ご依頼というのはなんでしょう。さっきの患者さんのことですか？」

僕が慌てて間に入ると、墨田は胸に手を当てて数回深呼吸をくり返した。

「そう、さっきの患者の件よ。楯石希津奈さん。昨晩、自宅でパニック状態になったということで、救急部に搬送されてきた。バイタルも採血データも正常、頭部ＣＴも撮影したけど、明らかな異常は認められなかった。家族に話を聞いたところ、数ヶ月前からおかしな言動が多くなっていたけど、最近になって特に悪化してきたということで、精神科の当直が呼ばれ、精神疾患疑いで医療保護入院となった」

医療保護入院とは精神疾患で入院が必要な状態だが、患者本人の同意が取れない際に使用される制度だ。精神保健指定医の診察のもと、家族に許可を取って強制入院させる。

「それで？」椅子の背もたれにあごを載せたまま、鷹央は先を促す。

「かなり混乱が強かったんで、昨夜は鎮静剤を投与して寝てもらった。今朝になって、私が主治医になった。精神疾患が疑われたけれど、念のため頭部のＭＲＩも撮影しておいた」

「ちゃんと身体疾患の除外をしているってことか。成長したじゃないか」

上から目線の言葉に、墨田は「うるさい！」と鷹央を睨みつける。しかし、鷹央はどこ吹く風で言葉を続けた。

「しかし、精神科部長が自ら主治医になるとはな。よほど複雑でシビアな精神症状を呈していたということか？」

「いいえ」墨田は首を横に振る。「精神症状は特に珍しいものじゃない。極度の緊張状態と混乱、そして妄想ね。主治医になったのは、以前、外来で診ていたことがあったから」

「ああ、なるほど。外来で担当だったから、入院でも主治医になったっていうことか。で、精神症状が特殊じゃないということは、なにか身体症状が生じたということだな。私にしか診断ができないような不思議な症状が」

鷹央は椅子に逆に腰掛けたまま、身を乗り出す。

「いいえ、特には」

そっけなく墨田が答えると、体重を背もたれに掛け過ぎた鷹央がコントのように大きく体勢を崩す。僕は慌てて、転ばないように彼女の体を支えた。

「ほら、変な座り方するからですよ。椅子には正しい座り方をしましょうね」

「幼稚園児を諭すみたいな口調をやめろ」

体勢を立て直しつつ僕を睨んだ鷹央は、その視線を墨田へと移動させた。

「特別な身体症状もなく、精神症状も一般的なものなら、なんで私を呼んだんだ。そもそも、さっきの患者はなんの疾患なんだよ」

「まだ面接をしっかりできていないから確定診断は出せないけれど、緊張型統合失調症の可能性が高いんじゃないかと思っている。かなりの緊張状態にあるのも、妄想が生じているのも説明がつく。まさに典型例ね」

「緊張型統合失調症？」鷹央はいぶかしげに聞き返した。「症状は合っているかもしれないけれど、『典型例』とは言えないだろ。緊張型統合失調症の好発年齢は三十代のはずだ」

「ええ、そうよ。だから典型例だって言ったの。そしてそれこそ、わざわざあなたなんかを呼ばなくちゃいけなかった理由」

「はぁ、なに言っているんだ、お前？」

鷹央が首をひねる。僕も墨田の言葉の意図が分からなかった。

墨田は大きく息をつくと、苛立たしげに髪を掻き上げる。

「さっきの患者さん、楯石希津奈さんは三十二歳なのよ」

「三十二歳⁉」

僕と鷹央は声を重ねたあと、言葉を失う。脳裏につい数分前に見た、ストレッチャーに横たわる美しい少女の姿が蘇る。どう見ても、彼女は十代半ばにしか見えなかった。

「いやいやいや、いくらなんでも三十二歳はないでしょ。どう見てもまだ子供でしたよ。そりゃ、童顔で若く見える女性もいますけど、よくよく見るとそれなりに年齢が分かるものですって。小皺とか……」

僕は無意識に二歳年下の上司を見る。鋭い目つきの鷹央と視線が合った。

「おい、……なんでいま、私を見た」

地の底から響いてくるような声に恐怖をおぼえつつ、僕は墨田に向き直る。

「な、なんにしろ、あの子が三十代なんてあり得ませんよ。なにかの間違いですって」

「まあ、たしかに小鳥の言うことももっともだ。あの女はどう見ても、十代半ばだった。で、なんで私を見たんだ、お前?」

しつこく訊ねてくる鷹央が脛を蹴ってくる。地味な痛みに顔が歪んでしまう。

「ねえ、夫婦漫才はやめてくれない?」墨田が顔をしかめる。「記録上、間違いなく彼女は三十二歳なのよ」

「その記録が間違っているんだろ。他人の保険証で受診したんだ。保険料を滞納して、保険証を持っていない患者がよくやる手だ」

「いいえ、それは違う。彼女は間違いなく三十二歳よ」

「なんで断言できるんだよ」

鷹央の問いに、墨田はぼそりと「会っているから」と答えた。

「会っている？」

「ええ、そう。楯石希津奈さんを外来で診察したって言ったでしょ。今朝、入院している彼女を見てすぐに思い出した。あんなに綺麗なんで印象に残っていたからね。まさに、私の記憶にあるままの姿だった」

「それがなんだっていうんだ？　同一人物なら、姿が同じなのは当然だろ」

墨田は「いいえ、当然じゃないの」と、弱々しくかぶりを振る。

「だって、私が外来で彼女を診たのは十六年前だったんだから。彼女は十六年前から変わらない、まったく齢を取っていない姿で私の前に現れたのよ」


「……ハイランダー症候群」

鷹央がぼそりとつぶやく。墨田が額にしわを寄せた。

「なんなの、それ？」

「齢を取らなくなる疾患だ。ハイランダー症候群の患者は、子供の時点で成長が止まり、そのままの姿で寿命まで生きるとされている」

「じゃあ、楯石さんもその病気ってことなの？」

前のめりになった墨田の顔の前に、鷹央は掌を突き出す。

「先走るなって。ハイランダー症候群は、確認された疾患ではないんだ」

「どういう意味？」

「超常現象の一種といったところかな。何十年も老いることのない子供がいるという噂は、ネットを中心にまことしやかに語られている。実際に、ハイランダー症候群だという人物の写真や経歴などもある。しかし、そのどれもが公的に証明されたものではなく、大部分は偽物だろうと言われているんだ」

「なによ。じゃあ、そんな病気ないんじゃない」

墨田が舌を鳴らすと、鷹央は「そんなことないぞ！」と声を張り上げた。

「これまで、正式に認められた例がないというだけで、それが存在しないと証明されたわけではない。もしかしたら、あの患者こそ、世界ではじめて医学的に明らかにされるハイランダー症候群の症例かもしれないんだ」

興奮気味に鷹央はまくしたてる。

「その患者を、私が診ることになるのか。こんな機会めったにない。徹底的に調べ上げて、不老の謎を、その原理を完璧に解き明かしてやる」

口角を上げた鷹央は、くっくっと、くぐもった忍び笑いを漏らす。その姿はまさに、マッドサイエンティストそのものだった。

……ほっといたら、患者を解剖しそうだな、この人。ドン引きしながら僕が見ていると、鷹央は「それじゃあ行くぞ」と閉鎖病棟の入り口へと向かう。

「ちょっと待ちなさい。どこ行く気？」

「どこって、患者の診察に決まっているだろ。ほら、早くここの鍵を開けろよ」

鷹央は閉鎖病棟との間にある扉のノブを摑むと、ガチャガチャと回した。

「……あんたと患者を会わせないといけないの？」

墨田は苦虫をかみつぶしたような表情を浮かべる。

「当り前だろ」鷹央は芝居じみた仕草で肩をすくめる。「精神科医にとって面接が重要であるのと同様に、私たち内科医にとっては診察が重要だ。問診、視診、触診、打診、それらによって患者の体を蝕んでいる疾患がなんなのか当たりをつけ、必要な検査によってその正体を明らかにするんだ」

「でも、楯石さんはかなりの緊張状態で……」

「MRIを撮影できたということは、鎮静がかかっているんだろ。なら、問題ない」

「鎮静がかかっていても、あんたがおかしなことをして、混乱させるかもしれないでしょ」

それは十分にあり得るな。墨田の懸念に、僕は思わず頷いてしまう。

「失礼な。私がいつおかしなことなんてした？」

「いつもよ！　自覚ないわけ⁉」

間髪いれない墨田の突っ込みに、僕は再び大きく頷く。

「なに言っているかよく分かんないけど、診察依頼をしてきたのはお前だろ。十六年前から全く齢を取っていない患者が運ばれてきて、困惑しているんだろ。なにが起きているか私に解き明かして欲しいんじゃないのか。なら、さっさと診察させろ」

墨田は悔しげに唇を嚙みながら、白衣のポケットからキーケースを取り出す。

「くれぐれも、患者さんを刺激しないでよ。特に、妄想を助長するようなことは言わないでちょうだい。妄想が固定化されたら、今後の治療に差し障るから」

「んなこと言われても、そもそもどんな妄想なのか教えてもらっていないぞ」

「誰かに命を狙われている。常に監視されていて、いつ襲われるか分からない。家族や周りの人たちはみんな偽物で、自分を殺して身代わりを立てようとしている。症状がひどくなってから出た妄想はそんな感じね」

統合失調症などでよく見られる妄想だ。けれど、他の疾患でも似たような妄想が出現する場合もあるので、その内容だけで診断は下せないな。

僕が頭の中で状況を整理していると、鷹央が口を開いた。

「ひどくなってからということは、それ以前から出ていた妄想もあるのか」

「ええ、自分は不老不死だ。神秘の力によって生まれ変わり、『死』から解放されて永遠の命と若さを得た龍の化身だ。そんなところ」

「不老不死……、生まれ変わり……」鷹央は口元に手を当てる。「以前からの妄想ということは、お前の外来を受診した十六年前にも同じようなことを言っていたのか？」

　鷹央に水を向けられた墨田は、「いいえ」と首を振った。

「十六年前は妄想は見られず、主な症状は抑うつだったわね。もの凄く忙しい仕事と、恋人と破局したストレスで気分が落ち込んで、ほとんど眠れなくなった。かなり状態は悪かったから、うつ病の診断で投薬を開始したけど、二、三回受診したあと来なくなって、そのままドロップアウトした」

「仕事？　いま本当に三十二歳だとしても、十六年前は十六歳だろ」

「楯石さん、十六年前はアイドルをしていたのよ。と言っても、そんなに有名ってわけじゃなかったみたいだけど」

「ああ、アイドルを」僕は相槌を打つ。「あれだけ顔が整っていれば芸能界から声がかかるでしょうね。けど、あんなに可愛くても有名になれないのかぁ。厳しい世界ですね」

　ふと気づくと、鷹央と墨田がじっと僕を見つめていた。僕が「な、なんですか？」

と軽くのけぞると、鷹央が墨田に話しかける。

「なあ、こいつをあの患者に会わせない方がいいんじゃねか？　大人の女に振られ過ぎて、最近、性癖がバグりはじめてるんだよ」

「人聞きの悪いこと言わないでください！　そういう意味じゃなく、一般論として可愛らしいと言っただけです。ねえ、墨田先生」

早口で同意を求めるが、墨田は真顔のまま無言で僕を見つめ続けた。

「あの……、墨田先生……？」

僕が頬を引きつらせると、「まあ、それはおいといて」と鷹央が声を上げる。

「じゃあ、とりあえず患者に会いにいくとするか。ほら、さっさとここを開けろ」

促された墨田は渋々といった様子で、閉鎖病棟へと繋がる扉の錠を開けた。

先導する墨田のあとを、意気揚々と進んでいく鷹央を見ながら、不安が湧いてくる。

精神症状を呈している患者に、この人を会わせてもいいものだろうか。その超人的な知能と引き換えに、鷹央は生まれながらに他人の気持ちを慮るということが極めて苦手だ。そのせいで、まったく悪気なく相手の逆鱗に触れる言動をとることがある。普通の者なら、ただ不機嫌になったり怒りだしたりするだけですむが、相手が強い精神症状を呈していた場合、病状を悪化させることになりかねない。

そうならないように、鷹央先生が暴走しだしたら僕が止めないと。ここは精神科病棟だ。患者がパニックになって暴れた際に備えて、鎮静剤の注射が用意されているはずだ。もしものときは、それを鷹央先生に打ち込んで……。

僕がそんなことを考えているうちに、病棟の一番奥にある個室病室の前までやってくる。墨田はノックをし、「失礼します」と引き戸を開けた。

六畳ほどの簡素な病室。患者の飛び降り防止用に鉄格子（てつごうし）のついた窓のそばに置かれたベッドには、さっき見た美しい少女、楯石希津奈が目を閉じて横たわっていた。あまりにも整ったその造形はどこか現実味がなく、精巧に作られた人形を眺めているような心地になる。

ベッドのそばでは中年女性がパイプ椅子に腰かけ、不安げに希津奈を見つめていた。年齢は四十歳前後といったところだろうか。かなり肉付きがよく、こちらを振り向いた瞬間、あごの周囲の贅肉（ぜいにく）が大きく揺れた。脂肪を大量に蓄えた体を高級ブランドの服が包み込んでいる。わきに置いてあるワニ革のバッグも有名ブランドのものだ。ネックレスやピアス、両手の指に嵌（は）めた指輪にちりばめられているダイヤが、蛍光灯の光を鮮やかに乱反射している。高級品で固めた派手派手しいその姿は、僕の目にはやけに下品に映った。

やはり、楯石希津奈の母親なのだろうか？　いや、違う。僕は頭を振る。

少なくとも記録上は、希津奈は三十二歳ということになっている。それが本当なら、この女性が母親のわけがない。

ベッドに横たわる少女がどうしても三十代とは信じられず、軽く混乱してしまう。

「希津奈さんの様子はいかがですか？」ベッドに近づきながら墨田が訊ねる。

「まだ眠ってるわよ。ねえ、なにか分かったの。いつになったら治るのよ」

女性は早口でまくしたてると、鷹央が首をひねった。

「お前、誰だ？　患者の親戚か？」

「違うわよ。私は伊豆花江、キヅナ様のお世話をしているの」

なんの前置きもない鷹央の質問に面食らった様子で、花江と名乗った女性は答える。

「キヅナさま？　家政婦かなにかといったところか？」

鷹央はいぶかしげに質問を重ねた。僕も首をひねってしまう。こんなに大量の高級品を身に着けている女性と、家政婦という仕事が頭の中でうまく結びつかなかった。

「そんなところ。身の回りだけじゃなくて、キヅナ様の活動のお手伝いもしているけど」

「活動？」

「そう」花江の声に力がこもる。「すべての生物は生まれた瞬間から時間に囚われている。けれど、キヅナ様だけはその軛から逃れて、永遠の中を生きているの。古くは秦の始皇帝をはじめ、歴代の支配者が求めた不老不死、それを手に入れたキヅナ様は、私たちにもその秘術の欠片(かけら)を与えてくれるの」

……またカルト宗教かよ。

「またカルト宗教かよ」

僕が思った通りの言葉を鷹央が口にする。

この天医会総合病院に赴任してすぐに起きた『宇宙人誘拐被害者殺人事件』、そして数ヶ月前の『聖痕(せいこん)と血の涙事件』。鷹央と僕はこれまで複数回、カルト宗教がかかわった事件に巻き込まれている。正直、もう辟易(へきえき)していた。

「カルト宗教なんかじゃない！」花江の声が裏返る。「龍の生まれ変わりであるキヅナ様は、特別な力をもっているのよ。そして、誰もがうらやむその力を、老いによる美の喪失に苦しむ人々に分け与え、救ってくれるの。カルトなんかとは全然違う」

……よく分からないな。

「んー、よく分からないな」

再び鷹央は僕が考えていたとおりのセリフを口にした。

「つまり、『キヅナ様』は老いにあらがい、美しさを取り戻す力をくれるってことか」

「そうよ。だから、キヅナ様がこのままじゃ困るの。いつになったら治してくれるの。昨日、入院してから、全然良くなっていないじゃない。さっさと、薬でも手術でもなんでもいいから、キヅナ様を治してよ！」

苛立たしげにまくしたてる花江を見て、なぜ高級ブランドで身を固めたこの女性が家政婦などをしているのか分かった気がした。きっとこの女性は、職業として家政婦をしているわけではないだろう。失った若さと美しさを『キヅナ様』に求め、その近くにいることで最大限の恩恵を得ようとしているのだ。

僕が納得していると、鷹央がびしりと花江を指さした。

「でも、美しくなっていないじゃないか」

花江の口から「……は？」と呆けた声が漏れる。

「美の基準は人それぞれだし、文化による影響も受けるが、少なくとも現在の日本の基準からすると、お前はあまり美しいとは言えないと思うぞ。身の回りの世話をしているお前が『美』を取り戻せていないところを見ると、たとえ楯石希津奈が本当に『永遠の若さ』を持っているとしても、他人を同じような体質にする力はないってことじゃないか」

あまりにも酷い言い草に、花江の顔が紅潮し、その体がわなわなと震えだす。

「そもそも、お前の場合は『若さ』を求める以前に、減量するべきだと思う。極度の肥満は高血圧、高脂血症、糖尿病などの生活習慣病を招き、血管を劣化させる。それはある意味、老化を促進しているともいえる。それに、その丸い鼻は酒の飲みすぎなどが原因で起きる、『酒さ』というものだ。禁酒と食事制限、そして運動療法を組み合わせれば、いくらかは老化を止め、美しさを取り戻すことができるぞ」

額に青筋を浮かべる花江の前で、鷹央は滔々と語り続ける。

鷹央に悪意は微塵もない。ただ相手がどう感じるか想像することができず、医師として健康上の問題点を語っているだけだ。しかし、悪意がないからと言って、相手を激怒させることには違いはない。

そろそろ、鎮静剤を打って連れ出した方がいいだろうか？「さらに……」と続けようとする鷹央を見て、僕がそんなことを考えていると、ノックの音が響いた。引き戸が開き、男性看護師が顔を覗かせる。

「患者さんのお父様がいらっしゃいました。入っていただいてもよろしいですか？」

墨田の顔に逡巡が浮かぶ。その気持ちは痛いほど理解できた。患者の家族がいる状態で、なにをしだすか分からない鷹央に診察をさせたくないのだろう。

だが、墨田が返事をする前に看護師を押しのけるようにして、スーツ姿の恰幅の良い老齢の男性が病室に入ってきた。年齢はおそらく七十歳を超えているだろう。頭髪は薄く、顔全体が黄ばみ、首元には赤い痣のようなものが浮かんでいる。ただ、切れ長の瞳と薄く形の良い唇が、若い頃は美形だったのではと思わせた。

「えっと、こちらは希津奈さんのお父様で、楯石源蔵さんです」

墨田に紹介された老人は、「この二人は？」と鷹央と僕を睨む。

「私は統括診断部部長の天久鷹央だ。そして、こっちは私の部下の小鳥」

あだ名で紹介しないでくれ。僕は内心で文句を言いながら、「小鳥遊です」と会釈する。

「統括診断部？　どういうことですか、墨田先生？」詰問するように源蔵が言う。

「いえ、それはですね、希津奈さんの精神症状がなにか体の病気が原因で起こる可能性もあると考えて、内科の先生にも診察してもらおうと思ったんです」

源蔵に気圧されたのか、墨田は釈明するように答えた。

「体の病気？」源蔵の目付きが鋭くなる。「入院するときにとった頭のＣＴと採血の結果で、体の病気は否定されていたはずだが？」

墨田が「それは……」と口ごもっていると、鷹央がずいっと前に出た。

「わずかそれだけの検査で、全ての身体疾患を否定できるわけじゃない」

「娘は体が悪いんじゃない。きっと心の病気なんだ。それさえ治してくれればいい」

「心と体は密接につながっている。たとえば、精神的に強いストレスを受けると、それに対応するために副腎皮質からホルモンが分泌される。しかし、過剰に分泌された副腎皮質ホルモンは、血糖値の上昇、免疫抑制、胃粘膜の障害など、体に様々な変化をもたらし、耐糖能異常、感染症、胃潰瘍などの疾患を引き起こすことがある」

鷹央は左手の人差し指を立てると、「さらに」と続けた。

「体の疾患が精神の不調をもたらすこともある。多いのは甲状腺機能の異常だな。体を活性化させるホルモンである甲状腺ホルモンが低下すると、抑うつ傾向になり、逆に過剰分泌されると苛立ちやすくなったり、場合によっては様々な妄想が出現することもある」

鷹央はちらりと墨田に視線を向ける。かつて、甲状腺機能低下症の患者をうつ病と誤診し、研修医時代の鷹央に指摘された経験のある墨田は、渋い表情になる。

「まあ、そういうわけで、お前の娘に起きていることを解明するためにも、徹底的に体を調べる必要があるんだ。分かっただろ」

得意げに鷹央が言うと、源蔵は大きく舌を鳴らした。

「そんなことを言って、本当は希津奈の体を調べたいだけじゃないのか？　あの子がどうしてずっと齢を取らないのか、それを知りたいんだろ」

「もちろんそれもだ！」鷹央は嬉々として肯定する。

そこは否定してくれ。僕は片手で顔を覆った。

「お前の娘は本当に三十二歳なのか？　どう見ても、十代半ばにしか見えない。ということは、二十年近くほとんど老いていないということか。いや、老いていないというより、成長していないと言った方が正確か。医学的に観察すると、まだ第二次性徴を終えていないのが見て取れる」

予想外の答えに意表を突かれたのか、戸惑いを隠せない源蔵に、鷹央は「そういえば、お前は何歳なんだ」と訊ねる。

「な、七十二歳だ……」

「お前が四十歳のときの子供だということだな。乳児や幼児のときの成長になにか気になる点はなかったか。他の子供に比べて、成長が遅いとか」

「別に、そんなことはない。希津奈は普通に成長していった」

完全に鷹央のペースに巻き込まれている源蔵は、素直に答える。

「つまり、普通だった成長が、十代半ばでいきなり止まったということだな。そして二十年近く、ほとんど外見が変わっていないと。ふむ、それが本当ならいったいなにが原因なんだ。見たところ、父親のお前は普通に齢を取っている。遺伝的な素因を考慮するなら、母親か？　なあ、楯石希津奈の母親はいまどこにいるんだ？　やっぱり、年齢より遥かに若く見えたりするのか？」

困惑が浮かんでいた源蔵の顔に、暗い影が差す。

「希津奈の母親は……、妻は亡くなっている。三十年前、希津奈がまだ二歳のときだ」

鷹央は目をしばたたいたあと、「それは悪いことを訊いた」と頭を下げた。その姿を見て、僕の口元がかすかに綻ぶ。以前の鷹央なら、「なんだ、死んでいるのか」とつまらなそうにつぶやいた場面だろう。少しずつ、本当に少しずつではあるが、他人の気持ちを思いやるという技術を彼女が身につけていることが嬉しかった。

顔を上げた鷹央は、「と、いうわけで」と快活に言うと、胸の前で両手を合わせる。

「やはり、不老の謎を解くためには、徹底的に楯石希津奈の体を調べてみる必要があるな」

……もう少し、殊勝な態度を続けていれば完璧だったんだけどな。

「いい加減に……」

源蔵が怒鳴りかけたとき、口をつぐんでいた花江が「あっ」と声を上げた。見ると、いつの間にか希津奈がベッドで上体を起こしていた。

「キヅナ様、大丈夫⁉」

花江が慌ててベッドに駆け寄るが、希津奈は虚ろな目で空中を見つめるだけだった。

「楯石さん、分かりますか？　主治医の墨田です」

慎重に墨田が話しかける。しかし、やはり希津奈はほとんど反応しなかった。次の瞬間、鷹央が床を蹴った。花江を押しのけるようにしてベッドに片膝を載せると、身を乗り出して強引に希津奈と視線を合わせる。

「聞こえるか？　私は天久鷹央、お前の診察を頼まれた」

「あめく……」

希津奈がつぶやく。鎮静剤の影響が残っているのか、その口調はたどたどしかった。

「ああ、そうだ。お前に訊きたいことがある。お前は本当に三十二歳なのか？　本当に二十年近く、齢を取っていないのか？」

「私は……」希津奈は虚ろな目を天井に向ける。「私はキヅナ。永遠の命を賜った存在」

「賜ったということは、誰かから受け取ったということだな。いったい誰がお前に永遠の命を与えたんだ？」

「大いなる存在。龍神。私はその慈愛を受けた。福音を民に与えるために……」

「龍神がお前に力を与えたということか。福音というのは、老いない力のことか？　それを他人にも与えられるというのか？」

「『死』はもはや私を縛れない。私は蘇る。何度でも……」

熱に浮かされたような口調で、希津奈はつぶやき続ける。

「命が尽きようとも、私は古い体を捨て去り、また生まれ変わる……。次の私はここにいる……。私は……この子になる」

希津奈はゆっくりと、両手を下腹部に重ねた。鷹央は「この子？」と眉根を寄せた。

「まさか、妊娠しているのか⁉」

好奇心で輝いていた鷹央の表情がこわばる。墨田の顔もさっと青ざめた。当然だ。

強い放射線を浴びるCT検査は、妊婦には禁忌だ。胎児が障害を受ける可能性がある。

「妊娠……？　子供……？」

不思議そうにつぶやいた希津奈の双眸が、急速に焦点を結んでいく。

「助けて！」

希津奈が金切り声を上げる。聴覚過敏気味の鷹央は、体を震わせて両手で耳を覆った。

「いや、助けて！　この子を盗らないで！　この子は私なの。私はこの子になって生まれ変わるの。あなたたちは誰⁉　なんで私を監視するの？　なんで私を閉じ込めるのよ⁉」

希津奈はベッドの上で激しく四肢をばたつかせはじめる。鷹央は「お、おい。落ち着けよ」とその体を抑えようとする。しかし、相手が華奢な中学生にしか見えないといっても、鷹央も負けず劣らず小柄だ。完全に希津奈を制御することはできなかった。

「いや、誰か助けて！　殺される！　この子が死んだら、私はもう復活できない！」

希津奈は頭を激しく振り回し、口の端から泡を吹きながら、鷹央の体を両手で押した。軽量の鷹央はそれだけで大きくバランスを崩し、床に倒れる。

「鷹央先生、大丈夫ですか？」

慌てて駆け寄った僕が助け起こすと、鷹央は軽く頭を振った。

「私は大丈夫だ。それより、楯石希津奈を」

ベッドの上で希津奈は両手で抱えた頭を振り乱していた。これは、かなり危険な状態だ。

「小鳥遊先生！」

鋭い声をあげつつ、墨田が白衣のポケットから注射器を取り出す。彼女の意図を悟った僕は、鷹央の体を離すと、全身を痙攣させるかのように暴れている希津奈の体を押さえた。僕の腕の支えを失ってこてんと転んだ鷹央が、床に肩をぶつけて「いてっ⁉」と悲鳴をあげるが、見なかったことにする。

摑んだ希津奈の肩は、どきりとするほど華奢だった。力を入れすぎれば折れてしまいかねないほどに。

墨田は慣れた手つきで希津奈の入院着の袖をまくり上げ、白い腕を露出させる。一瞬の躊躇もなくそこに注射針を突き刺した墨田は、シリンジの液体を押し込んでいった。

針を抜いてもしばらく希津奈は暴れていたが、やがてその体から力が抜けていく。切れ長の瞳に瞼が降りた。安堵の息を吐いた僕は、ゆっくりと希津奈をベッドに横たえる。

「……よくも転ばしてくれたな」背後から恨めしげな声とともに、鷹央がふくらはぎを蹴ってくる。

「やめてくださいよ。しょうがないでしょ、あの場合」

「しょうがなくても、肩が痛かったのは事実だ。この怒りを発散させる必要がある」

何度かげしげしと蹴ると、満足したのか鷹央は墨田に視線を向けた。

「おい、頭部CT撮影する前に、妊娠していないか確認はしたんだろうな」

「わ、私に言われても。昨日、CTを撮影したのは救急部だから……。当然、確認したとは思うけど……」

「思うけどですむか。小鳥、すぐに小田原を呼び出せ。妊娠の有無を確認しないと」

「は、はい」

鷹央に指示された僕は、産婦人科の部長である小田原香苗に連絡を取るため、白衣のポケットから院内携帯を取り出した。

次の瞬間、「いい加減にしろ！」という怒声が病室に響き渡った。鷹央の体がびくりと震える。振り返ると、顔を紅潮させた源蔵がこちらを睨みつけていた。

「娘が妊娠なんてしているわけがない！」

「なんでそんなことが言えるんだ。少なくとも記録上は、お前の娘は三十二歳なんだろ。もう大人だ。妊娠していてもおかしくない」

源蔵の剣幕に動じることなく鷹央が言い返す。

「希津奈は普通の女じゃない！」源蔵が大きく腕を振った。「二十年近く成長をしていないんだ。年齢は三十二歳でも、体はまだ子供だ。妊娠なんてするわけがない」

「体が子供だろうがなんだろうが、初潮を迎えていれば妊娠することはできるんだよ」

毅然（きぜん）とした鷹央の指摘に、源蔵は言葉を詰まらせた。畳みかけるように、鷹央は言葉を重ねる。

「可能な限り、患者の健康を守るのが医師の義務だ。もし妊娠しているとしたら、投与できる薬や行える検査も限られてくる。また、患者だけでなく胎児の健康状態もしっかりとチェックする必要がある。この病院に入院している以上、必要と思われる検査を行い、体の状態を把握するのは、医師の裁量権の範疇（はんちゅう）に含まれる。私は診察依頼を受けた医師として、妊娠の有無を調べる義務がある」

覇気のこもった声で鷹央は宣言する。希津奈に似た薄い唇を噛んだ源蔵は、「……分かった」と喉（のど）の奥から声を絞り出した。

「理解してくれて嬉しいよ。それじゃあ小鳥、さっそく小田原を呼んで妊娠検査を……」

源蔵が「待て！」と鷹央のセリフを遮る。鷹央は狭い額にしわを寄せた。

「なんだよ。妊娠検査が必要なことは分かったんだろ」

「違う。私が『分かった』のは、これ以上、娘を入院させておけないという意味だ」

「はぁ⁉」鷹央は甲高い声をあげる。

「私は娘を落ち着かせて欲しかっただけだ。誰も体を診てくれなんて頼んでいない。それなのに、唯一の肉親である私に無断で、希津奈の体を調べようだなんて許せるわけがない」

墨田が慌てて、源蔵と鷹央の間に割って入る。

「この子の失礼な発言は謝罪します。ただ、たしかに精神症状が体の病気から生じることはあるので、しっかりと調べる必要があるんです」

鷹央が「この子？」と低い声でつぶやくが、墨田はそれを無視して話し続ける。

「それに、万が一、希津奈さんが本当に妊娠していたら、しっかりケアする必要があります。妊娠が精神症状を引き起こしている可能性も否定はできないんです」

「娘は妊娠なんてしていない！　何度言ったら分かるんだ！　やはりお前たち、娘の体を調べるつもりだな。どうして、齢を取らないかを調べるために」

「誤解です。私たちは純粋に希津奈さんを治したいだけです」

「ごまかすな！」源蔵は鷹央を指さす。「さっきその女が言っていたじゃないか。不老の謎を解くために娘の体を徹底的に調べるって。誰がなんと言おうと、これ以上、娘をこんな病院には任せておけない」

ああ、余計なこと口にするから。僕が頭を抱えたとき、「待って！」という金切り声が上がった。見ると、花江が蒼い顔で源蔵を見ていた。

「ダメよ、ちゃんと治さないと。このままじゃ、この子が本当におかしくなっちゃうじゃない。それじゃあ困るでしょ」

上ずった声で言いながら、花江は源蔵のスーツの襟を両手で摑んだ。このままでは希津奈によって自分が若返ることができなくなると思い、焦っているのだろう。その姿は、僕にはやはりカルト宗教に騙されている被害者にしか見えなかった。

源蔵が「……おい」と脅しつけるように言う。花江ははっとした表情を浮かべると、慌てて摑んでいた襟を放し、深々と頭を下げた。

「申し訳ありません。つい……」

「失せろ」

どこまでも冷徹に源蔵は告げる。花江は腫れぼったい目を見開いた。

「失せろと言っているんだ。私の目の前に二度と姿を現すな」

虫でも追い払うように、源蔵は手を振った。花江は厚く血色の悪い唇を歪め、勢いよく身を翻して病室をあとにする。鼻を鳴らした源蔵は大股にベッドに近づくと、かすかな寝息を立てる希津奈の体を揺すった。

「希津奈、帰るぞ。これ以上、こんな病院にお前をあずけておけない」

「楯石さん」

声を上げた墨田を、源蔵は「なんだ？」と睨めつけた。

「勝手に他科の医師に、娘さんの診察を依頼したことについては謝罪します」

墨田はつむじが見えるほどに頭を下げる。

「いや、墨田。お前が謝る必要はないぞ。それは医師の裁量権の範囲で……」

「だまらっしゃい！」

余計なことを口走りかけた鷹央を一喝すると、墨田は僕に鋭い一瞥をくれた。その意味を悟った僕は、とっさに鷹央の背後に回り。両手で彼女の口を覆う。掌の下で鷹央がなにかもごもごと言っている。聞き取れないが、間違いなく僕に対する罵詈雑言だろう。

「……検査は頭のＭＲＩだけだったはずだ。その他のことは聞いていない」

押し殺した声で源蔵がつぶやく。

「たしかにその通りでした。これからなにか検査をする際は、事前にご家族に連絡をして、許可をいただいてからにします。それでよろしいですか？」

「よろしいですかとは？」

「いえ、だから娘さんの退院は思い直して……」

「謝ればなんでも許されるとでも思っているのか？　お前たちは私の娘をモルモット

にしようとした。そんな奴らを信用できるわけがないだろう。娘はいますぐに連れて帰る」

「それはダメです。娘さんには強い精神症状が生じています。入院してしっかりと治療することが必要です」

「ここは監獄なのか？」

　源蔵のつぶやきに、墨田は「え……？」と呆けた声を上げる。

「ここは犯罪者を収容する監獄なのかと訊いているんだ。昨日の説明では、保護者である私が同意したから娘を強制的に入院させるという話だったはずだ。しかし、私の気が変わりすぐに退院させたいと望んでも、この病院は娘を閉じ込め続けるというのか？」

　墨田の顔がこわばる。医療保護入院には保護者の同意が必要不可欠だ。源蔵が退院を求めている以上、希津奈を入院させ続ける法的根拠は存在しない。

「そうなら、いますぐに警察に通報する。病院が未成年者を監禁しているとな」

　源蔵はスーツの内ポケットからスマートフォンを取り出した。

「……分かりました」食いしばった歯の隙間（すきま）から、墨田が声を絞り出す。「すぐに手続きをします。ただ、鎮静剤を打っているので、退院は明日の朝まで……」

「いや、いますぐにだ。駐車場に車を停めてあるから、そこまで車椅子（いす）でもストレッチャーでも何を使ってもいいから娘を運べ。分かったら出ていけ。娘と二人になりたい」

自らの要求を告げた源蔵は、もはや興味がないといった様子で墨田から視線を外してベッドに近づき、柔らかい手つきで希津奈の頬を撫でた。

唇を歪めた墨田は踵を返すと、ヒールを鳴らして扉へと近づいていく。

「鷹央先生、僕たちも出ま……」

そこまで言った瞬間、掌から脳天まで激痛が駆け抜けた。

「今度、口塞いだらセクハラで訴えてやるって言っただろ！」

追撃とばかりに僕の向う脛を蹴飛ばした鷹央は、肩をいからせて出入り口へと向かう。

僕はくっきりと歯形が残る手を押さえながら、うずくまることしかできなかった。

2

「うわ、この子、超かわいい。なんか、私の中にあるヤバい扉が開いちゃいそう」

薄暗い部屋にテンションの高い声が響く。Tシャツにダメージジーンズというラフな服装をしたショートカットの研修医、鴻ノ池舞が、鷹央と並んでパソコンのディスプレイを覗き込んでいた。

　翌日の土曜日の昼下がり、僕は天医会総合病院の屋上に建つ鷹央の〝家〟にいた。

　理事長の娘という特権を思い切り乱用して建てた鷹央の自宅兼、統括診断部の医局。赤レンガ作りのファンシーな外見は、西洋の童話に出てくる小人の家のようだが、大量の書籍が積み上げられた〝本の樹〟がいたるところに生え、常に薄暗い室内は、これまた西洋の童話に出てくる魔女の住処のようだ。

「……なんでお前がいるんだよ」

　僕は鴻ノ池に声をかける。鴻ノ池舞は僕の天敵だ。なにかにつけてからかってくるし、鷹央と恋仲だという噂を病院中に流されたせいで、僕の恋愛事情は悲惨なものになっている。

「だって、家にいても暇なんですもん。本当ならツーリング行く予定でしたけど、あいにく昨日の夜から大雨ですし」

「なら、家でおとなしくしておけばいいだろ」

「えー、せっかくの休みなのに、家でダラダラ過ごすなんてもったいないじゃないですか。体にカビ生えちゃいますよ」

　根っからのアウトドア派だな、こいつ。

「それより、小鳥先生はどうして病院にいるんですか？　日直とかじゃないでしょ」

「一人、統括診断部の患者さんが入院しているからな。もう診断はついて週明けに退院予定だけど、一応顔出しておこうと思って」

大学附属病院で勤務していた頃の習慣で、入院患者を担当している場合は、休日であろうとも病院に出て、一通り回診しないと落ち着かないのだ。

「ふーん、じゃあ、正座しているのはなんでなんですか？　特殊なプレイですか？」

小首をかしげた鴻ノ池は、ソファーの前の床で正座をしている僕を眺める。

「私にセクハラをはたらいたからだ」黙っていた鷹央が、不機嫌な声でつぶやいた。

「ええ？　……最低」鴻ノ池の眼差しに、軽蔑の色が浮かぶ。

「人聞きの悪いこと言わないでください。口を押さえただけじゃないですか」

「背後からレディの口を塞ぐのが、セクハラじゃなけりゃなんだっていうんだ」

正論を返され、ぐうの音も出なくなる。その通りなのだが、あの場合はしかたなかったじゃないか……。内心で愚痴をこぼしながら、僕は数十分前の出来事を思い出す。

入院患者の回診を終え、とりあえず鷹央に挨拶してから帰ろうと思った僕が〝家〟の扉を開けるやいなや、鷹央が「一時間正座」と言ってきたのだ。

新車でドライブする予定だったので無視して、「では」と帰りかけた僕の背中に、「やらなきゃ、セクハラされたって姉ちゃんに報告するぞ」という恐ろしい警告が飛んできた。鷹央の姉である天久真鶴は、この病院の事務長でもある。鷹央とは対照的に、モデルのようにすらりとした長身の美人で、去年この病院に赴任した際、僕は一目惚れしてしまったという経緯がある（後日、既婚者と知り失恋した）。

そんな真鶴におかしな報告をされることだけは避けなければならず、僕はしぶしぶ鷹央の指示通りに正座をはじめたのだった。

僕は身をよじって臀部の位置をずらす。長時間の正座でダメージを受けた足に、耐えがたい痺れが走っているが、それを鷹央と鴻ノ池に気づかれるわけにはいかない。嬉々として攻撃してくるのが目に見えている。

「暇だからって、ここはアミューズメントパークじゃないぞ」

数分前に「お邪魔しまーす」と突然やってきた鴻ノ池は、鷹央とともにディスプレイでなにやら動画を眺めていた。

「そんな冷たいこと言わないでくださいよ。再来月から一緒に働く仲じゃないですか」

ああ、そうだった……。必死に忘れようとしていたことを思い出し、暗澹たる気持ちになる。再来月から三ヶ月、選択研修で鴻ノ池が統括診断部に配属されるのだ。鷹央のフォローをするだけでも鳩尾がキリキリすることが多いのに、鴻ノ池の相手までしなければならないとなると、胃に穴が開くかもしれない。

鬱々とした気持ちで僕は下半身から這い上がってくる痺れに必死に耐える。あと少しで、指定された一時間が経過する。もう少しの辛抱だ。そう思ったとき、傍らに置いていたスマートフォンがピピピピと軽い電子音を立てる。一時間が経過した合図だ。

「なんだよ、もう一時間経ったのか」鷹央はこめかみを掻く。「反省しているかよく分からないから、とりあえずもう一時間様子を……」

「反省してます！　猛省しています！　だから勘弁してください！」

必死に声を上げると、鷹央は数瞬考え込んだあと、「まあ、許してやるか」とつぶやいた。僕は心の底から安堵して足を崩す。

「だが、仏の顔も三度までだぞ。次やったら、痛い目に遭わせるからな」

「仏……？」

「なんだよ、文句あるのか」

「いえ、ありませんありません」

早口で言いながら、僕は掌に視線を落とす。そこには、昨日、鷹央の八重歯が食い込んだ傷がくっきりと残っていた。

十分、痛い目には遭っているんだけどな。胸の中でつぶやきつつ立ち上がった僕は、下肢に走った電流のような痺れに漏れかけた悲鳴を必死に呑み込む。気づかれたら、鷹央と鴻ノ池は喜び勇んで攻撃してくる。その確信に怯えつつ、そそくさと退散しようとした僕は、ディスプレイに映っている少女の姿を見て「あれ？」と声を上げる。

「それって、楯石希津奈さんですか？　なんで彼女の動画が？」

「投稿サイトに動画をアップしているんだよ。まあ、布教活動みたいなもんだな」

「布教活動？」意味が分からず、僕は聞き返す。

「自分がどんなもの食べているとか、どんな生活を送っているとか説明しているんです。見たら分かりますよ」

　鴻ノ池が手招きする。すぐにでも脱出した方が良いとは分かっているのだが、齢を取らない少女への好奇心が勝った。僕は足を引きずらないよう注意しながら、鷹央たちに近づいていく。見ると、画面に緊張した面持ちの楯石希津奈が映っていた。鷹央がマウスを操作して動画を再生する。

『このように、私がこの二十年間、若さを保っていられたのは体質だけでなく、生活習慣、とくに食生活に秘密があります。老いを防ぐため、そして美しさを保つためのレシピを編み出し、それを一日も欠かすことなく食べているのです』

　視線を泳がせながら、希津奈はたどたどしく喋（しゃべ）りつづける。

「なんか、痛々しいですね。まあ、被写体が可愛らしいから見ていられますけど」

「……ロリコンめ」鷹央が湿った視線を投げかけてくる。

「だから、違いますって！　僕は大人の女性にしか興味がないって何度も言っているでしょ！」

「あれ、小鳥先生、小さい女の子の魅力に目覚めちゃったんですか？」

からかうように鴻ノ池が言う。相手にすると面倒なので僕が無視していると、鴻ノ池は耳元に口を近づけ、小声で囁いてきた。

「それなら、目の前に最高の相手がいるじゃないですか。年齢はちゃんと大人なのに、外見は少女みたいな女性が。もうそろそろ、くっついちゃってくださいよ。それなら法に触れたりしませんから。まさに合法ロ……」

「おい、なに二人してこそこそやってんだ？」

鷹央にセリフを遮られた鴻ノ池は、「なんでもありませんよー」と胸の前で小さく両手を振った。重い疲労感が背中にのしかかってくる。

「なんの目的でこんな動画をアップしているんでしょうね」

「そりゃ、金のためだろ」鷹央が皮肉っぽく言う。

「金のため？　動画を見てもらって対価を貰うってことですか？　けど、たしかにそれなりの再生数ですけど、これくらいじゃ大した金額になりませんよ」

「動画の再生で稼いでいるんじゃない。会員制のオンラインサロンだ」

「オンラインサロン？」耳慣れない言葉に僕は聞き返す。

「月会費を払ったユーザーだけがアクセスできるサイトさ。そこで、色々な『不老不死の秘術』を教えたり、怪しい『若返りの水』なんかを売っていたりするんだよ。全ての動画の最後に、オンラインサロンへの登録を促すメッセージが入っているぞ」

「そんな馬鹿馬鹿しいサービスに入っている人がいるんですか？」

「いるぞ」鷹央は胸を張って自分を指さした。「私も入ってみた」

「え？　先生が？　もしかして、年齢を気にしていたりするんですか？」

　僕が反射的に言うと、鷹央は座っている椅子ごと回転して、「私の年齢がなんだって？」と足を蹴ってきた。たいした威力ではなかったが、痺れている足に衝撃を受け、僕は声にならないうめき声を上げる。

「そんな強く蹴ってないだろ。オーバーなやつだな。別に私は年齢なんて気にしていないぞ。あと二年で三十歳なんて気にしていないし、もちろんアラサーなんていう言葉を聞いても、別に気にならない」

　めちゃくちゃ気にしてるじゃないか。

「女性に年齢の話はタブーです。デリカシーのない男性はモテませんよ」

　再び鴻ノ池が囁いてくる。その態度には二十代半ばの余裕が溢れていた。

「私がこのオンラインサロンに入会したのは当然不老の謎のヒントを探るためだ。本当に楯石希津奈はハイランダー症候群なのか。昨日見た精神症状と体質にはなにか関連があるのか。若さの秘訣に興味はなくはないがそれはあくまで学術的な興味であって個人的にずっと若くいたいとかやっぱり三十路とか言われたくないとかアラサーとか言われたらそいつを殺しかねないとかそんなことまったく思っていないからな」

鷹央はほとんど息継ぎすることなく一気にまくしたてた。僕は「……さいですか」とだけ答える。ここで下手なことを言ったら、あと一日正座させられるかもしれない。

「そのオンラインサロンって、会員は結構いるんですか？」

鴻ノ池の問いに、鷹央は乱れていた息を乱しつつあごを引いた。

「一万人近くはいるみたいだな。月会費が三千円だから、それだけで三千万円ほどの収入だ。『若返りの水』なんかの売り上げを合わせると、月収五千万円以上はいってるだろう」

「五千万⁉」声が裏返る。「目をつけていたスポーツカー、十台以上買える！」

「お前、やっぱり無機物に性愛を向けるようになっていたか」

もう反論するのも面倒なので無視した僕は、頭に湧いた疑問を口にした。

「でも、あんなたどたどしい動画で信じるものですか？」

「あれは初期に投稿されたものだ。そこから回数を重ねて慣れてきたのか、数ヶ月もすればだいぶこなれた感じになる。そしてなにより、同時にこんなものも投稿しだした」

鷹央は画面に別の動画を映し出す。かなり昔に撮影されたものなのか、画質は粗い。数人の少女が、大量のフリルがついたパステルカラーの衣装を着てマイクを持っている。その中央に立つ少女を見て、僕は「あっ⁉」と声をあげる。

「気づいたか、楯石希津奈だ。十八年前のな」

「十八年前……」

僕は呆然とディスプレイの中の少女を凝視する。その姿はまさに昨日、閉鎖病棟で見た少女そのものだった。

少女たちが音程外れの歌謡曲を歌い出し、拙いダンスを舞うのを僕は凝視し続ける。

「なんだ、食い入るように見て。やっぱり車だけでなく、こんな年端もいかない少女にも興味があるのか」

鷹央がからかってくるが、それに反応する余裕などなかった。

「本当にこの画像は十八年前のものなんですか？」

「間違いなく十八年前のものだ」鷹央の表情が引き締まる。「このサイトだけでなく、様々な情報を当たった。楯石希津奈は十四歳から十七歳まで田無にある芸能事務所に所属し、この『フリルズ』というグループで芸能活動をしていた。記録もそのときの動画も、いくつか残っている。まあ、たいして人気が出ずに解散したんで、それほど多くはないがな」

「どう見ても、昨日入院していた子と同一人物じゃないですか！　しかも、十八年前の画像だっていうのに、まったく姿が変わっていない⁉」

「えー、本当に間違いないんですか？　ちょっと似ているだけの別人とかじゃ？」

希津奈に会っていない鴻ノ池が、疑わしげな声で訊ねる。僕は大きくかぶりを振った。

「いや、どう見ても同一人物だ。しかも昨日見た楯石希津奈さんは、この動画のときから齢を取っていないどころか、さらに幼かった気がする」

「ああ、そうだな。まさに、本人が主張するように、若返ったかのようだ」

鷹央の唇に妖しい笑みが浮かんだ。

「この動画が出てから、楯石希津奈の話の信憑性が上がった。『齢を取らない少女』の噂はじわじわと広がっていき、オンラインサロンの登録者がうなぎ上りになったらしい」

「けど、この初期の動画が投稿されたのって去年なんですね。まだ、この活動をはじめてから一年ぐらいしか経っていないのか」

鴻ノ池がひとりごつ。たしかに最初に見た動画の投稿日を確認すると、いまから一年ほど前の日付になっていた。

「ああ、オンラインサロンをはじめたのもその頃だ。登録者が爆発的に増えはじめたのはここ数ヶ月なんで、まだそれほどの収入を得たわけじゃないだろうな」

「つまり、これから稼ぐぞってときに、希津奈さんに精神症状が生じたということですか？」

僕がつぶやくと、鷹央はシニカルな笑みを浮かべた。

「いや、逆だ。おそらく精神症状が出たからこそ、登録者が増えている」

僕が「どういうことですか？」と首をかしげると、鷹央はオンラインサロンのホームページを開き、動画の一覧を画面に表示した。

「もともとは、あくまで『美容のための健康情報を教えます』といった感じでたどたどしかったのに、数ヶ月前から一転して喋りが流暢になり、自らを『不老不死』『龍の化身』『大いなる存在に選ばれた者』などと、まるで預言者のような発言が増えてきた」

「そんな怪しいことを言い出したら、オンラインサロンの会員ってみんな退会するんじゃないですか？」

「減るどころか、何倍にも膨れ上がった。この美少女ぶりと妖しいセリフがなんとなく神秘的に見えて、SNSなどで話題になったらしい。そこで、十数年前のアイドル時代の動画が発見され、一気に拡散した。かくしてオンラインで『不老不死の少女』を崇め奉る集団の誕生だ。書かれているコメントを見ても、『キヅナ様の力で私を若返らせてください』『キヅナ様、私に美をお与えください』と、まるで神に救いを求めるようなものばかりだ」

「……やっぱりカルト宗教じゃないですか」

昨日、希津奈が若さを与えてくれると信じ込んでいるかのように見えた、伊豆花江の姿を思い出し、苦々しい思いが胸に湧く。

「以前私たちが潜入した大宙神光教のように、明らかな宗教団体を形成しているわけじゃないが、実態はまさに教祖と信者そのものだ。オンラインサロンというものは、カルト宗教の新しい形なのかもしれないな。それ自体もなかなか興味深い。ただ、一番興味深いのは、なんといっても実際に楯石希津奈が齢を取っていないとしか見えない点だな」

鷹央は舌なめずりするように唇を舐めた。

「本当にハイランダー症候群なのか、それともなんらかのトリックがあるのか。どちらにしても面白くなってきた」

「わぁ、ということは、『不老不死の少女』について統括診断部で調査するってことですね。私もぜひ混ぜてください」

鴻ノ池は胸の前で両手を合わせる。

「やっぱり、『永遠の若さ』って女性の夢ですもんね。私はまだ全然気にならないけど、あと三、四年経ったら『もう若くないんだな』とか感じたりするかもしれないんで、そのときのためにも本当に若さの秘訣があるなら知っておきたいです」

冗談めいた口調で鴻ノ池が言うと、鷹央の目がすっと細くなった。

「私、お前の三つ年上なんだけど……」

「ああ、鷹央先生は別ですよ。普通の人と違って全然老けてなんていません。もう、十歳、いや、十五歳くらい若く見えます」

慌てて取り繕いながら、鴻ノ池は鷹央の頭を撫でる。単純な鷹央は「そうかそうか」とまんざらでもない様子で、わずかにウェーブのかかった髪を梳かれている。

……十五歳若くってことは、中学生に見えるってことなんだけど、それでいいのか？

呆れつつ、僕は退散するタイミングをうかがいはじめる。普段は冬眠中の熊のように出不精な鷹央だが、好奇心が刺激される事件を前にすると、うって変わって活動的になる。早くこの場から逃げ出さないと、またおかしなことに巻き込まれかねない。

まだ強い痺れが残る足でじりじりと後ずさりをはじめた僕は、ふとすぐわきに置かれた電子カルテのディスプレイに視線を向ける。楯石希津奈のカルテが開かれていた。画面の端に浮かんでいる表示を見て、思わず声を上げる。

「あっ、昨日撮影したＭＲＩの画像、あがってきてますね」

「ん？　なんでそんなとこにいるんだ」鷹央が椅子ごと回転して振り向いた。

「いえ、あのっ……、カルテを確認しようと思いまして」

しどろもどろになる僕に向かい、鷹央は椅子を滑らせて近づいてくる。電子カルテの前まで移動した鷹央は、食い入るように画面を見つめた。

「ようやくアップされたか。時間外の撮影だったうえ、患者が退院したってことで、なかなか処理されなかったんだよ」

　鷹央はマウスを操作して、ディスプレイに映し出されたＭＲＩ画像を頭頂部から、脳幹部に向けて流していく。マウスをクリックするカチカチという音が止まった。鷹央の口から「なんだよ、これ？」という声が漏れる。僕は鴻ノ池とともに、鷹央の肩越しに画面を覗(のぞ)き込んだ。眼球がある高さで頭部を輪切りにしたスライス。そこに映った大脳の内部に、正常なら存在しない白い靄(もや)のようなものが写っていた。

「これって……」鴻ノ池がその部分を指さす。

「……脳炎だ。大脳辺縁系の辺りに明らかな炎症が認められる。この程度の炎症はＣＴでは写らないが、ＭＲＩなら確認できる」

「じゃあ、楯石さんの精神症状の原因って……」

　僕の言葉に鷹央は大きく頷(うなず)いた。

「間違いなくこの脳炎によるものだろうな。楯石希津奈は精神疾患を患っていたのではなく、脳炎という身体疾患の結果として精神症状を呈していたんだ」

「でも、なんで脳炎なんて起こしているんですか？」

「それはこの画像だけでは分からない。多いのはヘルペス脳炎などの感染症によるものだが、他にも薬物、自己免疫疾患、腫瘍(しゅよう)など、様々な原因で脳炎は引き起こされる」

「あの……」鴻ノ池が小さく手を挙げる。「脳炎って危険な病気ですよね。これってヤバいんじゃないですか」

「ああ、ヤバい。めちゃヤバだ。原因にもよるが、早期に適切な治療を受けなければ命を落とす危険があるし、治ったとしても後遺症が残るケースも少なくない。おい、小鳥」

　鷹央が鋭く言う。

「楯石源蔵に連絡を取るんだ。娘が脳炎を起こしていて、すぐに入院治療が必要だって」

「は、はい」

　僕は慌ててズボンのポケットからスマートフォンを出すと、カルテに記載されている源蔵の携帯番号に電話をする。

『おかけになった電話番号は電源が切られているか、電波の届かない……』

　コール音の代わりに人工音声が響いた。

「ダメです、繋(つな)がりません」

「ああ、こんなときに」

鷹央は苛立たしげにかぶりを振ると、「行くぞ」と立ち上がる。

「行くって、どこにですか？」

「楯石希津奈の家に決まっているだろ。カルテに住所が書いてある。ここから車なら三十分もかからないはずだ。直接行って、状況を伝えるぞ。お前の愛車の出番だ」

「わ、分かりました」

スマートフォンをポケットに戻した僕は出口に向かおうとする。しかし、焦っていたため下肢に強く残っている痺れを忘れていた。足が縺れ、大きくバランスを崩した僕は、目の前にあった〝本の樹〟をなぎ倒しながら転ぶ。

「うわあ、なにやってんだよ⁉　どけって！」

後ろから聞こえてきた声に振りむくと、僕が散乱させた本を避けようとした鷹央が、たたらを踏んで迫ってきていた。

スライディングするように、鷹央が僕に向かって倒れこんでくる。彼女の全体重が、電撃がわだかまっているような両足に落下してきた。

僕の悲鳴が、薄暗い部屋に響き渡った。

3

「いやあ、本当に広いですね。しかも革張りで乗り心地最高。やっぱり、ＳＵＶは良いですね。前のスポーツカーとは大違い」

　後部座席でテンション高く体を揺らす鴻ノ池を、僕はバックミラー越しに睨みつける。

「おとなしくしてろ。新車なんだぞ。座席を汚したりしたら、ただじゃおかないからな」

「うわー、怖い。やっぱり、新しい恋人を他人に触られたらいやなんですか？　小鳥先生って、つきあったらけっこう束縛するタイプだったりします？」

　からかってくる鴻ノ池の声を聞きながら、ハンドルを握る僕は大きなため息をつく。

「そもそも、なんでお前がついてくるんだよ。関係ないだろ」

　鷹央の〝家〟をあとにした僕たちは（なんとか僕の足の痺れが運転可能になるまで回復するのを待って）、ＣＸ－８に乗って楯石希津奈の自宅へと向かっていた。

「冷たいこと言わないでくださいよ。私も統括診断部の準メンバーみたいなものでしょ」

「お前が統括診断部に研修に来るのは、再来月だ」

「でも私、初期臨床研修が終わったら、統括診断部に入ろうかなぁって思っているんですよ。なら青田買いってことで、いまのうちに仲間に入れてくれてもいいじゃないですか」

「おお、舞。うちに来るか！」助手席の鷹央が嬉しそうに言う。「お前なら大歓迎だ。しっかりと指導してやるからな」

「わー、ありがとうございます。楽しみ。暇なときは医局でアフタヌーンティーとかしましょうね。美味（おい）しいケーキ屋の情報集めておきますから」

「いいなそれ！　じゃあ毎日、勤務が終わったらケーキを食おう」

「え……、いや、毎日だとさすがに太るというか……、スタイル維持が……」

唐突にはじまったガールズトークに僕は唇を尖（とが）らせる。

「未来の部下もいいですけど、いまいる部下ももうちょっと大切にしてくださいよね」

「ん？　こういう格言を知らないのか。釣った魚にゃ餌（えさ）はいらねえ」

「ひどい！」

そんな馬鹿な会話を交わしているうちに、目的地が近づいてきた。カルテに記載されていた情報によると、楯石希津奈の自宅は、西武池袋線の保谷（ほうや）駅から徒歩十五分ほどの住宅街にあった。

「もうすぐ着きますよ」

「ああ、分かった」

緩んでいた鷹央の表情が引き締まる。現在、希津奈がどんな状態なのか見当もつかないのだ。場合によっては昨日より悪化し、すぐに集中治療が必要な可能性もある。

僕はカーナビを確認しつつ、ＣＸ－８を路地へと進ませていく。

「そこですね」

愛車を路肩に停めた僕は、フロントガラスの向こう側に見える木造二階建ての家を指さす。かなり年季が入っているが、ブロック塀で囲まれた敷地はそれなりに広かった。

「よし、行くか」助手席の扉を開けて鷹央は車外に出る。

厚い雲が空を覆い尽くしているが、さっきまで降っていた雨はすでに上がっていた。

鷹央は楯石家に近づくと、迷うことなくインターホンのボタンを押した。

軽い電子音が響く。しかし、反応はなかった。眉間にしわを寄せた鷹央は、続けざまにボタンを押すが、やはり返答はない。

「留守……ですかね？」

僕のつぶやきに答えることなく、鷹央は無造作に鉄柵の門を開けて敷地内に入る。

「ああ、ダメですよ鷹央先生。住居侵入になりますよ」

「そんなこと言ってる場合か。命にかかわるかもしれないんだぞ」

たしかにその通りだ。僕と鴻ノ池も、おずおずと楯石家の敷地に入る。庭は手入れが行き届いておらず、雑草が生い茂っていた。

「おい、いるならさっさと開けろ。楯石希津奈は精神疾患じゃない、脳の病気だ。すぐに治療が必要なんだ」

玄関扉を拳で乱暴に叩きながら鷹央が声を上げるが、やはり反応はない。舌を鳴らした鷹央は、振り返って僕を見た。

「ぼーっとしているなよ。裏に回って窓を覗いて、中に人がいないか見てこい」

「いや、それはまずいんじゃ……」

「大丈夫だ。もし、覗きで捕まっても私がフォローしてやる。お前が少女趣味に目覚めつつある可能性はあるが、今回に限っては医師として必要にかられて覗いたと」

「全然フォローになってない！」

大声を出しつつ、僕は鴻ノ池とともに家の裏手へと向かう。源蔵が外出しているとしたら、室内で希津奈が倒れている可能性もある。脳炎の患者が意識を失うことは珍しくない。

「歩きにくいですね。しかも、さっきまでの雨で濡れていて気持ちわる……」

隣を歩く鴻ノ池の愚痴を聞きつつ、裏庭に着いた僕は窓ガラスを叩く。カーテンが閉まっているため、中の様子は確認できなかった。

「楯石さん！　天医会総合病院の小鳥遊といいます。希津奈さんについてお話がありますので、どうか出てきてください」

覗きと間違われたりしないよう、僕は名乗りながら声を張り上げる。

「……小鳥先生、たぶん誰もいないと思いますよ」

いつの間にかそばでしゃがみこんでいた鴻ノ池が、窓の中を指さす。

「少しだけ室内が見えますけど、電気がついていません。真っ暗です。よく見たら、他の窓からも明かりが見えません。こんな曇りの日に家にいたら、電灯をつけるはずですよ」

僕は鴻ノ池の隣でしゃがみ、わずかに開いたカーテンの隙間から室内を観察する。ソファーやダイニングテーブル、テレビ台などが置かれたリビングダイニングが闇に浮かび上がる。鴻ノ池のいう通り、人のいる気配はしなかった。

「……とりあえず、鷹央先生に報告するか」

玄関前に戻ると、鷹央が苛立たしげに扉を足蹴にしていた。

「鷹央先生、やめてくださいよ。本当に通報されますよ」

「それならそれで、かまわない。警察がくれば、さすがに居留守も使えないだろ」

「室内を覗きましたけど、居留守じゃありません。人のいる気配がしませんでした」

「お前、とうとう本当に覗き魔に……」鷹央は芝居じみた仕草で、両手を口に当てる。

「先生がやれって言ったんでしょ！」

「そんなに怒るなよ。軽い冗談だろ。しかし、自宅にいないとなると、どうやって楯石希津奈の居場所を探ればいい……？」

　鷹央は数十秒、眉間にしわを寄せて考え込んだあと、僕の背中を叩いた。

「よし、小鳥。裏の窓を破って、家の中に侵入しろ。もしかしたら、楯石希津奈がどこに行ったのか、手がかりがあるかもしれない」

「どんどん本格的な犯罪になっているじゃないですか！　やるなら自分でやってください」

「嫌だよ。そんなことをしたら私が逮捕されるかもしれないだろ」

「僕が逮捕されるのはかまわないんですか！」

　そんな会話を交わしていると、鴻ノ池が「あのー」と口を挟んでくる。

「お二人の夫婦漫才を見るの、個人的には大好きなんですけど、そんなことしている場合じゃないと思うんですよね。真面目に考えないと」

　正論を吐かれ、「夫婦じゃない！」という反論も出ない。

「もしかしたら、楯石希津奈さん、入院してるんじゃないでしょうか？」

「入院？　でも、それなら統括診断部に連絡が入ってくるはずじゃ……」

　僕がつぶやくと、鴻ノ池は首を横に振る。

「天医会総合病院じゃなくて、他の病院にです」

「他の病院？」

「ええ、希津奈さんはまだ治療が必要な状態にもかかわらず、父親の源蔵さんによって無理やり退院させられ、自宅に戻った。けれど、病状が悪化して痙攣（けいれん）するかなにかして、源蔵さんは慌てて救急要請をした。到着した救急隊は、当然かかりつけである天医会総合病院に搬送しようとする。だけど、強引に退院させたにもかかわらず、すぐに戻ったんじゃ面子（メンツ）が立たないということで、源蔵さんは他の病院に搬送するように強く求めた」

「つまり、希津奈さんはいま、他の病院に入院して治療を受けているかもってことか？」

「はい」鴻ノ池はあごを引いた。「その可能性が一番高いような気がします」

「たしかに、筋が通っているな。いい判断だ、舞」

　背伸びをした鷹央にショートカットの頭を撫でられた鴻ノ池は、「もっと褒めてください」と目を細めた。

　釣った魚にも、ちょっとぐらい餌をあげるべきじゃないか。扱いの違いに軽くふて腐れながら、僕は口を開く。

「それじゃあ、これからどうしますか?」

鷹央は腕を組んで、「そうだな……」と、数瞬考え込む。そのとき、背後から「おやおや、皆さん」というどこかとぼけた声が聞こえてきた。振り返ると、門扉の外に茶色いコートを着た猫背の中年男と、しわの寄ったスーツ姿の体格のよい男が立っていた。

「桜井さんと成瀬さん!?」

僕が驚きの声を上げる。警視庁捜査一課殺人班の刑事である桜井公康は微笑んだ。その隣では、田無署刑事課の刑事である成瀬隆哉が、いつも通りの仏頂面を晒していた。

「これは奇遇ですね。こんなところでなにをなさっているんですか?」

鳥の巣を載せているかのような強い天然パーマの頭を掻きながら、桜井は気さくに声をかけてくる。一見すると気のよい中年男といった雰囲気だが、この男が抜け目のない敏腕刑事であることを、これまでの付き合いで知っていた。

「患者に検査結果を伝えにきただけだ。お前こそ、なんでこんなところにいるんだ、偽コロンボめ」

偽コロンボと呼ばれたことに目を細めると、桜井は門扉を開けて近づいてくる。

「最近の病院は、わざわざお医者様が自宅まで検査結果を知らせに来てくれるんですね」

「質問に答えろよ。お前は何をしにここに来たんだ？」

「いやあ、この辺りに用事があったんでふらふらしていたら、見覚えのある方々がいらっしゃったので、ちょっと挨拶しておこうと思っただけですよ」

　とぼけた桜井のセリフに鼻を鳴らした鷹央は、横目で成瀬を見た。

「本庁捜査一課のお前が成瀬と一緒にいるということは、田無署に捜査本部が立っているということだな。お前は殺人班の刑事だ。つまり、田無署の管轄内で殺人事件が起こり、お前たちはその捜査のためにここに来た。そうだな」

　桜井は「さあ、どうでしょう」と、とぼける。

「お前はわざわざこの家の敷地に入ってきた。最初からこの家が目的地だったわけだ。じゃなきゃ普通、刑事が不用意に他人の敷地に入ったりはしない」

「まあ、普通の刑事ならそうですね。ただ、私はちょっと『普通』からは外れているようで、よく管理官から説教を食らっているんです」

　のらりくらりとはぐらかす桜井に、鷹央は顔をしかめる。

「ったく、外見だけでなく言動までコロンボを気取りやがって。勝手にとぼけていろ。私たちが確認したが、この家の住人は留守だ。無駄足だったな」

鷹央が言うと、門扉の外に立っていた成瀬が「え？」とつぶやく。

「成瀬君。こんなトラップに引っ掛かっているようじゃ、本庁には呼ばれないよ」

振り返った桜井が言う。誘導されたことに気づいた成瀬の顔が歪んだ。

「さて、お前みたいなタヌキと違って、純粋な成瀬君のおかげで、お前たちが楯石家に用事があることは分かった。ところで相談なんだが、私たちも楯石希津奈の行方が分からなくて困っているんだ。ここは一つ、情報交換といかないか」

両手を背中で組みながら桜井に近づいた鷹央は、いやらしい笑みを浮かべる。

「情報交換ですか。先生が価値のある情報をお持ちなら、やぶさかではありませんよ」

二人は視線をぶつけ合うと、同時に怪しい忍び笑いを漏らしはじめた。

4

「うまい、うまい、……うみゃい」

隣の席で、鷹央が皿をもってカレーを掻きこむ。

なんか、エサをがっついている猫が、こんな声を出す動画を見たことあるな……。

「鷹央先生、もっと落ち着いて食事しましょうよ」

サンドイッチ片手にたしなめると、鷹央は横目で睨んできた。

「うるひゃあなぁひょひょりは……」

「飲み込んでから喋って！」

なんでせっかくの休日まで、鷹央のお守をする羽目になっているんだろう。うなだれながら、僕はサンドイッチを食む。

楯石家をあとにした僕たちは、桜井たちとともに近所のファミリーレストランへと向かった。昼食がまだだったので、ランチがてら情報交換という名の腹の探り合いをすることになったのだ。

「早く桜井たちから情報をぶん取るためにも、さっさと食った方がいいだろ」

口に入っていたカレーを飲み込んだ鷹央は、僕にスプーンを突き付けてくる。

ぶん取ろうとしている相手を前に、宣言してどうする。僕は対面の席に座っている刑事たちを見る。すでにステーキセットを食べ終えた成瀬は渋い顔をしているが、対照的に桜井は余裕の笑みを湛えながらラーメンをすすっていた。おそらく、自分もこっちから情報をぶん取るつもりなので、腹が立たないのだろう。

「食べながら話せばいいじゃないですか」

「そんな器用なこと、私にはできない。というわけで、邪魔すんな」

鷹央は再びカレーを掻きこんでいくと、ものの数十秒で全て胃に詰め込んだ。カレーの皿をわきに押しやった鷹央がテーブルに片肘をついて身を乗り出す。

「では早速、『情報交換』といこうか」

そんな決闘するような雰囲気を醸し出して、情報交換もなにもないだろ。僕はナプキンを手に取ると、鷹央の口を拭く。

「ほら、鷹央先生。カレーが口についていますよ」

鷹央はおとなしく、「ん」と口を拭かれたあと、再び「情報交換といこうか」とくり返す。

「そ、そうですね。では、あなたが訪ねた患者というのは、楯石希津奈さんですね？」

「患者の個人情報は洩らせないな」

「べつに病状まで訊いているわけじゃありませんよ」

「医師には守秘義務がある。警察に情報を提供できるのは、裁判所が発行した令状があるか、情報提供が明らかに患者の利益になる場合ぐらいだ。ちなみに、私は患者の居場所を推測するために、その人物がどんな事件に巻き込まれているのか知りたい」

「まずは最初に情報を渡せということですか。いいでしょう」

頷く桜井の隣で、成瀬が「桜井さん⁉」と声を上げる。

「まあまあ、成瀬君。天久先生には色々とお世話になってきたじゃないか。口が固いのは確認済みだし、天才的な頭脳でなにかヒントをいただければ、捜査のためにもなる」

　成瀬が苦虫を嚙み潰したような表情で黙り込むのを見た桜井は、鷹央に視線を戻す。

「私たちが調べているのは、なんと言いますか、仲間内では『ミイラのタイムカプセル』と呼ばれている事件です」

「ミイラのタイムカプセル？　なんだ、それは」鷹央の姿勢が前傾する。「あれか？　タイムカプセルを開けたらミイラが襲ってきて、嚙まれた人間もミイラになってどんどん増殖して、やがて世界中に……」

「なんのゾンビ映画ですか、それは？」

　僕は即座に突っ込んで、おかしな方向に行きかけた話題を軌道修正する。

「ゾンビ映画と言えば、なんといっても一九六八年にジョージ・A・ロメロによって作られた『ナイト・オブ・ザ・リビングデッド』だよな。あれこそが、ゾンビに嚙まれた人間もゾンビになって増殖していくという、基本設定を作った元祖と言える。ロメロはその後も『ゾンビ』や『死霊のえじき』等の名作を作り、その後の大量のゾンビ映画の礎を築いた。ロメロ以外の作品で私が個人的に好きなのは『バイオハザード』と『ウォーキング・デッド』だな。ただ、『ショーン・オブ・ザ・デッド』のようなコメディタッチの映画も嫌いじゃない。ゾンビ映画マニアの間では、ゾンビはゆっくり歩くべきか、それとも走ってもいいのかという永遠のテーマが……」

修正できてなかった……。僕が肩を落とすと、鴻ノ池が「鷹央センセ」と声をかける。

「『ミイラのタイムカプセル』ってどんな事件なんでしょうね。知りたくないですか？」

「ああ、そうだそうだ。さっさと教えてくれ」

目を輝かせる鷹央を見て、胸の中に敗北感が湧いてくる。隣で得意げな表情を浮かべる鴻ノ池が癪に障った。猛獣使いとしての腕も、こいつに負けるとは……。

「事件が発覚したのは、先々週のことです。田無の住宅地にある古いビルの解体工事現場で、作業員によって大きなタイムカプセルが掘り出されました」

「作業員に掘り出されたってどういうことだ？　タイムカプセルっていうのは、掘り出す日時を決めてから埋めるものだろ」

「本来は、去年掘り出す予定だったようです。埋めたのは、もともとそのビルを所有していた芸能事務所でしたが、数年前に廃業しています」

「会社がつぶれて忘れ去られていたってわけか。で、掘り返してどうなったんだ」

「掘り出す際にひしゃげていたので、作業員が中を覗きこんだらしいんです。中に入っていたのは、大量のファンレターや所属タレントの衣装、そして……」

もったいつけるように言葉を切った桜井は、おどろおどろしい口調で続けた。

「若い男のミイラです」

僕が「ミイラ……」と唾を飲み込むと、桜井は大きく頷いた。

「検視官の見立てでは、タイムカプセルが密封されていたなど様々な条件が重なった結果、遺体が完全に腐敗することなく、ミイラ化したのではないかということでした」

「なるほど。過去から送り込まれたミイラというわけか。面白いな」

鷹央はあごを引くと、上目遣いに桜井に視線を送る。

「しかし、ただミイラが出てきただけじゃ所轄署で対処すべき案件だ。警視庁捜査一課殺人班がわざわざ出張ってきているということは、事故や自然死ではなかったんだな」

「ご名答。遺体を司法解剖したところ、頭部に外傷が認められました。頭蓋骨が砕けており、鈍器でくり返し殴られて殺害されたと結論づけられました。また、タイムカプセルの中には重量のある三十センチほどのトロフィーが入っていて、指紋こそ拭き取られていたものの、台座の大理石の角が砕けて、そこに拭き残された血痕も認められました」

「そのトロフィーによって撲殺されたというわけか」

「その通りです」麺を食べ終えた桜井は、丼をもってスープを飲む。

「中年が塩分を摂りすぎると高血圧になるぞ。で、そのミイラの身元は分かったのか？」

「はい。潰れた芸能事務所のマネージャーで、十六年前から行方不明になっていた、河合陽介という名の男でした。遺体の歯形と、両親のＤＮＡから科捜研が調べあげました」

あっさりと捜査情報を口にした桜井に、成瀬が「ちょっと、桜井さん！」と目を剝く。

「そう興奮するなよ、成瀬君。興奮も高血圧の原因になるよ。ねえ、天久先生」

水を向けられた鷹央は鼻を鳴らす。

「そんな情報、どうせすぐにマスコミ発表するものだ。だから、先に私たちに伝えて恩を売っておこうってところだろ」

「やだなあ、私がそんな計算高い男に見えますか？　天久先生たちを信頼しているからこそ、こうして未公開の情報をお伝えしているんですよ」

「なにほざいているんだか。お前ほど計算高い男を、私は他に知らないよ。情報はギブ・アンド・テイク、等価交換だ。楯石希津奈の話を私から聞き出したかったら、もっと価値のある情報を寄越せ」

「信用ないなぁ」桜井は鳥の巣のような頭を搔く。「では、天久先生のおっしゃる

『価値のある情報』とはどのようなものですか？」

「そうだな。その河合という男は失踪当時、トラブルに巻き込まれていたのか？」

「ええ、それなりに」桜井はあごを引く。「知人から聞き取りをしたところ、お世辞にも素行が良いとはいえない男だったみたいですね。かなりのギャンブル好きで、いろいろなところから借金をしていたらしいです。……ヤバいところからもね」

「闇金とかか？」

「そんなところです。ですから、十六年前に失踪した際にも、借金取りから逃げ出したか、もしくは拉致されて内臓でも売られたかと、会社の同僚も考えていたようですね」

「まさか、会社の敷地内に埋まっているとは誰も思わなかったってわけだ。他に、殺害される動機になりそうなことはないのか？」

「かなり女癖も悪かったみたいですね。身長も一八〇センチほどあり、芸能事務所の社員になる前はモデルとして芸能活動をしていた時期もあったらしく、多くの女性と浮名を流していたらしいです」

桜井の説明を聞いた鷹央が、視線を送ってくる。僕は「なんですか？」と身を引いた。

「小鳥、お前って身長何センチだ」

「……一八一センチですけど」

「同じ身長のはずなのに、どうしてお前は女に縁がないんだろうなぁ」

「ほっといてください！」

僕が半泣きで声を荒らげると、鷹央は桜井に視線を戻す。

「で、捜査は順調に進んでいるのか？」

「そう簡単にはいきませんよ。なんといっても、十六年前の事件ですからね。関係者がいまどこにいるのか探るだけで一苦労です」

桜井は肩をすくめると、「質問はそれくらいですか？」と鷹央を見つめる。

「いや、まだだ。その河合という男はマネージャーとして、『フリルズ』を担当していたか？」

軽薄な笑みを浮かべていた桜井の顔に、かすかに緊張が走る。

「おやおや、まさかそのグループ名が出てくるとは。ええ、ご想像のとおり担当していました。いやあ、天久先生もいろいろと情報をお持ちのようですな」

「さあ、どうだろうな。お前が面白い話を聞かせてくれたら、思い出すかもしれないな」

二人は顔を見合わせると、同時にくっくっと忍び笑いを漏らした。すぐわきを通ったウェイトレスが気味悪そうに去っていく。

「で、捜査本部は楯石希津奈を重要な容疑者として認識しているのか？」

「いえいえ、そんなことはありません。まだまだ、関係者の情報を一通り集めているところで、誰が怪しいかまで判断できる段階ではないです」

「よく考えたら、そりゃそうだな。お前、捜査本部のお偉いさんたちからは嫌われてそうだもんな。もし重要な容疑者だったら、お前たちが調べに来るわけがないよな」

成瀬は顔をしかめるが、桜井はどこ吹く風で「おっしゃる通りです」と笑った。

「ただし……」鷹央は目がすっと細くなる。「捜査本部とは違い、お前は楯石希津奈が事件の重要参考人だと考えている。だからこそ、一般人である私に捜査情報を提供してまで、楯石希津奈の情報を得ようとしている。そうだな」

「さすがは天久先生、ご明察です」桜井の顔に不敵な笑みが浮かぶ。「実はですね、フリルズの元メンバーの一人に話を聞いたところ、事件当時、河合は楯石希津奈と付き合っていたという証言が取れたんですよ」

「つまり、未成年の担当アイドルにマネージャーが手を出していたということか。おい、小鳥、羨ましいか？」

桜井と成瀬が僕をもの言いたげな目で見る。僕は「やめてください！」と声を上げた。刑事を前にして、誤解されるようなことを言わないでくれ。

「冗談はおいといて、女癖が悪い恋人を殴り殺した可能性があるということか。よくある話だが、それだけで重要な容疑者と言えるか？　担当アイドルに手を出すような男だ、他にも複数、付き合っていた女がいた可能性が高いだろ」

「それだけじゃないんですよ」桜井は声をひそめる。「実は、楯石希津奈は河合の子を妊娠していたんじゃないかというんです」

「妊娠⁉」鷹央の声が跳ね上がる。

「ええ、そうです。河合が失踪する一ヶ月ほど前に、楯石希津奈は体調不良ということでアイドルグループから突如脱退したらしいです。その頃、トイレで嘔吐している姿が何度か目撃されていたということでした」

「そりゃ、妊娠していたら激しいダンスは危険だからな。しかし、未成年のアイドルに手を出しただけでなく、孕ませるとはな。小鳥、それだけはやめておけよ」

「さっきから、ちょいちょい誤解されることを言うのやめてください！」

　僕の抗議の声を聞き流した鷹央は、腕を組んだ。

「妊娠しているにもかかわらず責任をとらなかったとしたら……。あまりにもベタだが、強い動機にはなる。それで、楯石希津奈から話を聞こうとしたんだな」

「いえ、私たちが求めているのは、話よりもＤＮＡですね」

「ＤＮＡ？」

「はい、実は河合の遺体を調べたところ、右手の爪に他人の皮膚と血液が認められたんです。おそらくは、襲われた際に反撃して引っ掻いたものだと思われます。運よく完全には腐敗せずミイラ化したため、そこから遺伝子情報を取れるだろうということで、現在、科捜研で分析中です」

「それと比較するために、関係者のＤＮＡを採取して回っているというわけだな」

桜井は「その通りです」と大きく頷く。

「桜井さん、いくらなんでも重要な情報を渡し過ぎですよ」

成瀬が苦言を呈すると、鷹央は軽くあごをしゃくって鼻を鳴らした。

「まだ捜査本部にも報告していない、重要な情報だからな」

「なんで、それを……」

成瀬の表情がこわばるのを見て、桜井はため息をついた。

「だめだってば、成瀬君。こんな見え見えの鎌(かま)かけに引っかかっちゃ」

鷹央がいやらしく笑うのを見て、成瀬の顔のこわばりがさらに増した。

「天久先生、あまり成瀬君をいじめないでくださいよ。まあ、それだけ貴重な情報を提供したんです。それに見合った対価を期待していますよ」

「お前たちはなにが知りたいんだ？」

「天久先生も楯石希津奈さんを探しているんですよね。それは、なぜですか？」

「私が医者だからだ」

鷹央の答えになっていない答えに、成瀬が顔をしかめて口を開きかける。しかし、桜井が手を横に伸ばして成瀬の動きを制した。

「医師として楯石希津奈さんに会う必要があった。つまり、彼女はすぐにでも治療を受けなくてはいけない状態だったということですね」

「そう思いたいなら、そうかもしれないな」

「なんなんですか、そのもったいつけた答えは」

声を荒らげる成瀬の肩を、桜井は軽く叩いた。

「さっき、天久先生が言ってたじゃないか。医者には守秘義務があるってね。警察が相手でも、患者の個人情報は簡単には洩らせないから、曖昧に答えている。そうですね」

桜井の問いに、鷹央は軽く口角を上げる。

「では、次に何をお訊ねするべきですかね。先生方が楯石希津奈さんの居場所をご存じないのは、借金取りよろしく玄関扉を叩いていたことから間違いないでしょうし……」

桜井が腕を組んでうなり出すと、鷹央は口を開いた。

「これは雑談だが、お前たちは楯石希津奈が何やらネットで怪しい商売をしているのは知っているのか？」

「ああ、あの若返りとかいうやつでしょ」成瀬が投げやりに答える。「あんなのインチキに決まっているじゃないですか。齢を取らない？　そんな人間がいるわけがない。どうせ、合成かなんかでしょ。最近は個人でもそういうのを簡単にできますからね」

「そうだな。本来、いるわけがない。そんな人物に会ったら、私はなにがなんでもその謎を解き明かそうと、地獄の果てまで追い詰めるだろうな」

　桜井の目つきが鋭くなる。

「まさか、楯石希津奈さんは本当に齢を取っていなかったって言うんですか？　あなたが家まで押しかけたのは、単に治療のためだけでなく、その若さの秘密を知りたいからだと？」

「永遠の若さ、不老不死は、秦の始皇帝も必死に求めた人類の夢だ。まあ、そのせいで水銀を飲んで、死期を早めたなんていう説もあるがな」

　鷹央は楽しげに知識を披露して誤魔化す。

「……天久先生、齢を取らない人間なんて、本当に存在するんですか？　もし楯石希津奈さんが齢を取っていないとしたら、それが事件になにか関係しているんですか？」

「どうだろうな。ただ、事件が起きたのは十六年前で、その頃から楯石希津奈が齢を取らなくなったと考えれば、計算は合わなくはない。関係あるかもな」

　鷹央は身を乗り出すと、桜井の顔を覗き込んだ。

「ところで、私はいま医師として、『とある患者』を必死に探している。しかし、一般人である私には、その人物の居場所を見つけるのは困難だ。お前たち警察のような人探しに慣れた組織が、その人物を追ってくれたら助かる」

「……仮定の話ですが、もし遺体の爪から検出されたＤＮＡが楯石希津奈さんのものだと断定されれば、捜査本部は重要参考人として彼女を全力で探します。しかし、そのためには彼女のＤＮＡを採取する必要があります」

「これは独り言だが、患者が入院する際、病院では採血を行って一般的な血液データを確認する。そして、その血液は一週間程度、廃棄されずに保管されている」

「楯石希津奈の血液が天医会総合病院にあるっていうことか？」

成瀬が椅子から腰を浮かしながら、声を張り上げる。

「楯石希津奈という女が最近まで、うちの病院に入院していたと仮定したら、そうなるな」

「その仮定が正しかった場合、血液を提出していただけますか？」

桜井の問いに、鷹央はシニカルに唇の端を上げた。

「令状を持ってこい。それさえ持ってきたら、喜んで協力してやるよ。善良なる市民の義務としてな」

5

「おっはようございまーす！」

玄関の扉が開くと同時に、薄暗い室内には不似合いな溌剌とした声が響き渡る。

「ああ……、とうとうこの日が来てしまった……」

ソファーに腰掛けた僕は、片手で顔を覆いながらうなだれる。

「どうしたんですか、小鳥先生。そんなに嬉しいんですか？」

近づいてきた鴻ノ池が僕の肩をバンバンと叩いた。

「やめろよ。これのどこが嬉しそうに見えるんだ」

「いやあ、感動を噛みしめているのかと思いまして」

鴻ノ池はけらけらと笑い声をあげる。普段から高いテンションが、今日はさらに突き抜けていて、うざったいことこの上ない。

「噛みしめているのは絶望だ」

「またまたぁ、素直じゃないんだから。あれですか、嫌よ嫌よも好きのうち、みたいな？」

「全然違う！」

重い疲労感が背中にのしかかってくる。まだ勤務前だというのに、すでにもう帰りたい。

「まあ、なんにしろ本日から鴻ノ池舞、統括診断部にお世話になります。不束者ですが、どうぞよろしくお願いいたします」

鴻ノ池は背筋をピンと伸ばすと、こめかみに手を当てて敬礼した。

「……それを言うなら、『未熟者ですが』じゃないか？」

「さすがは小鳥先生、いい突っ込み！」

鴻ノ池は笑い声をあげながら、ふたたび僕の肩を叩いた。

……もう帰ってもいいかな？

鴻ノ池が選択した三ヶ月間の統括診断部での臨床研修、今日がその初日だった。今日から四六時中、この天敵と仕事をしないといけないのか……。僕は重い重いため息を吐く。

「鷹央先生、ご指導よろしくお願いしますね」

鴻ノ池はその場でくるりと一八〇度ターンをする。襟がスタンドカラーになっているケーシー型の白衣の短い裾がはためいた。

鷹央はちらりとこちらに視線を送ってくると、「……ああ」と気のない返事をする。

「あの、小鳥先生……。鷹央先生、どうかしたんですか？　なんか、やけに不機嫌そうなんですけど」

「楯石希津奈さんの件だよ」

　僕が小声で言うと、鴻ノ池が「ああ、なるほど」と頷いた。

　楯石希津奈が姿を消してから、すでに四十日以上が経っていた。情報を交わした二日後には、桜井は裁判所からの令状をもって天医会総合病院にやって来て、楯石希津奈の血液を回収していった。それを科捜研で調べたところ、タイムカプセルから見つかったミイラの爪の間から採取された組織のＤＮＡと一致した。捜査本部は希津奈を重要参考人として手配し、追いはじめた。

　そこまでは、鷹央の計算通りにことが進んだのだが、希津奈はいまだ見つかっていない。鷹央は毎朝桜井に連絡を取り、捜査の状況を訊ねるのだが、一向に判明しない希津奈の行方に、そのたびに苛立ち、不機嫌になるのだった。

「じゃあ一日中あんな感じなんですか？　私、機嫌がいい鷹央先生とイチャイチャできることを……、もとい、一緒に働くことを楽しみにしていたのに」

　お前、なんのために統括診断部に研修に来たんだよ。呆れつつ、僕は口を開く。

「鴻ノ池、統括診断部で研修をはじめるにあたり、最も大切なことをお前に教えておく。僕が約一年で学んできた、ここで仕事をするための極意と言っていい」

　重要性を感じ取ったのか、鴻ノ池の表情が引き締まる。僕は「よく見ておけよ」と言うと、大きく深呼吸をしたあと、緊張しつつ鷹央に声をかけた。

「鷹央先生、今日も仕事の前にちょっと血糖値を上げておきませんか？」

険しい顔でパソコンのディスプレイを睨んでいた鷹央が、椅子ごとぐるりと回転した。

「……今日はなにを持ってきた？」

「メープルクッキーです。好きでしょ？」

僕はわきに置いていたエコバッグの中から取り出したクッキーの包装を破り、ローテーブルに置いた。椅子から立ち上がった鷹央はいそいそと寄ってくると、両手に一つずつクッキーを摘まみ、交互に口に持っていきはじめる。一口クッキーを齧るたびに、その表情の硬度が下がっていった。

「……これが極意ですか？」しらけ顔の鴻ノ池が耳元でささやいてくる。

「そうだ。なによりも大切な極意だ。鷹央先生の菓子の好みを完全に把握し、不機嫌なときはそのレベルによってどれを与えるべきか適切な判断を下す。とても重要な技術だ」

鴻ノ池の視線の湿度が上がっている気がするが、気にしないことにする。

鷹央が四つほどメイプルクッキーを腹に収めたあたりで、僕は包装を取り上げる。

「ああ、まだ四つしか食べてないんだぞ」

「これ以上食べたら体に毒です。残りはまた今度です」

「また今度っていつだ。そんな適当な物言いじゃ納得できない」

「また今度はまた今度です」

僕はぴしゃりと言う。すでに機嫌は直った。余計に菓子をあげては、体によくない。必要最低量を与えて、攻撃性を制御しなくてはならないのだ。

……なんで僕、猛獣の飼育員みたいなことしてるんだろ。頭に湧いた疑問を振り払いつつ、クッキーをエコバッグに戻す。「ああああ……」と鷹央は悲痛な顔で俯いた。

「大丈夫ですよ、鷹央先生。あとでもっといいものがありますから」

鴻ノ池が言うと、鷹央は「……いいもの？」と顔を上げた。

「『アフタヌーン』のケーキを買ってきました。今日の仕事が終わったら食べましょ」

「アフタヌーン！」

鷹央が甲高い声を上げる。この病院から徒歩で十分ほどのところにある喫茶店『アフタヌーン』の手作りケーキは、鷹央の大好物だ。それを前にすると、骨を与えられた犬のように興奮する。鷹央の機嫌が最悪のときの、とっておきの武器だった。

「おい、そんな特別なものを……」

僕が顔をしかめると、鴻ノ池は両手を大きく広げる。

「だって、今日は特別な日じゃないですか。ようやく、私が統括診断部の一員になれたんですから。というわけで、鷹央先生。三ヶ月間、よろしくお願いします」

「おう、よろしくお願いされてやるぞ！」

　覇気のこもった鷹央の声が、部屋にこだました。


「いやあ、今夜はいい月ですねぇ……」

　ケーキの箱を片手に屋上を歩きながら、鴻ノ池が空を仰ぐ。彼女の言う通り、空には美しく輝く満月が浮かんでいた。

「それより、急いだほうがいいぞ。鷹央先生、飢えた獣みたいになっているから」

　鴻ノ池の研修初日、他科からの診察依頼が立て込んだせいもあり、全ての仕事を終えたころには午後七時過ぎになっていた。勤務終了後のケーキを心待ちにしている鷹央が、就業時間ぎりぎりに舞い込んできた依頼にキレかけるのをなんとかなだめつつ仕事をこなし、いまは鴻ノ池が買っておいたケーキ、歓迎会のためのアルコール飲料やおつまみなどを〝家〟まで運んでいるところだった。

「けど、わざわざ歓迎会までしてくれて、ありがとうございます」

「正直、僕は歓迎していないけどな」

「またまた、いけずなんだから」

　肘でわき腹をつついてくる鴻ノ池に「やめろ」と言いつつ、僕は唇の端を上げる。

「とは言っても、統括診断部に回ってきた研修医はお前がはじめてだからな。鷹央先生も喜んでいるし、歓迎会くらいやってやるよ」

鴻ノ池はケーキの箱を持っていない方の手を「いえい！」と突き上げる。

「今日は吐くまで飲みましょうね」

「……ああ、間違いなく吐くまで飲まされることになる。初の研修医でテンションが上がっている鷹央先生と飲むんだからな。あの人がどれだけうわばみか、お前も知っているだろ」

紅潮していた鴻ノ池の顔が、さっと青くなるのを見て、僕は忍び笑いを漏らす。

「これまでは、僕を犠牲にして自分は潰されるのを避けてきたけど、今回はそうはいかないぞ。なんといっても、お前が『これ』だからな」

僕は持っているビニール袋の中から『私が主役！』と書かれたタスキを取り出した。

鴻ノ池は「……覚悟を決めました」と悲痛な声を絞り出したあと、天を仰ぐ。

「けど私、本当に統括診断部の一員になっているんだなぁ。なんだか、夢みたい。あとは、鷹央先生、小鳥先生と一緒になにか大事件とか捜査してみたいな」

「僕たちは探偵じゃなくて医者だ。おかしなこと言うなよ。現実になったらどうするんだ」

これまで殺されかけたり、愛車が黒焦げになったりと、散々な目に遭ってきた。もう事件にかかわるのはこりごりだ。

〝家〟にたどり着いた僕たちは、玄関扉を開けて室内に入る。同時に、獣のうなるような声が聞こえてきた。

「ケーキ!」

闇の中、猫を彷彿させる双眸を爛々と輝かせながら、鷹央は甲高い声を上げる。空腹と、『アフタヌーン』のケーキへの渇望で、我を忘れているらしい。

「ほ、ほら鷹央先生、ケーキですよ。一緒に食べましょうね」

鷹央の迫力に腰を引きながら、鴻ノ池がケーキの箱を差し出す。獲物を狙うかのようにじりじりと近づいてきた鷹央は、素早い動きでそれを奪うと、中に入っていたシュークリームを鷲摑みにして頰張りはじめた。

引きつった表情でそれを眺めている鴻ノ池に、僕は声をかける。

「ようこそ、統括診断部へ」

6

「若さってぇ、有限だからこそ、価値があると思うんですよねぇ。だからぁ、私は一日一日を出来る限り、こう、なんと言うか、有意義に過ごそうと思っているんですよぉ」

舌ったらずな口調で、『私が主役！』というタスキをかけた鴻ノ池がまくしたてる。淡い間接照明の明かりでも、その顔が真っ赤になっているのが見て取れる。

鴻ノ池の歓迎会がはじまってすでに三時間以上が経過していた。三人でケーキを食べたあと突入した飲み会は、予想通りアルコール地獄と化した。

数十分前に楯石希津奈の話になったのだが、すぐに「永遠の若さは欲しいか」と話題がずれ、いまは鴻ノ池の一人語りになっていた。

「だから、だからですよぉ、私は毎日頑張れるんですって。一生懸命、一人前のドクターになれるように勉強して、休みにはしっかり遊んでぇ、そして小鳥先生をからかって」

……最後のおかしいだろ。普段なら即座に突っ込むところだが、鴻ノ池以上に酔って視界が回りはじめている僕には、その余裕すらなかった。

「というわけで、この貴重な若さをさらに大切にするために、こうして統括診断部にお邪魔したんです。なにとぞ、ご指導ご鞭撻、よろしくお願いしまっス」

ワイングラスを持った手で鴻ノ池は敬礼する。なかの赤ワインがわずかにこぼれて、鴻ノ池のジーンズを濡らした。

「どうせ、私はお前ほど若くないよ」

拗ねた口調でつぶやきながら、鷹央はバーボンのロックを呷った。

「なに言っているんですか、鷹央先生」

グラスをローテーブルに置いた鴻ノ池が、鷹央と肩を組む。

こいつが泥酔しているのをはじめて見たけど、いつも以上に面倒くさくなるんだな。

「鷹央先生は若いですよ。私が保証しますって、めちゃくちゃ若い。その若さの秘訣を教えて欲しいぐらいです。ねえ、小鳥先生」

「若いというより、幼い……」

そこまで言ったところで、鷹央に「ああ？」と睨まれ、僕は慌てて口をつぐむ。やばいやばい、脳がアルコールで麻痺して、危険なことを口走りかけてしまった。

「もちろん、鷹央先生は若いです。すごく若いですよ。僕たちもまだまだ若者ですって」

「僕たち？」鷹央は不思議そうに目をしばたたく。「なあ、舞。三十路がなにか、わけわからないことを口走っているぞ」

「ひどい！」

僕が半泣きで抗議すると、鴻ノ池は再びグラスを手にして赤ワインをすする。

「けど、十六年前の事件の被害者から見つかったDNAと、病院に保管されていた血液のDNAが一致したということは、楯石希津奈さんってやっぱり、本当に三十二歳だったんでしょうか？」

「少なくとも、十六年前には生まれていたことは間違いないだろうな」

　鷹央はグラスにスコッチを注ぐ。琥珀色の液体が球状の氷の表面を伝っていった。土の香りがかすかに鼻をかすめる。

「でも、動画で見た希津奈さんって、どう見ても十代半ばってとこでしたよね。もしかして、美容形成手術とか受けていたんですかね。だとしたら、齢をとったら私もやりたい！　永遠の若さが欲しい！」

　若さは有限だからこそ価値があるんじゃなかったのか。僕は痛む頭をおさえながら、胸の中での突っ込みをくり返していく。

「その可能性は否定できないな。少なくともネット上で見つけることができた楯石希津奈の画像は、十六年前以前のものと、去年以降のものだけだ。空白の十五年間、楯石希津奈が齢をとっていたのか、それとも若いままだったのかを確かめる術はない」

　言葉を切った鷹央は、グラスを回す。氷がカラカラと小気味よい音を立てた。

「ただな、私と小鳥は実際に楯石希津奈を見たが、年端もいかない少女にしか見えなかった。あれが美容形成手術によるものだとしたら、あまりにも完璧すぎる」

「僕の後輩で朝霧明日香っていう麻酔科医がいるんですけど。彼女がバイトに行っている病院には、とんでもない技術を持った美容外科医がいるっていってましたよ」

思考がまとまらないまま僕がつぶやくと、鷹央はつまらなそうに「手もか？」とつぶやく。よく意味が分からず、僕は「へ？」と呆(ほう)けた声を漏らした。

「その美容外科医は手にも形成手術を施すのかって訊いているんだ。私は顔だけでなく、楯石希津奈の全身を出来るだけ観察し、この四十日以上の間、それを何度も見直した」

鷹央は目を閉じる。過去に見た映像をまるで写真のようにいつでも見返すことができるという、映像記憶という特殊能力を鷹央は持っている。いまも、楯石希津奈の姿を脳内で再生しているのだろう。

「私は顔だけを見て、楯石希津奈を十代だと判断したんじゃない。手の皮膚もしっかりと見た。あの瑞々(みずみず)しさと張りは、少女特有のものだ。いや、手だけじゃない。頬、首筋、腕、手術着から覗(のぞ)いたすべての肌が若さを保っていた」

「年々、肌の張りってなくなってきますもんねえ。化粧ののりも悪くなってくるし」

鴻ノ池は上気した頬に手を当てる。

「お前、化粧とかするんだな」

僕がつぶやくと、鴻ノ池は妖(あや)しく微笑(ほほえ)む。

「普段は最低限しかしてませんけど、必要に応じてばっちりメイクしますよ。ちょっと色気を出して男をたぶらかしたいときとか。たぶらかされてみます？」

「……遠慮しとく」

僕はぱたぱたと手を振ると、鴻ノ池は「なんでですかぁ」と頬を膨らませた。

「というわけで、いまの時点で考えられる可能性は二つだ」

鷹央は左手でVサインを作る。

「楯石希津奈は本当に齢を取っていなかった。もしくは十六年前、まだ赤ん坊だった楯石希津奈の皮膚が、なんらかの理由で被害者の爪の間に入った」

「鷹央先生はどっちだと思うんですかぁ」

呂律（ろれつ）が回っていない口調で鴻ノ池が訊ねると、鷹央はあごに手を当てた。

「常識的に考えたら後者だろう。ただ、それでは面白くない。なんにしろ、まずは楯石希津奈を発見して、その体を徹底的に調べる必要があるんだ。……徹底的にな」

完全にマッドサイエンティストの発言だが、大丈夫だろうか。左右に揺れながら僕がそんなことを考えていると、鷹央の表情に暗い影が差した。

「それに、本当なら楯石希津奈は治療を受けなくてはならない状態だった。なのに、まだ見つからないなんて。あのとき、どうにか一日だけでも退院を遅らせられていたら、脳炎の治療をできていたのに……」

唇を噛む鷹央の姿には、診断が遅れたせいで適切な治療が行えなかったことへの悔しさが滲（にじ）んでいた。

「大丈夫ですって」僕はとっさに声をかける。「警察が色々な病院を探したのに、希津奈さんは見つかっていないんでしょ。ということは、状態は悪くなっていないということですよ。脳炎とはいえ、未治療で改善することもあるじゃないですか。ＭＲＩを見たところ、そこまで強い炎症というわけでもなかったです。きっと、希津奈さんは病状が改善したんですよ。だからこそ、どこの病院にも入院していないんですって」

「……もしくは、入院する間もなく命を落としたか」

鷹央が声を絞り出す。部屋に重い沈黙が降りた。

なんとかこの雰囲気を変えなくては。このままだと、歓迎会というよりお通夜になってしまう。僕が口を開きかけたとき、パソコンが軽い電子音を立てた。次の瞬間、鷹央は目を大きく見開くと、ばね仕掛け玩具のように勢いよく立ち上がる。放り投げられたグラスが放物線を描きながら僕に向かって飛んでくる。

普段ならなんなくよけられるのだろうが、神経がアルコールでふやけている現状では、『普段』の行動などとれるわけもなかった。スコッチのシャワーが頭上から降り注ぐ。濃厚な土の香りが、全身を包み込んだ。

僕を指さしてひとしきり笑い声をあげたあと、鴻ノ池は「どうしたんですかぁ？」と甘ったるい声で鷹央に話しかけた。

「楯石希津奈のオンラインサロンに動きがあった。新しい動画が上がっている。この四十日以上、沈黙を保ったままだったのに」

僕と鴻ノ池は目を見開いて立ち上がった。視界が大きく揺れて転びかけるが、なんとかバランスを保って鷹央に近づき、彼女の肩越しにディスプレイを見る。そこには、岩場が映し出されていた。崖になっているらしく、画面の奥にはかすかに荒れている海が見える。波音がパソコンから響いてきた。

「なんなんですか、この映像って？」

鴻ノ池の問いに、鷹央は首を横に振る。

「分からない。ただ、これは録画じゃない。ライブ配信だ」

画面に人の姿が映り込んだ。白く柔らかそうなガウンを纏った、非現実的なほどに容姿の整った少女。それは間違いなく、先々月、閉鎖病棟で出会った楯石希津奈だった。

『皆さん、こんばんは。今夜の月は美しいですね』

妖艶な笑みを浮かべると、希津奈は振り返って空に浮かぶ満月を眺める。その態度は、妄想に囚われパニックになっていた少女と同一人物とは思えないほどに落ち着いて見えた。

『私が生まれ変わるのに、ふさわしい夜』

不穏なセリフをつぶやきつつこちらに向き直ると、希津奈はつむじが見えるほど、深々と頭を下げた。

『一ヶ月以上、音信不通となっていたことをここに深くお詫び申し上げます』

顔をあげた希津奈はまっすぐにこちらを見る。そこには強い決意の表情が浮かんでいた。

『私は十六年前、罪を犯しました。ある人物の命を奪い、それを自らの糧としたのです』

「これって、もしかして自白ですか？」

鴻ノ池がつぶやく。鷹央は答えることなく、ディスプレイの中の少女を見つめ続けた。

『彼の命を喰らうことで私は龍となり、永遠の若さを、永遠の命を得ました。しかし、地の底に埋まっていたその罪は先日掘り起こされ、警察は私を罰しようと追っています』

希津奈は哀しげに首を横に振る。

『彼の命は私の中で生きています。彼は私とともに永遠を生きることを選んだのです。それこそが永遠の愛だから。そうして、私は彼とともに人ならざる者、龍神となりました。しかし、人の世界において、それは罪に当たることも理解しております。ですから、いまからその罪を浄化いたします』

「罪を浄化？　なにをするつもりだ」

鷹央がつぶやくと、希津奈は身を翻(ひるがえ)しゆっくりと崖へと近づいていく。鷹央は「まさか？」と目を見開いた。

『私はここで命を絶ちましょう』

崖の縁まで移動した希津奈は、振り返って言う。

「ふざけるな。死ぬんじゃない。そんなこと許されるか。病気なら私が治してやる。罪を犯したなら、それをしっかりと償うんだ。勝手に自分で終わりにするな！」

鷹央は両手でディスプレイを掴む。僕と鴻ノ池は、「鷹央先生、落ち着いてください」と必死になだめた。

『ただし、心配は無用です。私の命は不滅です』

希津奈は両手を大きく広げる。満月をバックに空を仰ぐその姿は、神秘的だった。

『私は生まれ変わります。蘇(よみがえ)ります。それまで、しばしのお別れです』

こちらに背中を向けた希津奈は、数秒間、崖下を覗き込むようなしぐさをしたあと、ゆっくりとその体を傾けていく。

崖の向こう側に広がる、虚空へと向けて。

僕たち三人はただ茫然(ぼうぜん)と、希津奈の華奢(きゃしゃ)な体が重力に引かれ崖の下へと吸い込まれていくのを見つめることしかできなかった。

画面には崖と夜の海、そして美しい満月だけが映し出されている。

「復活……。死からの復活を予言したっていうのか？」

鷹央のつぶやきが、間接照明に淡く照らされた部屋にむなしく響き渡った。

7

「鷹央先生、三時になりましたよ。ポテトチップス食べませんか？　カレー味ですよ」

後部座席から、鴻ノ池が声をかけてくる。

「おう、それじゃあもら……」

助手席の鷹央の言葉を遮って、ハンドルを握った僕は「食べない！」と声を上げた。

「小鳥先生じゃなく、鷹央先生に言ったんですけど」

バックミラーに映る鴻ノ池が頰を膨らませた。

「僕の愛車の中で、ポテトチップスの袋を開けたりするのは断固として許さん。そもそも、いつの間にそんなの買ったんだ」

「さっき昼食をとったサービスエリアで買いました。ポテトチップスだけでなくて、チョコとか、おせんべいとか、マシュマロとかいろいろ買いましたよ」

「遠足に行くんじゃないんだぞ」

楯石希津奈が崖から飛び降りる映像を目撃した四日後の土曜日、僕は鴻ノ池、鷹央とともに新潟に向かっていた。

僕は横目で鷹央を見る。助手席に座る彼女は、サイズの大きいTシャツにだぼだぼのジーンズといういつもの外出着ではなく、パステルカラーのブラウスに、キュロットスカートというやけにお洒落(しゃれ)な恰好(かっこう)をしていた。体を締めつける服を嫌う鷹央のためにと、鴻ノ池がコーディネートしたものだった。

馬子にも衣裳……。口に出したら抹殺されそうな感想を頭から振り払った僕は、先日、桜井から聞いた話を思い出す。桜井によると、動画が公開された翌日には、捜査本部は一般人からの情報提供を元に希津奈が飛び降りた崖が新潟県のとある漁港近くにあることを突き止め、新潟県警に協力を仰いだということだった。

警視庁と新潟県警は大量の捜査員を動員して周囲の海を捜索しているが、いまだ希津奈の遺体は発見できていないらしい。

そのことを聞いた鷹央は一昨日、「実際の現場を見に行くぞ」と言い出した。すぐにでも向かおうとする勢いだったが、さすがに勤務を終えてから新潟に向かい、翌日の勤務までに戻ってくることは不可能だ。ということで、「すぐに行っても、警察が捜査しているから現場を見られませんって」と必死に説得して、週末まで待ってもらったのだった。

そういうわけで土曜日の今日、僕は愛車を新潟に向けて走らせている。朝早く東京を出発してから高速道路をひたすら走り、あと一時間ほどで目的地に着く予定だった。

「暇なんですもん。高速道路だから、外の景色も全然変わらないし。おやつを食べながらお話するくらいいいじゃないですか」

「絶対だめだ」

「なんでですかぁ？　飲み物なら文句は言わないくせに」鴻ノ池は不満げに言う。

「飲み物はこぼれないから、車内を汚さない。けれど、ポテチなんか食べたら、細かい破片が散らばるはずだ。買ったばかりの愛車に、油汚れなんてつけられてたまるか」

「いつかは汚れるんですよ。遅いか早いかの違いだけです。気にしない気にしない」

「もしポテチ食べたら、お前のバイクのサドルにサラダオイル塗りたくるからな」

「……私の恋人にそんなことしたら、この車に灯油かけて火をつけますからね」

「やめてくれ……、思い出させないでくれ……」

『人体自然発火現象事件』の際に犠牲となり、黒焦げになったＲＸ－８の姿を思い出し、僕はうめき声をあげる。

「ああ、面倒くさい奴だな。ほら、舞。私に貸せ」

助手席から手を伸ばしてポテトチップスの袋を奪い取った鷹央は、僕が止める間もなく、それを無造作に開けた。勢いあまって、数枚のポテトチップスが床に落ちる。

「あああ……」

悲痛な声を上げる僕に見せつけるかのように、鷹央はぱりぱりと小気味いい音を立ててポテトチップスを齧った。

「もう汚れたんだから、あとは車内でなにを食べようが気にならないだろ。よかったな」

「よくないです！」

東京に帰ったら、車内の清掃をしなければ……。口をへの字に歪めていると、後部座席から身を乗り出した鴻ノ池が、摘まんだマシュマロを僕の口元に押し付けてきた。

「そんな難しい顔しないでくださいよ。ほら、マシュマロあげますから」

仕方なく僕はマシュマロを頬張る。歯を優しく押し返してくる弾力と、口の中に広がる甘みが、苛立ちをいくらか希釈してくれた。

「希津奈さん、どうなったんでしょうね」

自らも口の中にマシュマロを放り込みながら鴻ノ池がつぶやいた。

「まだ、遺体も発見されていないんですよね」

「遺体が発見されていないということは、生きている可能性があるということだ」

鷹央は、一定のリズムでポテトチップスを口に運ぶ。

「けど、桜井さんの話では、かなりの高さの崖で、飛びおりて助かるとは思えないってことでしたよね」

「らしいな。ただ、なんらかのトリックを使った可能性はある」

「トリック……ですか?」僕は聞き返す。

「桜井の話では、現場に怪しい痕跡が残っていたということだ。それがトリックによるものだとしたら、楯石希津奈はまだどこかで生きているはずだ」

「でも、動画の希津奈さん、聞いていた感じとは違っていましたね。妄想でパニックになっているって雰囲気じゃなくて、落ち着いていて、なんというか……神秘的というか」

「たしかに、入院時とはかなり雰囲気が違ったなぁ」

先々月、閉鎖病棟で暴れた希津奈を僕は思い出す。四日前に動画で見た少女は、容姿こそ楯石希津奈そのものだったが、纏っている雰囲気は全くの別人にしか見えなかった。

「おそらく、脳炎から回復し、精神症状が治まったんだろう。オンラインサロンの動画でも、おかしなことを口走りはじめる直前は、あんな様子だった」

「じゃあ、姿をくらましている間に、どこかで治療を受けていたということですか?」

鴻ノ池は空中に放り投げたマシュマロを、器用に口で受け止めた。

「もしくは、自然治癒したか、だな。ただ気になるのは、混乱した様子こそ消えていたが、『不老不死』、『龍神』、『復活』などのキーワードは変わらずに使っていたことだ」

鷹央が指についた油を座席で拭く。僕が「やめてください！」と抗議するが、鷹央は素知らぬ顔で話を続けた。

「宗教じみたことを口走りはじめてから、明らかにオンラインサロンの登録者は激増していた。つまり、たんなる『若さの秘訣を教える講師』よりも、『教祖様』の方が儲かることに気づき、そちらを演じきると決めた。それが一つの可能性だ」

鷹央は指をぺろりと舐める。

「だとしたら、四日前の動画のやけに妖しい様子も理解できる。自らの神秘性をどれだけ演出できるかによって、今後入ってくる収入が大きく違ってくるだろうからな」

「収入って、彼女は動画の中で殺人を告白しているんですよ。もし生きていたとしたら、間違いなく逮捕されます。今後、オンラインサロンなんて経営できないでしょ」

「そうとも限らないぞ。すでに大量の動画を撮影していて、逮捕されてもそれらを小出しにすることで大金を稼ぎ、出所後にそれを手に入れるつもりなのかもしれない」

言葉を切った鷹央は「そもそも」と続ける。

「十六年前の事件で、証拠がミイラの爪に残されていたDNAだけでは、楯石希津奈による犯行だと立証するのは困難だ。それにあの外見だ。とても十六年前に成人男性を殺害できるとは、裁判員は信じないだろう。有罪にできないと判断した検察が、不起訴という判断をくだすことすら考えられる」

「言われてみればそうかもしれませんね。で、さっき『一つの可能性』って言いましたよね。他にも可能性があるんですか」

「あるぞ。自らが本当に不老不死の龍神で、たとえ死んでも蘇ることができると、楯石希津奈が信じ込んでいたという可能性だ」

「つまり、妄想は完全には治っていなくて、楯石さんは本当に崖から飛び降りて死んでしまったということですか」

僕がつぶやくと、鷹央は「もしくは」と口角を上げた。

「実際に楯石希津奈は不老不死であり、命を落としても復活できるのかもしれないな」

「そんな馬鹿な」

「すべての可能性を検討したうえで残ったものが真実だ。たとえそれが、いかに馬鹿げて見えるとしてもな。まあ、まずは現場を見ることにしよう。あと少しで着くんだろ」

鷹央は袋の底を持つと、中に残っていたポテトチップスを口の中に流し込む。こぼれた細かい破片が、ぱらぱらと座席へと舞い落ちた。

「ああ、潮の香りがする」

車から降りた鴻ノ池が気持ちよさそうに大きく伸びをする。タイトなシャツに包まれた引き締まったボディラインが浮かび上がる。対照的に鷹央は渋い表情を浮かべていた。

「……なんか、空気がべたついて気持ち悪い」

「海のそばですからね」

僕は長時間の運転でこわばった首をこきこきと鳴らしながら辺りを見回す。漁港の駐車場にやって来ていた。停泊してある漁船から、クレーンやホースを使って魚が水揚げされている。そのそばでは、数人の制服警官が、漁師らしき男たちから話を聞いている。

「すごいですね、あれ。今夜は新鮮なお刺身とか食べられるかな。楽しみ」

完全に旅行気分の鴻ノ池がはしゃいだ声を上げた。

「ここで待ち合わせているんですよね」

僕がつぶやいたとき、「どうもどうも」という明るい声が聞こえてきた。見ると、大きく手を振った桜井が、仏頂面の成瀬とともに近づいてきていた。

鷹央が「出迎えご苦労」と鷹揚に言うと、成瀬の表情が歪む。

「桜井さん、なんで俺たちが天久先生たちを案内しないといけないんですか。そもそも、この人たちに現場を見せる必要なんてあるんですか」

「まあまあ、成瀬君。そんなこと言わずに。だって、楯石希津奈さんの行方が分かるまで、私たちにやることないじゃないか。それに、天久先生ならもしかしたら、その『行方』を見つけてくれるかもしれない」

「私をいいように利用しようっていうわけか。相変わらずいい根性してるよな、お前」

「いやいや、そんな」桜井は両手を広げる。「天久先生なら現場を見たいとおっしゃると思いまして、あくまで善意でこうして案内役を申し出たんです。私たちがいないと、なかなか現場には入れませんよ。まあその対価として、お知恵をちょっとお借りできればと思っているのはたしかですけどね。まさに、ウィンウィンの関係じゃないですか」

「そういうことにしといてやるよ。しかし、警視庁のヤマだっていうのに、新潟県警もけっこう力を入れているんだな。あの動画が出てからもう四日も経っているっていうのに、制服警官まで動員して捜査をしているなんて」

鷹央が漁師たちと話している警官たちを眺めると、桜井は「いやあ、違うんですよ」と頭を掻いた。

「あれは、別の捜査です。なんか、この港で盗難事件があったらしくて」

「なんだ、そうなのか。で、楯石希津奈が飛び降りた現場はどこだ」

鷹央がきょろきょろと辺りを見回すと、桜井は愛想よく言った。

「ここから少し歩いたところです。ご案内させていただきますね」


「……どこが、少……し、歩いた……ところ……なんだ……」

息も絶え絶えの鷹央が声を絞り出す。

漁港の駐車場をあとにした僕たちは、桜井の案内で現場へと向かっていた。しかし、漁港のそばにある森に入り、獣道を歩いてわずか十分ほどで、ナマケモノなみの体力しかない鷹央が音を上げはじめた。

「いや、まだ十分くらいしか歩いていないいんですが……。あと五分ぐらいでつきますよ」

さすがの桜井も呆れ顔になっている。その前では、先頭を歩いている成瀬が振り返り、愉快そうに目を細めていた。普段から鷹央に煮え湯を飲まされているので、疲れ果てている彼女を見るのが楽しくてしょうがないのだろう。

「あと五分ですって。ほら、鷹央先生、行きましょう」

鷹央とは対照的に、小学生男児並みに体力が有り余っている鴻ノ池が励ますが、鷹央はその場にしゃがみこんでしまった。

「やだ、もう歩かない。こんな道を歩くように、人間はできてない」

「仕方ないですねえ。それじゃあ小鳥遊先生がおぶっていくしかないですかね」

額の汗をぬぐいながら桜井が言う。

「なんで僕が⁉　体力なら、成瀬さんの方があるじゃないですか」

僕が抗議の声を上げると、成瀬は冷めた視線を送ってくる。

「俺にどんな義理があって、天久先生を運ぶんです？　あなたが保護者でしょうが」

保護者じゃなくて部下なんだけど……。内心で愚痴をこぼしながら、仕方なく僕は鷹央の前にしゃがみこむ。

「おっ、気が利くな」

鷹央は上機嫌に僕の背中に乗ると、首に両手を回した。僕は鷹央を背負ったまま、膝丈の雑草を踏みしめながら歩きはじめる。

「……けっこう重いな」

「誰が重いって」鷹央は腕に力を込めて首を絞めてくる。

「ああ、すみません。首を絞めないで。落ちるから」

「いやあ、微笑ましいですね」鴻ノ池が楽しげに言う。「なんか、恋人みたいですよ」

どう見ても、父親とその子供だろ。僕は疲労感をおぼえながら足を動かし続けた。

数分経つと森を抜け、ごつごつとした岩場に出る。数メートル先に鉄柵に囲まれた直径二十メートルはあるであろう巨大なすり鉢状の穴があり、その奥に海が広がっていた。鷹央は僕の背中から降りる。

「あそこが、楯石希津奈さんが飛び降りた崖です」

五十メートルほど前方の、急な傾斜をのぼった先にある崖を桜井は指さした。膝に手をついて息を整えながら、僕は周囲を観察する。

崖下にまで岩場がなだらかにくだりながら広がっていて、ここから歩いていくことができた。さらに、崖の真下にあたる位置には、小山のような巨大な岩が鎮座している。崖の上から岩までは十メートルほどありそうだ。見張りなのか、制服警官が二人、その岩の周りに立っていた。

「いまは干潮だよな。崖下の岩場は満潮時も露出しているのか？」

「この辺りは大丈夫ですが、満潮のとき崖下の岩場は少し波をかぶるようです。水深十センチほどだそうですが」

桜井の説明に鷹央はこめかみを掻く。

「十センチじゃ、落下の衝撃を消すことはできないな。飛込競技のプールとかは数メートルの深さがあるし」

「その通りです」桜井は頷いた。「捜査本部が専門家に問い合わせたところ、あの高さの崖から安全に飛び込むためには、最低でも三メートルほどの水深が必要ということでした。水深十センチなど、何もないのに等しいと」

「あのごつごつした岩場にたたきつけられたら、足からでも致命傷を負うだろうな」

「ええ、下肢から骨盤の骨折は避けられず、まず助からないだろうということでした」

「で、この地獄に続く穴みたいなのはなんだ」

鷹央はすぐそこにある、鉄柵に囲まれた穴を指さした。岩肌が露出した急な斜面が切り立っていて、一見すると巨大なアリジゴクの巣のようだった。

「昔、ここに採石場があったらしいです。深さは三十メートル近くありますので、落ちないように気をつけてください。雨水が溜まって、底は溜池のようになっています」

鷹央は「危ねえなあ」とつぶやくと、崖下にある巨大な岩を指さした。

「そもそも崖の先端から飛び降りたら、岩場よりもあの岩に叩きつけられる可能性が高い。しかし、でかい岩だな」

「ええ、かつてはご神体として祭られ、しめ縄が張られていたということでした」

「ご神体？」

「登っていただければ分かりますが、かなり変わった形をした岩なんですよ。どうぞ近くでご覧になってください。こちらです」

桜井に先導され、僕たちは岩場へと進んでいく。尖って刃物のようになっている岩肌は湿り、フジツボが張りついていた。満潮時に波をかぶるというのはたしかなようだ。

「あっ、舞。カニがいたぞ」

「え、どこですか？　見たい見たい」

はしゃぐ鷹央と鴻ノ池に、成瀬が苛立ったりしながらも、僕たちは『ご神体』だったという岩のそばまで到着する。近づいて確認すると、遠目で見て想像していたよりも、遥かに巨大な岩だった。高さは三メートル、直径も二十メートル以上はあるだろう。

控えていた制服警官が「お疲れさまです！」と声を張り上げた。

「はいはい、お疲れさま。こちらは東京からいらした専門家の先生方ね。ちょっと、この岩を見ていただくからね」

童顔で高校生、場合によっては中学生にすら見間違えられることがある鷹央を『専門家』と紹介され、警官たちの眉根が寄った。桜井がごつごつとした黒い岩を撫でる。

「見て下さいよ、この荒い岩肌を。なんか、爬虫類のうろこみたいに見えませんか」

言われてみれば、たしかにそんなふうに見えなくもない。

「しかも、この圧倒的な大きさです。遠目だと、巨大な龍がとぐろを巻いているかのように見えるんです。そんなこともあり、この岩は『龍神岩』として、この地方で崇められていたということです。あの崖は、『龍神岬』と呼ばれているそうです」

「龍神……」

鷹央は低い声でつぶやく。崖から飛び降りる寸前、希津奈は自らを『龍神』だと名乗っていた。だからこそ、希津奈はこの岩に向けてダイブしたのだろうか。

「そして、この龍神岩には、『龍神の巣』があります」

桜井の言葉を聞いた僕と鷹央は、「龍神の巣?」と声を重ねた。

「登っていただければ分かるんですが、この岩には中心に長径十メートル、深さ十五メートルほどの巨大な穴が開いているんです。言い伝えでは、この海で生まれ変わった龍神が、その穴から天へと昇っていったとされています」

「つまりこの岩は、脱皮した龍神の抜け殻だということか。しかし、『龍神』『生まれ変わり』とは、まさに楯石希津奈が主張していた通りの伝説があるというわけだな。で、その『龍神の巣』の中は調べたんだろうな?」

「もちろんですよ。けれど、ただ巨大な穴が開いているだけで、楯石希津奈さんの遺体は発見できませんでした」

「魚の遺体は見つかりましたけどね」皮肉っぽく成瀬が言う。「でかい鯛だったんで、県警の捜査員が家に持って帰って刺身にしたとか言っていましたよ」

「鯛のお刺身、いいなぁ……」

鴻ノ池が呑気な感想を口にするなか、鷹央は難しい顔で考え込んでいた。

「満潮になったら、その『龍神の巣』が海水であふれるなんてことはないのか？　それだけの大きさ、深さがある穴なら、十分に飛び込みのプール代わりになる」

「ないです」桜井は即答した。「さっき言ったように、この辺りは満潮時にも水深十センチほどにしかなりません。『龍神の巣』に海水が流れ込むようなことはありません。地元の人間に聞き込みもしましたが、『龍神の巣』に水が張っているところなんて、一度も見たことないと口を揃えていました」

「じゃあ、水道の水でそこをいっぱいにしたとか？」鴻ノ池が勢いよく手を挙げる。

「水道がある場所まで、ここから一キロ近くあります。それに、『龍神の巣』を水道水で満たしても、今度はそれを抜く方法が思いつきません。動画が投稿された二十四時間後には、捜査本部はこの場所の情報を得て、所轄署の警察官がこの龍神岩を調べています。その時点で、『龍神の巣』には水は入っていませんでした」

「……おかしなこと言ってすみませんでした」

鴻ノ池は肩を落とした。代わりに、僕が発言する。

「ポンプかなにかを使って、海水をくみ上げたんじゃないでしょうか？　そのあと、今度は『龍神の巣』に溜まっていた海水を排出したんじゃ」

「それは私たちも考えました」桜井は淡々とした口調で言う。「たしかに強力なポンプを使えば、それは可能でしょう。ただ、それはかなりの電力を必要とします。この辺りに、電線は引かれておらず、電源を取ることができません」

「自家発電装置を使ったとか」

「ポンプも自家発電装置も、かなりの騒音を立てます。そして、少なくとも数時間はポンプを作動させる必要がある。この沖合は地元の漁船の通り道です。けれど調べたところ、誰もそんな音を聞いていませんでした」

「そうですか……」

僕がすぐに思いつくぐらいのこと、捜査のプロである警視庁捜査一課の刑事たちが検討していないわけないか。

「なあ、あの辺りの水深はどうなっているんだ？」

鷹央が指さした方向に十メートルほど行くと、濃い蒼色（あおいろ）の海原が広がっていた。日本海特有の荒い波が、岩場に打ち寄せてきている。

「あそこからは急に深くなって、水深は二十メートルほどになっているということです。危ないですから、近づかないようにしてくださいね」

「水深二十メートルということは、十分に落下の衝撃を消すことができるな。あそこに飛び込んだということは考えられないか？」

「それもあり得ません」桜井は首を横に振った。「計算上、走り幅跳びの世界記録保持者でも、あそこまでは届かないということです。そもそも、動画ではほとんど勢いもつけることなく、龍神岬から飛び降りている。楯石希津奈さんが落下したのは、この龍神岩かその周囲の岩場であることは間違いありません」

「けど、遺体は見つかっていないんだろ。捜査本部は楯石希津奈がどこに消えたと考えているんだ？」

「飛び込んだ時間は満潮で、この辺りの岩場は少しだけ海水に浸かっていたと考えられています。そして、日本海の波は荒い」

「遺体は波に攫われて沖に流されたと？」

「その可能性が最も高いと考えています。もしくは、協力者が回収したか」

僕が「協力者？」と聞き返すと、桜井は頷く。

「あの動画は、崖の手前の位置から撮影されていました。しかし、警察官が駆け付けた際、カメラは発見されていません。つまり、あの動画の撮影に協力した人物がいるんです」

僕の脳裏に、閉鎖病棟から強引に希津奈を連れ出した父親、楯石源蔵の姿が浮かんだ。

「それが誰だか、予想はついているんですか？　例えば……身内とか」

「楯石源蔵のことをおっしゃっているんですか？」

図星を突かれ、僕は「いや、その……」としどろもどろになる。

「もちろん楯石源蔵の行方は追っています。なんといっても、あの、なんでしたっけ……、オンラインサウナ……」

……オンラインでサウナに入れるわけがないだろ。

僕が「オンラインサロンです」と指摘すると、桜井はぴしゃりと自分の頭を叩いた。

「そうでしたそうでした。そのオンラインサロンってやつの収益は、楯石源蔵の口座に振り込まれていましたからね。もちろん、第一の候補ですよ。他にも、そのサロンのメンバーの中には、楯石希津奈のファン……、というか信者のような者たちがたくさんいました」

「キヅナ様……」

鷹央がぼそりとつぶやくと、桜井は「それです」と苦笑する。

「我々が調べたところ、その『キヅナ様』を崇めている人たちが少なからずいるんですよ。まるで、カルト宗教にはまったかのようになっている人たちがね」

「ように、じゃない。あれは新しい形のカルト宗教だ。私は自腹を切ってあのオンラインサロンに入り、この数週間、会員専用のSNSなどを観察していた。初期にいた美容や健康の情報のために入会していた者たちは姿を消し、いまいるメンバーの大半は、本気で楯石希津奈を自然の摂理を超越した存在だと信じ込んでいる。ネットを通しているかの違いだけで、本質的には『大宙神光教』と変わらない」

　桜井たちと出会うきっかけになった殺人事件。そこで遭遇した、宇宙人を崇拝する危険な新興宗教団体の名前が出て、桜井と成瀬の表情が引き締まる。

「つまり、『信者』たちは本気で楯石希津奈さんを龍神の化身だと信じ込んでいると」

　桜井の問いに、鷹央は唇の端を上げた。

「あの女は、少なくとも外見上は二十年近く齢を取っていないように見える。不老不死という言葉に説得力もでるさ」

「なにかのトリックに決まってる。外見なんてなんとでもなる」成瀬が吐き捨てる。

「それを調べるためにも楯石希津奈を見つける必要があるんだ。……遺体でもな」

　鷹央の表情に暗い影が差した。

「遺体の捜索については、新潟県警が必死で行ってくれています。天久先生には、なんらかのトリックで楯石希津奈さんが生きているという可能性を検討していただきたい。よろしくお願いします」

桜井は慇懃に頭を下げながら、言葉を続ける。

「少なくとも我々警察には、あの崖の上から飛び降りて助かる方法は思いつきませんでした。パラシュートを使うには低すぎるし、崖を調べても落下途中に摑まれる縄などを張ったような形跡はありませんでした。また崖下に巨大なクッションなどを設置したのではないかとも考えましたが、そんな目立つことをしていたら、漁師の誰かが目撃しているはずだということでした」

「この辺りに、怪しい痕跡はなにもないということですね」

僕が言うと、桜井は「いいえ」と首を振った。

「痕跡はあるんですよ。あまりにも怪しすぎる痕跡が。ただ、それがなにを意味するのか、私たちには分からず、捜査本部もそれについては棚上げにしています。そうでないとなんというか……、楯石希津奈さんの主張を裏付けるようにしか思えないので……」

「なんだよ、その奥歯にものが挟まったような物言いは。どんな痕跡があったんだ?」

鷹央が訊ねる。

「説明するより、見ていただいた方が早いと思います。龍神岩に登ってみてください」

桜井に促された僕たちは、成瀬を先頭にして、龍神岩に立てかけられた梯子を上っていく。途中、鷹央が何度も梯子から足を踏み外しそうになるのを、後ろをのぼる僕が必死に支えたりしつつ、なんとか全員が龍神岩に登ることができた。

「うわあ、すごいですね」

　鴻ノ池が感嘆の声を上げる。たしかに、下から見ても圧巻の大きさだったが、登ってみるとさらにその規模に圧倒される。ゆうにテニスコートほどの広さがありそうな岩の中心に、巨大な楕円の穴が口を開けていた。底が見えない漆黒の深淵に、思わず足がすくんでしまう。

「これが『龍神の巣』です。落ちたらまず助かりませんので、気を付けてくださいね」

　桜井の言葉に、僕は無意識に鷹央が着ているブラウスの後ろ襟をつかむ。この人の運動神経だと、本当に足を滑らせて穴に吸い込まれかねない。

「……なんだよ」振り返った鷹央が睨め上げてくる。

「念のためです。念のため。我慢してください」

　鷹央は渋い表情になるが、僕の手を振り払うようなことはなかった。

「予想以上にでかい穴だな。ここまで迫力があると、崇拝の対象になるのも理解できる。この大きさなら、崖からこの穴に向かって飛び込むのはそれほど困難じゃない」

　僕に襟を摑まれたままつぶやいた鷹央は、「で」と桜井に視線を向ける。

「怪しい痕跡っていうのは、どこにあるんだ?」

「……先生の足元ですよ」

「私の足元」

鷹央が視線を落とす。僕と鴻ノ池もそれに倣(なら)った。岩にびっしりと生えた苔(こけ)の色が、僕たちの足元だけ微妙に色が変わっていた。よくよく観察すると一メートルほどの幅にわたって延々と、苔がこすり取られて薄くなっているようだった。

「これって……」

絶句する鴻ノ池に向かって、鷹央は低く押し殺した声でつぶやいた。

「ああ、まるで『龍神の巣』から生まれたなにかが、岩の上を這(は)い出て海に向かったかのようだな。……巨大な『なにか』が」

8

「うわ、すごい歯ごたえ。やっぱり取れたての海の幸は違いますね。医局旅行最高!」

浴衣(ゆかた)姿で鯛の刺身を頬張った鴻ノ池が、甲高い声を上げる。

「これは断じて医局旅行じゃない。楯石希津奈という患者を発見し、適切な治療を受けさせるために必要な調査だ。あくまで統括診断部の仕事の一環だということを忘れるな」

持参したカレースパイスを刺身に振りかけながら、鷹央はぴしゃりと言う。

「……すみません、はしゃいじゃって」

鴻ノ池が首をすくめて謝罪すると、鷹央は箸で刺身を突き刺した。

「医局旅行は別にしっかりと行く。今回は仕事だから、当然、そのための積立金には手をつけない。あくまで業務なので、統括診断部の経費として病院に請求する」

「やったー！　さすが鷹央先生」

歓喜の声を上げた鴻ノ池に抱き着かれながら、鷹央は満足げに刺身を口に運んだ。

「……知りませんよ。真鶴さんに叱られても」

鷹央の姉で、天医会総合病院の事務長を務めている天久真鶴は基本的にとても穏やかな美人だが、怒らせると恐ろしい一面がある。そして、彼女の怒りは主に、鷹央の傍若無人な行動に対するものだった。

「ね、姉ちゃんが怖くて事件の調査なんてできるか」

威勢のいいことを言っているが、その目は泳ぎ、声はかすれていた。近い未来、鷹央が真鶴から折檻を受けることを確信しつつ、僕は吸い物をすする。

「けど、露天風呂付きの部屋に泊まれるとは思っていませんでした」

鴻ノ池はうっとりと、窓の外の露天風呂を眺める。龍神岩の調査を終えた僕たちは、鷹央がネットで予約していた近くの旅館へとチェックインした。そして少し休憩をしたあと、鷹央と鴻ノ池が泊まっているこの部屋で夕食を取っていた。

「僕の部屋には露天風呂どころか、ユニットバスしかないんですが……」

あまりの部屋のグレードの違いに愚痴をこぼすと、鷹央は箸を持った左手を掲げる。

「しかたないだろ。あんまり金を使いすぎると、姉ちゃんにバレるかもしれないんだから」

「やっぱり後ろ暗いんじゃないですか」

僕の突っ込みを聞こえないふりを決め込んで、鷹央は金目の煮つけにもカレースパイスをかけはじめた。

「じゃあ、小鳥先生もこの部屋で寝ますか？　三人で布団(ふとん)並べて川の字になって」

鴻ノ池にからかわれた僕は「遠慮しておく」と顔をしかめる。

「えー、なんでですか？　露天風呂、気持ちいいですよ。さっき、鷹央先生と一緒に入ったんですよ。鷹央先生、私と違って肌が真っ白でめちゃきれいなんですよ。眼福眼福」

そりゃ、ほとんど〝家〟にこもって日に当たってないからな。調査という名の旅行に来てテンションがおかしくなっている鴻ノ池に、僕は冷たい視線を注いだ。

「というわけで、私たちお風呂上りなんですよ。ほら、色っぽいでしょ」

鴻ノ池は鷹央と肩を組む。

「はいはい、色っぽい色っぽい」

「なんですか、その適当な答えは。浴衣の襟から覗く鷹央先生の白いうなじに見惚れたりしないんですか？　あっ、鷹央先生ちょっと、浴衣で胡坐はダメです。はだけてます」

テーブルの下で鷹央の浴衣を慌てて直している鴻ノ池から視線を外した僕は、数時間前に龍神岩の上で見た光景を思い出す。あれはまさに……。

「巨大な生き物が這ったあとみたいだったな」

僕の頭の中を読んだかのように、鷹央がぼそりとつぶやいた。鷹央の浴衣を整えた鴻ノ池が、「え？」と声を漏らす。

「龍神岩についていた跡だよ」

「えー、せっかくこんないい宿に泊まって、おいしいご飯食べているのに、事件の話をするんですか？　食事のあと、枕投げとかしながらでもいいんじゃないですか？」

「修学旅行か！」

僕が反射的に突っ込むと、鷹央は肩をすくめる。

「ちゃんと事件について調査しないと、あとで姉ちゃんに指摘されたとき、言い訳できないだろ。そのときは、お前たち口裏を合わせろよ」

そんな理由か。僕が呆れていると、鷹央はカレースパイスがついた唇を艶っぽく舐めた。

「それに、純粋に今回の事件は面白い。不老不死の少女、龍神の伝説、穴から這い出た巨大な生物の痕跡、こんな魅力的な謎はなかなかないぞ」

「でも、あの跡ってその気になれば誰でもつけられるんじゃないですか？　なにかスコップでも使って削ればできるような気がするんですけど」

鴻ノ池は刺身を一切れ、口の中に放り込んだ。

「たしかに、労力をかければ可能だろう。しかし、桜井の説明ではあの海域では漁船が頻繁に行き来していたはずだ。ポンプや発電機ほどの音は立たないとしても、発見される可能性はあったはずだ。そのリスクを冒してまで、なぜ巨大な生物が『龍神の巣』から這い出たような跡をつけたのか」

鷹央はあごを撫でる。

「普通に考えたら、宣言通り、生まれ変わって龍になって復活したと装うためだな」

「え？　あれって龍が通った跡なんですか？　大きな蛇かなんかだと思っていました」

箸をくわえた鴻ノ池が言った。

「いや、龍だろ。アナコンダでも、あんなでかい跡は残せないはずだ。なら、同じ爬虫類の龍だと考えるのが妥当だ」

　龍って爬虫類なのか？

「でも、龍なら飛ぶとか歩くとかしません？　あんな這った跡なんて、かっこ悪い」

「龍にもいろいろ種類があるんだよ。西洋のドラゴンみたいに飛べるとは限らない。そもそも、龍神岩は海にあるんだぞ。海龍だと考えるのが妥当だ」

「『ドラえもん　のび太の恐竜』に出てきたフタバスズキリュウみたいなやつですか？」

「いや、どちらかというと巨大なウミヘビタイプなんじゃないか」

「なんだ、やっぱり蛇なんじゃないですか」

「いや、外見が蛇に似ているだけで、実際は龍の一種で……」

　鷹央と鴻ノ池がどうでもいいことを話しているのを尻目に、僕は伊勢海老の黄金焼きをつつく。さすがに話が逸れすぎていると気づいたのか、鷹央が「ともかく」と声を上げた。

「もし、何者かが故意につけたとしたら、それは楯石希津奈の復活に神秘性を与えるためのものだったはずだ」

「つまり、楯石さんはなんらかの方法で生きているということですね」

「だろうな。まあ、死を神秘的に演出するという可能性もゼロではないが……」

一瞬、沈んだ表情を浮かべた鷹央は、気を取り直すように首を振る。

「なんにしろ、生きている可能性の方が高い。なら、あの崖から飛び降りて助かる方法を考えるべきだ。そうだろ」

「ええ、そうですね。その通りです」

僕は力強く答える。もし希津奈が死んでいたら、疾患が原因でなかったとしても鷹央は自らを責めるだろう。

「だとすると、龍神岩の痕跡は、楯石希津奈が助かった方法と関係しているんじゃないかと思うんだ。ただの演出で行うにしてはリスクが高すぎる気がするしな……」

口元に手を当てて考え込んでいた鷹央は「あっ」と声を上げた。

「そうそう、最後の可能性も検討には入れないとな」

「最後の可能性ですか？」

鴻ノ池が小首をかしげると、鷹央は「そうだ」と胸を張った。

「本当に楯石希津奈が龍神の化身で、『龍神の巣』に飛び込んで龍に生まれ変わった可能性だ。だとしたらすごいぞ！　実際に不老不死なのかもしれない。信者に若さを分け与える力を持っていてもおかしくない」

鷹央は興奮気味にまくしたてる。鴻ノ池と顔を見合わせて笑った僕は、日本酒の入ったとっくりを鷹央に差し出した。

「とりあえず、食事を楽しみましょうよ。腹が減っては戦はできぬ。エネルギーをしっかり補給して、また温泉にでも入ってリラックスしながら、ゆっくり考えてください」

鷹央はひとしきり目をしばたたくと、お猪口を突き出しながら「おう」と答えた。

「もうこんな時間か」

人気のない旅館の廊下を浴衣姿で歩きながら、僕は古びた柱時計を見る。時刻はまもなく午後十時半になるところだった。

鷹央たちと事件の話をしつつゆっくり夕食をとった僕は、一度、自分の部屋で一時間ほど休憩して膨らんだ腹がこなれるのを待って、大浴場へと向かっていた。

泊まっている部屋にはユニットバスしかないが、宿泊客用の大浴場には温泉の露天風呂がある。長時間の運転と、鷹央を背負って獣道を往復した疲れを、湯治で癒すとしよう。

僕がいそいそと『男』と記された暖簾をくぐろうとすると、背後から「おい、小鳥」という声が掛けられる。振り返ると、浴衣姿の鷹央が腰に手を当てて立っていた。その髪は濡れ、頬は上気している。その後ろに立つ鴻ノ池は、茹でダコのように真っ赤な顔で、左右にゆっくりと揺れていた。

「あの……、なんか鴻ノ池の様子がおかしいんですけど……」

「ああ、なんかのぼせたみたいだな。お前が出て行ったあと、二人で冷酒を飲みながら また温泉に浸かったんだ。お前のアドバイス通り、リラックスして推理をするためにな」

熱い温泉に浸かりながら大酒豪の鷹央に付き合わされたのか。そりゃ、のぼせるだろうな。僕は鴻ノ池に同情する。

「鴻ノ池を涼ませた方がいいですよ。で、なにか用ですか?」

「お前、酒飲んでないよな?」

「え? はい、飲んでいませんけど」

なにかあったときにすぐ車を出せるように、という名目で鷹央に飲まされるのを避けていた。そうでもしなければ、僕がいまの鴻ノ池の状態になっていた可能性が高い。

「よし、なら車を出せ」

「いまから温泉に入る予定なんですけど……」

「そんなこと言ってる場合じゃない。さっさと車のキーをとってこい」

「もしかして、事件についてなにか気づいたんですか?」

真剣な鷹央の様子に、僕は表情を引き締める。鷹央はにやりと笑みを浮かべた。

「もちろんだ。温泉と酒で活性化された私の脳に解けない謎なんてないからな」

　鴻ノ池、お前の犠牲は無駄じゃなかったみたいだな。僕は内心で鴻ノ池に両手を合わせると、浴衣の懐からキーホルダーを取り出した。

「こんなこともあろうかと、ちゃんと持ってきています」

　たんに部屋に金庫がないので念のため、財布と一緒に持ってきていただけなのだが、ちょっと格好をつけてみる。

「おお、それでこそ私の部下だ。よし、いくぞ」

　鷹央の掛け声に、鴻ノ池は「はーい」と虚ろな目でこたえた。……大丈夫かな、こいつ。

　鷹央を先頭に旅館から出て駐車場に向かった僕たちは、CX－8に乗り込む。

「それで、どこに向かえば……」

　いいんですか？　と訊ねかけた僕は、後部座席で力なく横たわっている鴻ノ池を見て言葉をひっこめる。

「あの……、鴻ノ池は部屋で休ませていた方がいいんじゃないですか」

「舞はいま、統括診断部の一員なんだぞ。置いていったらかわいそうだろ」

　現状だと、連れていった方がかわいそうなのでは？

　僕がおそるおそる「大丈夫か？」と声をかけると、鴻ノ池は真っ赤な顔で目を閉じたまま、力なく右手の親指を立てた。

そんな、某映画のラストシーンみたいなポーズされてもな……。不安をおぼえながら、僕はエンジンを吹かす。

「それじゃあ、とりあえず漁港へ向かえ」

「漁港って、最初に車を停めたところですか？　こんな時間にあそこに行って、なにをするつもりですか？」

「きっと、いまから夜の漁に出る漁師たちがいるはずだ。そいつらと話がしたいんだ」

「漁師に聞き込みをするってことですか？」

訊ねると、鷹央は「内緒だ」と、へたくそなウインクをしてきた。

ああ、なにかろくでもないことを企んでいるんだろうな。

これまでの経験でそう気づいた僕は、車を発進させる。こうなったときの鷹央は、いくら訊ねてもなにをするつもりか教えてはくれない。

駐車場を出たCX－8は街灯の少ない夜道を進んでいく。僕は少しでも鴻ノ池を涼ませようと、窓を開けた。わずかに潮の香りを孕んだ夜風が吹き込んできて心地いい。

「……小鳥先生」鴻ノ池がうめくように言う。

「礼ならいいよ。とりあえず、おとなしく横になっていろ」

「いえ……、吐きそう」

「やめて！　マジでやめて！」

僕は思い切りブレーキをかける。シートベルトが軽く喉元に食い込んだのか、助手席の鷹央が「くえっ」と声を漏らした。

9

「それで、今日はなにを企んでいるんですか？」

軽く息を乱した成瀬が振り返る。

「それは着いてからのお楽しみだ」

僕の背中に乗った鷹央は歌うように言った。

翌日の早朝、僕は桜井たちとともに再び龍神岬を目指していた（今日は最初から僕が鷹央を背負う羽目になっている）。

昨夜、（鴻ノ池が胃の中身を全て道端に吐いたあと）漁港へと到着すると、鷹央は「舞を看病していろ」と言い残して、出漁の準備をしている漁師たちに一人で近づいていった。

後部座席に横になっている鴻ノ池に、ジャケットを振って風を送りながら観察していると、鷹央は漁師たちと三十分ほど話し込んだあと戻ってきて、「宿に帰るぞ」と言った。

　帰りの車の中で、鷹央が漁師たちとなにを話したのか何度も訊ねたのだが、いつも通り「内緒だ」とはぐらかされた。そして、旅館に着いた僕が、軟体動物のように脱力している鴻ノ池に肩を貸して部屋に戻り、敷布団の上に放り出したあと、再びなにを企んでいるのか訊ねると、鷹央はいやらしい笑みを浮かべた。

「これから、またそこの露天風呂につかって冷酒を楽しむつもりなんだが、それに付き合うなら教えてやってもいいぞ」

「そんなこと、できるわけないじゃないですか」

「私なら大丈夫だ。なにかのときのために、水着を持ってきているからな。水着で風呂に入るのは風情がなくて嫌だが、お前を潰せるなら考えてやらんこともないぞ」

　この異様なテンションの高さは、絶対にろくでもないことを企んでいる。そう確信するのだが、まさか鷹央と混浴するわけにもいかず、それ以上に、はだけた浴衣の胸元まで真っ赤に染めて唸っている鴻ノ池の二の舞になるのが恐ろしくて、僕はなにも聞き出せないまますごすごと退散したのだった。

「おい、鴻ノ池、大丈夫か？」

　僕はすぐ隣を歩いている鴻ノ池に声をかける。「……大丈夫です」と声を絞り出すが、その顔は青白く、足取りは重かった。

「やっぱり、統括診断部はこれまで回った診療科とは一味違いますね。けど、医師として一皮むけるため、私はこの試練を乗り越えますよ」

鴻ノ池が力なく拳(こぶし)を握りしめると、鷹央は「いいぞ、舞。その意気だ」と嬉(うれ)しそうに言う。

その試練、医師に必要か？　僕が呆れていると、ようやく視界が開けた。目の前に広がっている光景を見て、僕は目を見開いた。

「なにしてるんだよ、あれ⁉」

成瀬が驚きの声を上げる。桜井も口を半開きにして、啞然(あぜん)としている。

満潮なのか小さな波が押し寄せている龍神岩の周囲に、十人ほどの男たちがいた。日に焼けた褐色の皮膚、シャツから覗く太い腕、頭に巻いたハチマキと膝まである長靴。明らかに、全員が漁師だ。

波打ち際(ぎわ)に立っている二人の制服警官に、成瀬が「どういうことだ」と声をかける。

「いえ、警視庁の刑事さんたちに許可を取っていると言われたので……」

警官が戸惑い顔で答えると、成瀬は「許可ぁ？」と眉間(みけん)にしわを寄せた。

「私がそう伝えたんだ」

僕の背中から飛び降りた鷹央の言葉に、成瀬は目を剝(む)いた。

「伝えたって、どういうことですか⁉　素人(しろうと)が現場を踏み荒らしたりしたら……」

「ああ、うるさいな」鷹央は虫でも追い払うように手を振る。「もう、鑑識が細かく調べあげただろ。いまさら荒らしたところで、捜査に影響なんてないさ」

「だからって、俺たちが許可したなんて嘘をついていいと思っているんですか？」

鷹央は「嘘？」と、まばたきをする。

「私は嘘なんてついていないぞ。昨日、お前たちは私にこの龍神岩の謎を解いて欲しいといった。私に捜査を依頼したということだ。すなわち、私の行動は間接的にお前らに許可されたということだ」

「そんな詭弁が通じると……」

さらに文句を言いかけた成瀬の前に、桜井が手を出す。

「つまり、いまあそこで漁師たちがしていることは、この龍神岩で起きたことを説明するために必要だということですね？」

「そうだ」

「この件について、私たちはおそらく新潟県警から抗議され、本庁のお偉いさんから大目玉をくらいます。ただ、もし先生がここで起きたことを完全に解き明かしてくださったら、逆にお手柄になります。先生を信頼してここを見せた私の顔を立てるためにも、謎を明らかにしてくださいますよね」

「ああ、もちろんだ」

鷹央が胸を張ると、桜井は大きく息を吐いた。

「で、いったい彼らになにをさせるんですか？」

「すぐに分かるさ。おーい！」

鷹央が大声をあげて手を振ると、気づいた漁師たちも手を振り返してきた。

「おう、お嬢ちゃん。準備はできてる。いつでもいいぞ」

漁師のリーダーらしき初老の男が、上機嫌で声を張り上げる。

「お嬢ちゃんじゃない。お姉さんだ」

口を尖らす鷹央に、僕はおずおずと声をかける。

「つかぬことをお伺いしますが、いつの間に漁師とそんなに仲良くなったんですか？」

「もちろん、昨日の夜にだ」

「いや、それはそうなんでしょうけど、皆さんあまりにも愛想がよすぎる気がするんですが。なにか条件をだしましたよね。手伝ってもらうために」

「ああ、あいつらが昨日水揚げした魚を、すべて買い取ったんだ。一般的な価格より、かなり高額でな」

「なっ⁉」僕は言葉を失う。「その魚をどうするつもりなんです？　とんでもない量でしょ」

「うちの病院に送ってもらうことにした」

「それはいくらなんでも……」予想外の答えに頬が引きつる。

「さすがに捜査のためだけに大金を経費に計上したら、姉ちゃんが怒るだろうけど、新鮮な魚を買ったんなら大丈夫だろ。患者用の食事の材料につかえるから」

いや、絶対に真鶴さん激怒すると思うけど……。数日後に起こる悲劇を僕は確信する。

「それで」僕は軽く咳ばらいをする。「なにを漁師たちに依頼したんですか?」

「当然、五日前にここで起きたことの再現だ。あいつらには、『龍神』を運んでもらう」

「龍神を運ぶって、どういう意味ですか? 分かり易く説明してくれませんかね」

まだ怒りが収まらないのか、成瀬が乱暴に言う。

「お前ら、まだあの巨大な穴から這い出た、『龍神』の正体に気づいていないのか。まったく、ぼーっと生きているから大切なことを見逃すんだよ。体がでかすぎて、脳にまで栄養分が回っていないんじゃないか」

辛辣な鷹央の言葉に、成瀬のこめかみがぴくぴくと痙攣しはじめる。危険な雰囲気を感じ取った僕は、とっさに二人の間に割って入った。

「大切なことってなんですか。いやあ、僕たちみたいな凡人は、鷹央先生ほどの観察力がないんで、ぜひ教えてください」

「私も聞きたいなぁ。鷹央先生、お願いしますよぉ」

僕の意図を悟った鴻ノ池が合いの手を入れてくる。この辺りのそつのなさはさすがだ。

気をよくした鷹央は胸を張ると、左手の人差し指を立てた。

「注目すべきは、漁港で起きた盗難事件だ。なあ、成瀬。いったいなにが盗まれたのか、知っているか？」

「知っているわけがないでしょう。俺たちが捜査している殺人事件とは関係ないんだから」

「だからダメなんだよ、お前たちは」

鷹央の目がすっと細くなる。気圧されたのか、成瀬は軽くのけぞった。

「どこに『謎』を解くための手がかりが眠っているか、誰にも分からない。だからこそ、ありとあらゆることを注意深く観察し、できる限りの情報を得たうえで、それらを俯瞰(ふかん)する必要がある。そうすることで、深い闇(やみ)に沈んだ謎に光を当てることができるんだ」

反論できず唇を噛(か)んでいる成瀬の肩を、桜井がポンと叩いた。

「天久先生のおっしゃる通りかもね。さて、それでは私たちが見逃した手がかりについて聞かせていただいてもよろしいですか？　漁港ではいったいなにが盗まれたんですか」

「ホースだ」

鷹央は大きく両手を広げる。成瀬が「ホース？」と鼻の付け根にしわを寄せた。

「たんなるホースじゃないぞ。漁船から魚を水揚げするときに使う、巨大なやつだ。内径が一メートル以上あるらしい」

「ちょっと待ってください」桜井が掌を突き出す。「もしかして、そのホースを使って『龍神の巣』に海水を入れたっておっしゃるんじゃないでしょうね」

鷹央が「いいや、おっしゃるぞ」と答えると、桜井の眉間にしわが寄った。

「昨日、それについてはできないと結論がでたじゃないですか。そんなことをすれば、ポンプや発電機の音で漁師に気づかれたはずだって」

「ポンプも発電機もほとんど使わなかったらどうだ？　音も出さず、ホースだけで『龍神の巣』に海水を流し込むことができたら、漁師に気づかれなかった可能性は高いだろ」

「ポンプを使わずに大量の海水をあの穴に注入できるというんですか？　動力はどこにあるっていうんですか？」

桜井の眉間のしわが深くなる。

「動力なんてどこにでもある。重力、磁力、摩擦力、垂直抗力、弾性力、この世界には『力』が溢れているんだ。まあ、百聞は一見にしかずだ」

　鷹央は漁師たちに向かって大きく手を振って合図をした。彼らは龍神岩の陰から、巨大なホースを取り出す。太さは一メートル以上、長さは百メートル近くあるだろう。

「水揚げに使われるホースの中でも、最大のものらしい。数日前に漁港から盗まれたのと同じサイズだ」

　鷹央が説明をしているうちに、漁師たちは龍神岩にのぼり、ホースを『龍神の巣』に落とし、もう片方の先端を岩場の奥に持っていく。

「岩場の奥にある深くなっている海から海水を汲み上げるつもりですか。けど、やっぱりそれならポンプが必要では？」

　首をひねる桜井に、鷹央は冷たい視線を向ける。

「お前さ、高校生のときなにを勉強していたんだ。単純な物理法則だぞ」

「いえ、理系はとんと苦手でして」

　桜井は後頭部を掻く。成瀬も露骨に視線をそらした。

「ああ、まったく。おい、小鳥。この学のない刑事たちに説明してやれ」

「すみません……。僕も化学と生物で受験したので、物理はちょっと苦手というか……」

　桜井と同様に後頭部を掻く僕の後ろに、そっと鴻ノ池も避難する。侮蔑がこもった鷹央の視線が痛かった。

「お前らに期待した私が馬鹿だった。ほら、もうすぐ準備ができる。ここからじゃよく見えないな。あそこまで行くぞ」

これ見よがしに大きなため息をついたあと、鷹央は龍神岬を指さす。大股で歩き出した鷹央のあとを追い、僕たちは岬の先へと移動していった。崖からは数メートルのところで鷹央は足を止める。ここからでも、『龍神の巣』の深くにぶら下がっているホースの先端を確認することができた。

「よし、やってくれ！」

岩場に立つ漁師たちに向けて、鷹央が声を張り上げる。それを合図に、漁師たちは岩場の奥に広がる海原にホースの先端を沈めた。

「このあと、どうするんですか？　どうやって、海水を『龍神の巣』まで送り込むつもりなんですか？」

冷めた口調の成瀬に向かって、鷹央は「黙って見ときな」と、挑発的な笑みを浮かべる。

漁師たちがホースのそばに何やら大きな機械を運ぶと、それを岩場に置いた。漁師の一人が機械の電源を入れる。その機械が上げる轟音がここまで響いてきた。数十秒後、『龍神の巣』の深くに垂らしてあるホースの先端から突然、大量の水が噴き出されはじめた。どうやら、あの機械は強力なポンプだったようだ。

「やっぱり、ポンプが必要なんじゃないですか」

成瀬がつぶやいたとき、漁師がポンプを止める。同時に、唸るような駆動音も消えた。

僕は大きく目を見開く。明らかにポンプを停止させたにもかかわらず、ホースの先端からは相変わらず、大量の海水が吐き出され続けていた。その勢いはすさまじく、ホースの先端はすぐに水面に沈む。その後もじわじわと水位が上がっているのが見て取れた。

「どういうことですか？　ポンプを止めたのに……」桜井が呆然（ぼうぜん）と訊ねる。

「サイフォンの原理」鷹央は得意げに左手の人差し指を立てた。

「サイフォンの原理？」

「ああ、そうだ。サイフォンとは中が液体で満たされた管を利用して、液体をある地点から目的の場所まで、途中出発点より高い地点を経由して導く装置のことをいう。管の両端を、違う高さに置かれた液体に浸けると、大気圧によって高い方から低い方へと液体が流れていくという現象だ。灯油ポンプとか使ったことあるだろ。あれで使われている原理だな」

鷹央は滔々（とうとう）と説明を続ける。

「この現象は基本的に二つの液面が同じ高さになるまで続く。龍神岩は三メートルほどの高さで、満潮の現在、その裾のところまで海面が上がっている状態だ。もし『龍神の巣』の深さを十五メートルだとすると、そこの水深が十二メートルになるまで海水はたまり続けるということだ。長径十メートル、深さも十二メートル。飛込競技用のプールとしては十分だな」

「じゃあ五日前、『龍神の巣』は大量の水で満たされていたということですか？」

早口の桜井の問いに、鷹央は大きく頷いた。

「そうだ。あれほどのスペースに十分な海水を流し込むためには、数時間は必要だっただろう。しかし、いま見て分かるように、ホースの先端が水面以下になれば、ほとんど音はしない。ポンプを動かすのはわずか数十秒で済む。それくらいなら、漁船が通らない隙を見計らえば、誰にも気づかれないはずだ」

「けれど翌日、警察が到着したときには、『龍神の巣』は空っぽでしたよ」

「それだ」

鷹央は数メートル先にある採石場跡の巨大な穴を指さす。

「今度はもっと低い位置に水面があるあの穴に、同じ原理で『龍神の巣』にためた海水を流し込めばいい。あの穴の水面の高さは、『龍神の巣』よりも低い位置にある。いま海水に浸かっているホースの先端を穴の底に移動させればいいんだ。あの長さなら十分に届く」

「でも、これってかなりの人数が必要なんじゃありませんか」

いくらか顔色がよくなってきた鴻ノ池がつぶやく。

「ああ、そうだろうな。ただ、楯石希津奈には多くの『信者』がいた。あいつのいうことならなんでも聞くような信者たちがな。きっとそいつらが漁港からホースを盗み、『龍神の巣』に即席の飛込プールを作ったんだろう」

「それじゃあ、信者にトリックがばれちゃうんじゃないですか？」

「『龍神の巣』に海水を溜める理由を、『復活の儀式のために必要だ』とでも説明して、実際に飛び込むところは見せなかったんじゃないか。一般的にカルト宗教の信者は盲目的に教祖を信じる傾向にある。その辺りはなんとでもなったはずだ」

成瀬が「……証拠」と小声でつぶやいた。鷹央は「あ？」と聞き返す。

「だから、あなたがいま説明したことが実際に行われたという証拠があるんですか？たしかに、いまの方法なら漁師たちに気づかれることなく『龍神の巣』に海水を注入できるかもしれない。けれど、証拠がなければそれはあくまで仮説でしかない」

「なあ、鯛は三メートルもジャンプできるのか？」

成瀬は「はぁ？」と鼻の付け根にしわを寄せる。

「昨日言っていただろ。『龍神の巣』の底の水たまりから鯛が見つかったって。けれどな、満潮時でも海面から龍神岩の上までは三メートルの高さがある。どうやって、鯛が『龍神の巣』に入り込むって言うんだよ」

言葉に詰まる成瀬に、鷹央は追い打ちをかけるかのように話し続ける。

「考えられる可能性は一つ。海水とともにホースに吸い込まれ、そのまま『龍神の巣』に注がれたんだ。そして、排出される際は吸い込まれることなく、穴の底に残った」

もはや反論の余地もなかった。成瀬は渋い表情で黙り込む。代わりに桜井が口を開いた。

「ということは、楯石希津奈は」

「ああ、最初から死んでなんていない。きっとどこかに隠れて、劇的な『復活』を演出するチャンスをうかがっているはずだ」

鷹央は楽しそうに言う。

「信者の誰かが父親とともに匿(かくま)っているんじゃないか。熱心なオンラインサロンのメンバーを徹底的に調べるべきだ。そうすれば、おのずと楯石希津奈も見つかるだろうな」

そのとき、桜井の腰から懐(なつ)メロが響いた。桜井は「失礼」と、ポケットから取り出したスマートフォンを耳に当て、通話をはじめる。

数十秒話したあと、スマートフォンをポケットに戻した桜井は、大きく息を吐いた。

「楯石源蔵が発見されました。天久先生のご想像通り、熱心なオンラインサロンメンバーが所有する、軽井沢の別荘にいたそうです」

「そうか。じゃあ、楯石源蔵をお前らが得意とする高圧的な尋問で徹底的に絞り上げるんだな。ヤクザ顔負けのいかつい刑事たちに問い詰められたら、きっとすぐに娘の居場所を吐くさ。楯石希津奈を保護したら、私にも連絡してくれ。あいつの病気が治っているのかしっかりと診ないといけない。それに……」

鷹央は口元に手を当てると、ぐふふと怪しい笑い声を漏らす。

「あいつの若さの秘密もな」

……本当に解剖でもしだしそうな雰囲気だな。呆（あき）れている僕に、鷹央は向き直る。

「それじゃあ謎も解けたし、最後に温泉で一風呂浴びながら、酒でも飲んでから東京に戻るとするか」

鴻ノ池の小さな悲鳴が、僕の鼓膜を揺らした。

10

「お疲れさまでした！」

鴻ノ池はばんざいをするように両手を広げながらソファーへと座り込んだ。

「おう、お疲れさん」

無数に生えた〝本の樹〟の間をすり抜け、鷹央はパソコンデスクへと向かう。

新潟で龍神岩のトリックを解いてから、五日後の金曜日。通常業務を終えた僕たちは、天医会総合病院の屋上に建つ鷹央の〝家〟に戻って来ていた。

「今週の仕事もひと段落ですね。鴻ノ池、統括診断部はどうだ?」

僕が訊ねると、鴻ノ池は満足そうに微笑む。

「いやあ、これまで診たことがない希少疾患の患者さんが多くてびっくりです」

「うちには他の診療科で診断がつかなかった患者が送り込まれてくるからな」

「けど、それを鷹央先生がバシバシと診断つけていくのが爽快です。かっこいい」

鴻ノ池に持ち上げられた鷹央は、椅子ごと回転して「まあな」とこちらを向く。

「原因不明の症状を呈する患者を診たとき、最初にすべきことは可能な限り多く、鑑別すべき疾患を頭の中でリストアップすることだ。そこから必要な検査をすることで、疾患を絞り込んでいく。そして、最後に残ったものが、患者を冒している病だ」

「それって、事件の推理に似ていますね」

鷹央は「いいところに気づいたな」と、上機嫌で鴻ノ池を指さす。

「全ての不可能を消去して、最後に残ったものが如何に奇妙な事であっても、それが真実となる。偉人が遺した言葉だ。事件捜査においても、診断学においてもまさに珠玉の名言だな。覚えておけよ」

「偉人というのは……」

僕が訊ねると鷹央は胸を張った。

「シャーロック・ホームズだ」

「……さいですか」僕は肩をすくめると、キッチンに向かう。「コーヒー飲みますか？」

電気ポットで湯を沸かしながら僕が言うと、鴻ノ池が「あ、ください」と手を挙げる。

「鷹央先生はどうします？」

「コーヒーと牛乳を一対一で割って、砂糖を大さじ三杯入れてよくかき混ぜてくれ」

「……いつか糖尿病になりますよ」

そんなことをつぶやきながら三人分のコーヒーを淹れた僕は、一人がけのソファーに腰掛けてブラックのままコーヒーをする。

「ブラックで飲むんですね。大人ぁ」

砂糖とミルクを入れたコーヒーをかき混ぜながら、鴻ノ池はからかうように言う。

「大人の男性ってモテるって聞くのに、どうして小鳥先生には春が来ないんでしょうね」

「……そろそろ、セクハラで訴えるぞ」

「やだなぁ、こんなの仲間同士の軽いジョークじゃないですか。本物のセクハラってやつを見せてあげましょうか？」

鴻ノ池は舌なめずりをすると、胸の前に掲げた手をわきわきと動かす。

「お前、うちに来てから本当にはしゃいでいるよな」

「そりゃそうですよ。去年からずっと、当社比五割増しで、うざったいことこのうえない。もともと高めのテンションが、統括診断部で研修するの楽しみにしていたんですから。しかも、研修はじまってそうそうに事件まで起きて、それを鷹央先生が鮮やかに解き明かすところまで目撃できたじゃないですか。もう最高！」

「僕は毎日、最悪だよ」

僕が両手で顔を覆うと、鴻ノ池は唇を尖らせた。

「そんな悲しいこと言わないでくださいよ。私、けっこう頑張っているでしょ」

たしかに、鴻ノ池が来てから仕事量はだいぶ減った。異常なほどフットワークが軽い鴻ノ池があらかたの雑用をこなしてくれるおかげで、仕事の負担は明らかに減っている。

「けど、ハイになっているお前の相手をしないといけないぶん、結局、負担は増えている気がするんだよなぁ」

鴻ノ池の「えー」という不満の声が、鷹央の「ああ、もう！」という声と重なった。

「どうしたんですか、鷹央先生」

僕が声をかけると、鷹央は糖分で苛立ち（いらだ）を希釈しようとしているのか、パソコンデスクに置いていた小箱からトリュフチョコを取り出して口に放り込むと、僕が入れた砂糖いっぱいのコーヒー牛乳で胃に流し込む。

「メールをチェックしたけど、やっぱりこっちにも連絡が入っていないんだよ」

舌打ち交じりに言った鷹央は、トリュフチョコがついた指を舐める。

「連絡って、桜井さんからのですか」

ティッシュを手渡しながら言うと、鷹央は渋い顔で「そうだ」と頷いた。

鷹央が龍神岩で行われたであろうトリックを見破ったことで、捜査本部は楯石希津奈の行方を全力で追っていた。父親である楯石源蔵が発見され、警察のマンパワーを使えばすぐに希津奈は発見されると考えられた。しかし、五日経（た）った今日になっても、いまだに桜井から希津奈発見の一報は入っていなかった。

「楯石希津奈の若さの秘密を徹底的に調べられると思ったのに、これじゃあ怒られ損じゃないか。姉ちゃん、めちゃくちゃ怖かったんだぞ」

「……ええ、怖かったですね」

僕は三日前のことを思い出す。朝、この〝家〟で回診の準備をしていると、病院に大量の鮮魚が送り込まれてきたのを知った鷹央の姉、真鶴が玄関扉を壊れそうなほどの勢いで開いて現れた。

「鷹央、ちょっといいかしら」

その端整な顔には普段通りの優しげな微笑が浮かんでいたが、僕と鴻ノ池はすぐに気づいた。真鶴の瞳が怒りの炎で爛々と輝き、こめかみには青筋が浮かび上がっていることに。

「小鳥遊先生と鴻ノ池先生は、少し外していただいてもよろしいでしょうか？　これからうちの馬鹿妹とじっくり話をしたいので」

僕と鴻ノ池はこくこくと頷くと、縋りついてくる鷹央を振り払って〝家〟から逃げ出した。数時間後、回診などの病棟業務を終えて〝家〟に戻ると、よほどきつい折檻を受けたのか、部屋の中央に置かれたグランドピアノの下で鷹央はがたがたと震えていたのだった。

「そもそも、なんで私があんなに怒られないといけないんだよ」

「そりゃ、小山のような量の鮮魚がなんの前触れもなく送り付けられて、しかも病院の経費で払うことになったら、事務長としては怒髪天を衝いて当然でしょ」

「なんでだよ！」鷹央は不満の声を上げる。「最終的に魚は全部、無料で近所の住民に配って喜ばれたし、購入費は私のポケットマネーから払うことになったんだぞ。怒られるどころか、褒められてしかるべきだろ」

「まあ、結果的にはそうかもしれませんけど……」

「こんなに苦労したのに、まだ楯石希津奈が発見されていないってどういうことだよ。あの腹黒刑事、まさか私に情報を隠しているんじゃないだろうな」

桜井さんならやりそうだな。僕が胸の中でつぶやいたとき、椅子の背中にかけた鷹央の白衣から、ポップなアニメソングが流れてきた。

鷹央は素早く、白衣のポケットからスマートフォンを取り出す。

「また着信音を変えたんですか。で、誰からです」

「タヌキ刑事だ！」

鷹央が嬉々として見せてくる液晶画面には、『腹黒タヌキ』の文字が表示されていた。

ひどい名前で登録されているな……。僕が呆れていると、鷹央は『通話』のアイコンに触れたあと、スピーカーモードに切り替える。

『こんばんは、天久先生。いま、ちょっとお話よろしいですか？』

スマートフォンから桜井の声が聞こえてくる。

「いいに決まっているだろ。東京に戻って来てからずっと、お前からの連絡を待っていたんだぞ。もちろん、楯石希津奈が見つかったっていう連絡だろうな」

『……ええ、その通りです』

「よし、すぐに会わせろ。私が診察する」

そんな無茶な。僕は内心でつっこむ。案の定、『それは無理です』と桜井は答えた。

「なんで無理なんだよ」

『捜査を優先する必要があるからです』

桜井の口調からは、なぜかいつもの軽薄な雰囲気が影をひそめていた。

「捜査よりもまずは医療的なケアが重要だ。先々月のＭＲＩでは脳炎が認められていたんだぞ。いまは大丈夫に見えても、適切な治療を受けないと致命的な症状が現れる可能性があるんだ」

『いえ、その心配はありません』

「おい……、楯石希津奈は見つかったんだよな？」

さすがに桜井の様子がおかしいことに気づいたのか、鷹央は手に持ったスマートフォンを見つめる。

『ええ、一昨日発見されました』

そこでいったん言葉を切った桜井は、低くこもった声で告げた。

『龍神岩から三キロほど離れた防波堤のテトラポッドに、遺体となって引っ掛かっているのがね』

第二章　龍神の復活

1

「いやあ、さすがに新車だけあって、いい乗り心地ですねぇ」

後部座席から呑気な声が聞こえてくる。僕はハンドルを握ったまま、バックミラーを覗き込む。三人座れる後部座席の真ん中の席に、コロンボもどきの中年刑事が座っていた。その両隣には、成瀬と鴻ノ池が腰掛けている。

楯石希津奈の遺体発見の一報が入ってから八日が経った土曜日の朝、僕は統括診断部のメンバーと、顔見知りの刑事たちを乗せて、ＣＸ－８で高速道路を駆けていた。

「そうだろう、そうだろう」

なぜか、助手席の鷹央が得意げに胸を張った。

「こんなこともあろうかと、私が大きな車を買うように指示したんだ。つまり、お前たちがいま気持ちよくドライブできているのは私のおかげということだ。感謝しろよ。前の平べったくてナマズみたいな車の後部座席は、狭かったからな」

「どこがナマズですか⁉　流線型のフォルムが官能的なまでに美しかったじゃないですか」

「ああ、そうだった、お前にとって車は性の対象だもんな。昔の恋人の外見をけなされたら腹が立つよな。悪かった」

「だから、誤解されるようなことも言わないで！」

僕が声を張り上げると、桜井(さくらい)が楽しそうに含み笑いを漏らした。

「相変わらずタカタカペアは仲がよろしいことで。夫婦(めおと)漫才も堂に入ってきましたね」

「そのタカタカペアっていうの、やめてもらえませんかね。そんな呼び方しているの、田無(たなし)署の刑事たちだけなんでしょ」

僕の抗議に、桜井はどこ吹く風で笑みを浮かべ続ける。

「いやあ、『宇宙人誘拐被害者殺人事件』『密室溺死(できし)事件』『遺体テレポート事件』『人体自然発火現象事件』『透明人間殺人事件』『甦(よみがえ)った絞殺魔(こうさつま)事件』『廃病院連続墜落死事件』と、不可解な難事件を次々と解決しているうちに、本庁でもお二人の噂(うわさ)はかなり広まっているんですよ。タカタカペアという名称とともにね」

どうせ、ろくでもない噂に決まっている。僕は唇をへの字にゆがめた。

「しかし、小鳥遊先生に車を出して頂いて助かりましたよ。成瀬君は自家用車を持っていないし、私の愛車は現在レストア中で使えなかったもので」

「あれ、桜井さんって車持っているんですか？」鴻ノ池がどうでもいいことに食いつく。

「はい、持っているんですが、かなり年代物のクラシックカーで、よく故障するんですよ」

「車の種類当ててやろうか」鷹央が振り向く。「プジョー４０３コンバーチブルだろ」

「ご名答、さすがは天久先生です」

桜井は両手を合わせた。「なんで分かったんですか？」と鴻ノ池が不思議そうに訊ねる。

「プジョー４０３コンバーチブルは、刑事コロンボの愛車だ。コロンボのコスプレをしているこの男なら、刑事の安い給料をはたいてでも手に入れようとしても不思議じゃない」

「かなりの出費でしたよ。しかも、あまり乗り心地もよくないもので、うちの妻にはいまだに小言を言われています」

「そこは『うちのカミさん』というべきだろ」

なんなんだ、このピクニックにでも行くような雰囲気は。僕はため息をつきつつ言う。

「そんなことより、本当にわざわざまた新潟まで行く必要があるんですか？　もう、事件は終わったんでしょ」

このドライブの目的地は、希津奈が身を投げた龍神岬だった。なぜ、わざわざこの面子でそこに向かっているかというと、今夜、そこで『イベント』が行われる予定だからだ。

「いいや、事件はまだ終わっていないぞ。それどころか、いまからが本番かもしれない。なんといっても今夜、楯石希津奈が『復活』するっていうんだからな」

鷹央がはしゃいだ声で言う。希津奈の遺体が見つかったという連絡を受けた鷹央は、数日間落ち込んでいた。自らが推理し、（大量の鮮魚を購入し、真鶴に折檻されるという犠牲まで払って）実験したサイフォンの原理を利用したトリックを完全に否定されたのだから、それも当然だろう。僕と鴻ノ池は鷹央を元気づけるため、毎日のように『アフタヌーン』のケーキを献上しなければならなかったほどだ。

しかし一昨日、状況は一変した。希津奈のオンラインサロンから、会員向けに告知があったのだ。二日後の夜、『キヅナ様』の復活を生中継すると。

告知にはその儀式がどこで行われるかまでは書いていなかった。しかし、鷹央は

「龍神岬だ！　あそこに決まってる！」と叫びながら、ディスプレイに摑みかからんばかりに興奮したのだった。

　かくして僕たちは、『復活の儀式』の場に立ち会い、なにが起こるのかを目撃するために、こうして新潟に向かっていた。

「けど、よく桜井さんたちまで来られましたね。刑事さんって忙しいんじゃないんですか？」

「いえいえ、もちろん捜査本部に参加しているときは家に帰る間もないほど忙しいですが、いまは暇を持て余しているぐらいです。……捜査本部は解散しましたからね」

　僕が「解散？」と聞き返すと、バックミラーの中で、桜井は自虐的な笑みを浮かべた。

「ええ、そうです。楯石希津奈さんは動画の中で十六年前の殺人の告白をしたあと崖から飛び降り、そして遺体が発見された。『タイムカプセルのミイラ事件』の捜査は、楯石希津奈が被疑者死亡のまま書類送検される形で幕をおろし、捜査本部は解散しました」

　言葉を切った桜井は大きく息を吐く。

「楯石希津奈は痴情のもつれから河合を殺害し、タイムカプセルの中に隠した。十六年後、遺体が発見されたことにより自らに捜査の手が迫っていることに気づいた彼女は、もう逃げられないと諦め、自らの罪を告白して命を絶った。それが警察の公式見解です。事件が解決して捜査本部が解散すると、捜査を担当していた本庁捜査一課刑事には一週間ほどの休暇が与えられるんですよ。というわけで、私はいま、暇を持て余している状態でして」

「家族サービスとかしなくていいんですか？」

鴻ノ池に訊ねられた桜井は、「うちの妻は……」と言いかけたところで鷹央に睨まれる。

「失礼、うちのカミさんは私が休日にだらだらしていると、うざったいらしいんですよね。ですから、家にいると肩身が狭くて。今回の天久先生のお誘いはまさに渡りに船でした」

「成瀬さんも捜査本部が解散したから休みなんですか？」

鴻ノ池は成瀬に対しても気後れすることなく、気さくに声をかけていく。

「所轄の刑事にそんな制度はありませんよ。ただ、今日、明日は休みが取れました。……あんな中途半端な形で事件解決と言われても納得できませんから」

「二人ともいい心がけだ。それでこそデカだ」

鷹央がはしゃいだ声で言うと、成瀬は小さく舌を鳴らす。

「天久先生にデカの心得を教えていただかなくても結構です」

「まあ、そうつっけんどんな態度をとるなって。こうして同じ車に乗っているんだ。呉越同舟ってやつだろ。せっかくだから、いろいろと協力していこうぜ。楯石希津奈の身に何が起きたのかを知りたいのは一緒なんだから」

成瀬は黙っていたが、代わりに桜井が「ぜひぜひ」と愛想よく言った。

「私たちも天久先生のお知恵を借りられたらありがたいです」

「そうかそうか。共同戦線っていうことだな。では、さっそくだが先週見つかった『楯石希津奈の遺体』とされたものについて、詳しい話を聞かせてもらおうか」

視界の隅で、鷹央が舌なめずりするのが見えた。明らかに、桜井たちから一方的に捜査情報を搾り取るつもりだ。さて、桜井がどうこたえるか。

「遺体が見つかったのは、先週の水曜の早朝でした。楯石希津奈さんが飛び込んだ崖から三キロほど離れたところの防波堤に遺体があると、匿名の通報があったんです。駆け付けた警察官がテトラポッドに海鳥が集まっているのに気づいて近づくと、そこに遺体が引っかかっていたのです」

躊躇なく喋り出した桜井に、成瀬が「桜井さん、捜査情報ですよ」と咎める。

「成瀬君、ここで情報を出し渋っても仕方がないよ。捜査本部は解散し、警察はもう手を引いたんだ。もはや、天久先生の推理力に期待するしかないんだよ」

「けれど、刑事としてそれは……」

「ここまで来たら、腹をくくろうよ。今回の事件にはまだなにか裏がある。常識では考えられないような、とんでもない裏が。そんな真相にたどりつくためには、私たちみたいな常識人じゃダメなんだ。あっと驚くようなことを思いつく、非常識な人物に協力を仰がないと」

鷹央は「非常識」と言われたにもかかわらず、なぜか得意げに鼻を鳴らした。

「話し合いはすんだか？　なら、続きを聞かせろ。その遺体はどんな状態だった？」

鷹央の問いに、桜井は「ひどいもんでしたよ」と答える。

「鳥や魚に全身を食い荒らされて、皮膚や脂肪はほとんど残っていませんでした。顔にいたっては眼球や鼻もついばまれて、無くなっていました。発見者の警察官はその場で嘔吐したらしいです」

そのときの状況を想像し、思わず鼻の付け根にしわが寄ってしまう。

「ああ、すみません。ちょっと生々しかったですかね」

桜井が慌てて言うが、鷹央は「そんなことないぞ」と答える。それはそうだ。医師は救急の現場などで、悲惨な遺体も数多く目の当たりにする。言葉で説明されたくらいでまいるほど、やわではない。

「なんといっても、私はけっこうホラー映画も見ているからな。全然平気だ」

そっちかよ。僕は内心で突っ込みつつ、口を開く。

「平気なわりには、ホラー映画を見るとき、僕に〝家〟にいるように言ってきますよね」

「そ、それはだな。お前にもホラー映画の面白さを教えてやろうと思って……」

鷹央はしどろもどろになると、桜井が大きく咳払い（せきばらい）をした。

「平気なようでしたら、遠慮なく続けさせていただきます。すぐに情報は、捜査本部にあがりました。そして、遺体は楯石希津奈さんのものであることが確認されました」

「全身が食い荒らされていたんだろ。どうやって楯石希津奈の遺体だと確認したんだ」

「まずは、歯科治療の跡です。楯石希津奈さんが高校生の頃に通っていた歯科医院にレントゲンが残っていたので、それと比べたところ、遺体の歯型と一致しました」

「それだけか？　もしかしたら、レントゲンが何者かによってすり替えられていたり、歯科医が『キヅナ様』の信者だった可能性もあるぞ」

「いいえ、それだけではありません。ＤＮＡも調べました」

「うちの病院から提出された血液のＤＮＡか」

「そうです。遺体のものと、提出していただいた血液のＤＮＡは完全に一致しました」

「ということは、やっぱり発見された遺体は、楯石希津奈さんのものだったんですね」

鴻ノ池が言うと、鷹央が「もしくは同じDNAを持った人物」とつぶやいた。

「同じDNAっていうことは、一卵性双生児ですか」

鴻ノ池が訊ねるが、鷹央は答えることなくぶつぶつと考え込み続ける。

「同じDNA……、齢をとらない少女……」

僕が「あのー」と声をかけると、思考を中断されたことが不快だったのか、鷹央が「なんだよ」と不機嫌な声を出した。

「いや、もしかしてですけど、クローンってことはないかなと思いまして」

「……楯石希津奈のクローンが作られていたと言いたいのか」

鷹央の冷めた口調に動揺しつつ、僕は頷く。

「そうです。十数年前に誰かが楯石希津奈さんのクローンを作ったんですよ。そのクローンが成長したのが先々月、病院に入院していた少女だった。これなら、楯石希津奈さんがずっと齢をとっていないように見えるでしょ」

「お前、人間のクローンが作れると思っているのか？」

「え……、いや、作れるんじゃないですか。皮膚とかから細胞の核を抽出して、脱核した受精卵に移植すれば……」

「理論的にはそうだな。しかし、実際はそんな単純なものじゃない。イギリスで生まれたクローン羊のドリーは、若年でも関節炎など年老いた羊に生じる疾患に苦しんだんだ」

「た、例えば、あの脳炎がその症状だったとか……」

「たしかに脳炎は生じていたが、私が診た楯石希津奈には他に身体（からだ）の異常は確認できなかった。生命倫理にあまり縛られずに研究できる羊のドリーですら多くの異常があったのにだぞ。それに、ドリー誕生までには様々な困難があった。多くの研究者の失敗の繰り返しの上に、ようやくクローン羊は誕生したんだ。それと同程度の研究が、人間において行われ、そして誰にも知られずに完璧（かんぺき）な形で実現していたというのか？」

「いえ、それは……」

「実行できるとしたら、国家レベルの研究が必要になる。そして成功したとしても、知られたら世界中から大きな非難を浴びるだろう。徹底的に情報を隠そうとするはずだ。オンラインサロンで『永遠の若さ』をうたって、金儲（かねもう）けなんてとてもできない」

「……すみません」

　僕がハンドルを握ったまま首をすくめると、鷹央は一転して陽気な声を出す。

「でも、万が一、人間のクローンを作る技術が確立していたら凄（すご）いことだな。倫理的には極めて危険な行為だが、どのような技術なのかは知りたい。ぜひ知りたいな。まあ、可能性は低くても、頭の隅には入れておくべきかもな」

……なら、なんで僕を叱ったんだよ。胸の中で愚痴をこぼしていると、鷹央は身を乗り出して後部座席を見た。

「遺体と、うちの病院に保管されていた血液のDNAが一致していることは分かった。それ以外になにか情報はないか？」

「具体的にはどのようなものでしょうか」

「そうだな……。まずは、遺体には美容形成手術の痕跡はなかったか？」

「美容手術によって、楯石希津奈さんが外見上の若さを保っていたかもしれないとお考えなんですね。いえ、少なくとも司法解剖でそのような痕跡は見つかりませんでした。まあ、顔の皮膚や筋肉はかなり損傷していたので分かりませんが、少なくとも顔の骨格には美容手術の形跡はなかったということです」

「若さどころか、『幼さ』まで手術で維持しようとするなら、普通骨格に及ぶ処置が必要だろうな。楯石希津奈が美容形成手術で永遠の若さを演出していた可能性は低いか」

鷹央は腕を組んで数秒間考え込んだ後、「死因は分かったのか？」と訊ねた。

「遺体の損傷が激しかったのですが、後頭部の骨が砕けていたので、それが死因の可能性が高いようです。捜査本部では、崖から飛び降りた際にできたものだと考えています」

「頭の骨が砕けて……か」小声でつぶやいた鷹央は、後部座席に向かって身を乗り出した。

「で、お前はなにを隠してる？」

「……なんの話でしょう？」どこか楽しげに桜井は言った。

「とぼけるんじゃない。お前が大切なことを隠しているのはお見通しなんだよ」

「おや、私の心を読んだというわけですね。まるでお兄様のようですね」

「……あんな妖怪と一緒にすんな」鷹央は舌打ちをする。「私は表情から心を読んだわけじゃない。お前みたいなタヌキが知っている情報を全部出すわけがないと推理しただけだ。こんなにぺらぺらとＤＮＡの件やら死因やらを喋るということは、なにかもっと重要な情報を、そのドス黒いものが詰まった腹の底に隠しているということだ。いざというとき、私との取引に使うためにな。そうだろう？」

「さあ、どうでしょうね」

否定も肯定もしないその態度は、鷹央の指摘が正しいことを如実に物語っていた。

「出し惜しみするなよ。安心しろ、お前が全て吐いたら、私が悪いようにはしないよ」

「なにか自白を迫られている容疑者のようですね。なかなか新鮮だ」

鷹央が「で、どうする？」と迫ると、桜井は両手を小さくあげた。

「そこまで見抜かれちゃ降参ですよ。もう、天久先生の頭脳に全てベットすることにして、お教えします。ただし……」

桜井の表情が引き締まる。

「本来、これらの情報は一般の方には決して洩らせないものだということをご理解ください。私は危険な橋を渡っているんです」

「それに見合った報酬をよこせって言いたいのか。安心しろ。お前がよこした情報は私が有効活用したうえで、あばいた真相は全てお前にも教えてやるから。それでいいだろ」

「分かりました。警察の捜査が終了しているという状況では、先生が頼りです。交渉はなしでいきましょう。今回は完璧な共同戦線ということでどうですか？」

桜井が差し出した手を、鷹央は勢いよく握った。

「取引成立だな。それじゃあ、すべて吐いてもらうとするか」

それが共同戦線を張る仲間にかける言葉か？

「見つかった遺体は皮膚や筋肉は食い荒らされていましたが、内臓にかんしてはそれほどの損傷を受けていませんでした。なので、司法解剖であることが分かったんです」

桜井はもったいをつけるように一拍おいてから言った。

「遺体には出産した痕跡がありました」

「出産⁉」

鷹央の声が高くなる。僕もフロントガラスの向こう側を見ている目を見開いた。十代半ばにしか見えなかった希津奈と、『出産』という言葉がすぐには頭の中で結びつかなかった。

「いや、驚くことじゃないか。記録上、楯石希津奈は三十二歳だったし」

鷹央が小声でつぶやく。僕も動揺を押し殺して「ですよね」と相槌を打った。

「正確には子宮に帝王切開を受けた跡があったということです。そして、以前もお伝えしましたが、聞き込みをした関係者の中には、十六年前、楯石希津奈が被害者である河合の子供を妊娠していたと噂で聞いたと証言した者もいました」

「つまり、楯石希津奈と河合の間に子供がいるかもしれないってことか……」

そのとき、鴻ノ池が「はい」と手を挙げた。

「もしかして、その子供が先々月、うちの病院の精神科に入院していた子なんじゃないですか？　親子なら、そっくりでもおかしくないじゃないですか」

「いや、実物を見たらそっくりってレベルじゃなかったぞ」

僕は閉鎖病棟で会った楯石希津奈の姿を思い出す。

「アイドル時代の映像に映っているのと、完全に同一人物にしか見えなかった。いくら親子でも、あんなに似るわけがない」

「えー、そうとは限らないんじゃないですか？　だって、昔の映像ってそんなに鮮明じゃなかったじゃないですか。瓜二つ(うりふた)の親子なら、見間違えてもおかしくはないと思いますよ」

「なら、タイムカプセルに入っていたミイラの爪(つめ)から発見されたＤＮＡはどうなるんだよ。タイムカプセルは十六年間、埋まっていたんだぞ」

　鴻ノ池は「そうですねぇ……」とつぶやいたあと、パンッと両手を合わせた。

「そうだ、きっと楯石希津奈さんは十六年前、生まれたばかりの子供を河合さんに会わせて、認知を迫ったんですよ。けれど、河合さんにすげなく断られ、かっとして殴り殺してしまった。そのとき、河合さんは抱いていた子供をひっかいてしまい、爪に皮膚が残ったんです。これなら、ミイラの爪に残されていたＤＮＡと、病院に保管されていたＤＮＡが一致したことに説明つくじゃないですか。ねえ、鷹央先生、そうでしょ」

　水を向けられた鷹央は「たしかに一理あるな」と答えたあと、「だが」と続ける。

「いまの仮説だと、なぜ楯石希津奈が……、ああ、母親も子供も楯石希津奈だから分かりづらい。母親を希津奈シニア、娘を希津奈ジュニアと呼ぶぞ」

「それも、あんまり分かりやすいとは言えませんけどね」

僕の突っ込みを無視した鷹央は、話を先に進める。

「なぜ、希津奈ジュニアが龍神岬から飛び降りなければならなかったか分からない。舞の仮説が正しければ、希津奈ジュニアは河合を殺していない。それなら、捜査の手が迫っていたとしても、崖から身を投げる必要はないはずだ。DNA鑑定の結果、防波堤で見つかった遺体が希津奈ジュニアのものであることは間違いないんだからな」

「そうですね。すみません、適当なこと言っちゃって」

鴻ノ池が謝罪すると、鷹央は「そんなことないぞ」と言う。

「仮説を立てることはとても大切だ。患者を診断するときも仮説、つまりは鑑別すべき疾患をまずはできる限りリストアップするだろう。それと同じだ。様々な仮説について議論するうちに、意識せずとも真実に近づいていくものだからな。それに、舞が立てた仮説が完全に否定されたわけじゃないぞ」

「え、どういうことですか？」

「たしかに、自らに捜査が迫ってきたからと言って、希津奈ジュニアが崖から身投げする必要はない。しかし、母親を守るためだと考えたら、道理が通らなくもない」

「自分が死んで身代わりになり、河合殺しの真犯人である母親を守ろうとしたっておっしゃるんですか？　いくらなんでも、そんなことをするとは思えませんが」

桜井が口を挟む。

「いいや、希津奈ジュニアは死ぬつもりはなかったと思うぞ」

「どういう意味ですか?」

「龍神岩に巨大な蛇が這ったかのような跡があったことにより、この前、私が示したトリックは、実際に行われた可能性が高い。つまり本来、希津奈ジュニアは海水が満たされた『龍神の巣』に飛び込んで生還し、警察の捜査をかく乱する予定だったんじゃないか」

「……けれど、失敗した」

「そうだ」鷹央の声が低くなる。「『龍神の巣』はかなり大きな穴だが、十メートル上の崖からそこに飛び降りれば失敗することもありうる。目測を誤った希津奈ジュニアが龍神岩やその周りの岩場に叩きつけられた可能性は十分に考えられる」

「頭を強く打った希津奈ジュニアは絶命し、そして遺体は波に攫われて数日後に防波堤に流れ着いた。そういうことですね」

鷹央は大きく息をつくと、「そうだ」と頷く。悲惨な仮説に、車内に重い沈黙が満ちた。

「もし……」鷹央が沈黙を破った。「いまの仮説が正しいとすると、解決すべき問題は一つ、希津奈シニアがどこにいるかだな」

「探し出さなくてはいけませんね。希津奈シニアこそ、河合殺しの真犯人であり、自らの身の保身のために、娘に危険なトリックを強いた張本人なんですから。まあ、あくまでいまの仮説が正しかったらですが」

「正しいかどうか調べるのは簡単だ。捜査一課の刑事なら、それくらい分かっているだろ」

　挑発的に鷹央が言う。

「もちろん分かっています。発見された遺体のＤＮＡと、河合のＤＮＡを比較して、血縁関係があるかどうかを調べるんですよね」

「そうだ。もし、二人が親子関係だったとしたら、いまの仮説が正しい可能性は極めて高くなる。反対に違えば、うちの精神科に入院していた奴が、河合と楯石希津奈の娘だったという仮説は完全に否定される。というわけで桜井、頼んだぞ」

「はいはい、科捜研に知り合いがいますから、個人的に頼んでみますよ。で、天久先生、他に仮説はあるんですか？」

「いま挙げたほどに具体的な仮説を構築するには、まだまだ情報不足だ。そもそも、遺体で見つかったのが希津奈ジュニアだとしても、出産していた痕跡があるということは、希津奈三世がいるはずだ」

「ああ、たしかにそうなりますね。また登場人物が増えるわけだ。その子供がどこにいるのかも探す必要がある。いやあ、やることがてんこ盛りだ」

桜井はわざとらしくため息をつく。

「私は頭を働かすから、お前たちは体を動かせよ。それが一番効率いい」

桜井が「承知いたしました、ボス」とおどけて言うと、鷹央の表情が引き締まった。

「うちの精神科に入院していた女は、自分の分身を妊娠していると言っていたな。その子供を産むことで、新しく生まれ変わり、永遠に命を繋ぎ続けると。あのときは妄想に支配されているだけかと思っていたが、出産の痕跡があったということは、本当に妊娠していた可能性もある」

「少なくとも外見からはそんな様子は見えませんでしたよ。妊娠していたとしても初期じゃないですか。退院してから遺体が見つかるまでの間に、出産できたとは思いません」

僕は先々月、精神科病棟で見た希津奈の姿を思い出す。

「……遺体には帝王切開の跡があった。普通の分娩は無理でも、帝王切開で胎児を取り出すことは可能だ」

「妊娠初期で胎児を取り出すって、そんなの……」鴻ノ池の声が震えた。

「ああ、まず胎児の生存は不可能だろうな」

押し殺した鷹央の声が響く。脳裏に恐ろしい光景が浮かんだ。頭から黒頭巾を被った男が、子宮から取り出した血と羊水で濡れた未成熟の胎児を掲げている光景。

そんな古代文明の生贄の儀式のような野蛮なことが、現代の日本で行われるわけがない。必死にそう言い聞かせるのだが、脳裏からその恐ろしい想像が消えることはなかった。

ネットを介しているので現代的なイメージがあるものの、オンラインサロンの実態は、不老不死、永遠の命を持つという『キヅナ様』を崇拝する危険なカルト団体だ。どんなおぞましいことをしていても、不思議ではない。ハンドルを握る掌に汗が滲みはじめる。

「さて、今夜の『復活の儀式』とやらで、いったいなにを見せつけられるんだろうな」

鷹央は後頭部で両手を組むと、背もたれに体重をかけて反り返った。

2

「おーい、急げよ。間に合わないぞ」

背中から鷹央の声が降ってくる。

「……なら、降りて歩いてくれませんかね」

鷹央を背負った僕は、荒い息の隙間をついて文句を言った。

目的地の新潟についた僕たち五人は、近くの定食屋で早めの夕食をとったあと、龍神岬に向かって夜の森の中を歩いていた。

「ぐちぐち言うなよな。こうして懐中電灯を持って照らしてやっているだろ」

「恩着せがましく言われても……」

この森を抜けるのは三回目。ここでは僕を乗り物にすると決めたのか、鷹央は林の前にくると、もはや「ほら」とあごをしゃくって、しゃがむように僕に促していた。

「本当に、あの崖で『復活の儀式』があるんでしょうね。わざわざ新潟まで来て無駄足じゃあ、目も当てられませんよ」

「まあ、そこは私の勘を信じろよ」

「勘……ですか」

「私の勘は常人のものとは違い、緻密な分析に基づいたものだ。楯石希津奈は『復活』を宣言して崖から飛び降りた。そして、その現場にある龍神岩には、龍の生まれ変わりの伝説がある。オンラインサロンの会員たちに向けて『キヅナ様』の神秘性を見せつけ、さらに金を搾り取るためには、あの崖で『復活の儀式』をするのが最も効果的なはずだ」

そのとき、電子音が響いた。鷹央は「これを持ってろ」と僕に懐中電灯を押し付けると、穿(は)いていたキュロットスカートのポケットからスマートフォンを取り出した。

なにやら、背中でごそごそとやったあと、鷹央は「見ろ」と僕の顔すれすれにスマートフォンをかざす。

「もう少し離してくださいよ。それじゃあ見えませんって」

「注文の多いやつだな」

鷹央はぶつぶつ言いながら、スマートフォンの位置を変えた。周りを歩いていた、鴻ノ池、桜井、成瀬も近づいてくる。

液晶の画面には、見覚えのある場所が映っていた。目的地である龍神岬。

「ほらな、私の予想は正しかった。オンラインサロン会員用の動画配信がはじまった。やっぱり、『復活の儀式』はあの崖で行われるんだ」

スマートフォンをポケットに戻した鷹央は、僕の後頭部を「急げ」と軽くはたく。

「僕は競走馬じゃありません」

抗議しながら、僕は雑草が生い茂る暗い獣道を必死に進んでいった。

鷹央を背負ったまま十数分歩くと、ようやく景色が開ける。闇(やみ)が揺蕩(たゆた)う海から聞こえてくる波音が、やけに不気味に聞こえる。しかし、その音以上に僕の胸をざわつかせたのは、岬に広がっている光景だった。

希津奈が飛び降りた龍神岬に、炎が灯った蠟燭(ろうそく)が二列、十数メートルにわたって並べられている。それはまるで、飛行機の滑走路に灯る誘導灯のようだった。

そして岬の麓には、蠟燭を手にした喪服姿の男女が十数人立っていた。大学生ぐらいの若い女性から、七十歳は超えているであろう老齢の紳士まで、年齢はまちまちだが、その集団の誰もが期待と興奮に目を輝かせて、岬の先端を見つめていた。

異様な集団に圧倒されて立ち尽くしていると、鷹央が背中から降りる。

「あいつらはVIP会員だろうな」

「VIP会員？」いぶかしげに成瀬がつぶやいた。

「そうだ」鷹央は頷く。「楯石希津奈のオンラインサロンでは、使用した金額によって会員をランク分けしているんだよ。そのトップであるVIP会員は二、三十人ってところだな。たしか、三百万円以上つぎ込んでいるはずだ」

「三百万円⁉」

鴻ノ池が驚きの声をあげた瞬間、背後から雑草を踏みしめる足音がした。反射的に振り返ると、そこには見覚えのある老人が立っていた。楯石希津奈の父親である、楯石源蔵。

「誰だ、お前たちは？」

脅しつけるような声で言った源蔵が胸の前で抱えているものを見て、体に緊張が走る。それは、骨壺だった。

「私をおぼえていないのか？　先々月、会っているぞ」

一歩前に出た鷹央を、源蔵は鼻の付け根にしわを寄せて睨む。

「……あの医者か」

「そうだ。天医会総合病院の天久鷹央だ。そして、こいつらは私の部下と、刑事たちだ」

鷹央が僕たちを紹介すると、源蔵の表情が大きく歪んだ。

「刑事がなんの用だ⁉　お前たちのせいで、希津奈は死んだんだぞ」

「けれど、今夜復活するんだろ」

間髪入れずに鷹央が言う。源蔵の顔に、明らかな警戒が浮かんだ。

「……なぜ、それを知っている？」

「私がオンラインサロンの会員だからだよ。先々月、楯石希津奈と実際に会ってみて、医師としてその若さの秘密をぜひ知りたいと思って入会したんだ。まあ、あのサロンをいくら見ても、怪しげな商品を売りつけているだけで、たいした情報は得られなかったがな。というわけで、ぜひ『復活』とやらを見たいんだよ。『キヅナ様』を信じるためにもな」

「なら、その刑事たちはなんで連れてきた⁉」源蔵は桜井を指さす。

「本当に楯石希津奈が蘇ったら必要だからだよ。楯石希津奈は十六年前の殺人を告白して身を投げたんだ。もし、生き返ったなら、事件についての話を聞く必要があるだろ。だから、私がこの『復活の儀式』に連れてきたんだよ」

人を食った鷹央の回答に、歯茎が見えるほどに源蔵は唇を歪めた。

「……この儀式に参加できるのは、ＶＩＰ会員だけだ」

「固いこと言うなって。もし本当にキヅナ様が蘇ったとしたら、お前たちのオンラインサロンに何百万円でもつぎ込んでやるからさ。永遠の若さの為なら、安いもんだ」

鷹央はあごを引くと、上目遣いに源蔵を見る。

「それに、ここは国有地だろ。そこで、営利目的でこんな怪しげな儀式をするのは問題があるんじゃないか？　あんまりうるさく言うと、ここにいる頭の固い刑事たちが会員たちを解散させるかもしれないぞ」

源蔵は鷹央を睨む。しかし、鷹央は動じるそぶりも見せず、その視線を受け止めた。

「なあ」鷹央はどこか哀しげに微笑む。「お前にとって、楯石希津奈とはどんな存在なんだ」

「……なにを言っている？」

「先々月、明らかに治療が必要な楯石希津奈を、お前は強引に連れてかえった。それに、怪しげなオンラインサロンで教祖のように祭り上げ、金を稼いでいる。あのオンラインサロンの実質的な経営者はお前だろ。お前にとって楯石希津奈とは、金儲けのための道具に過ぎないのか？」

鷹央と源蔵は無言で視線をぶつけ合う。触れれば切れそうなほど空気が張り詰めていく。

「……すべてだ」先に口を開いたのは源蔵だった。「なにもかも失った私にとって、あの子だけがすべてだ。永遠に美しいままのあの子と生きることだけが、私の人生の目的だ」

源蔵は骨壺を強く抱きしめる。

「だからこそ、そのためにはなんでもする。誰にも邪魔はさせない。分かったらそこをどけ。いまから、希津奈に会いに行くんだからな」

源蔵は鷹央に肩をぶつけながらすれ違うと、崖に向かっていく。バランスを崩して倒れかけた鷹央の体を、僕は慌てて支える。

「大丈夫ですか、鷹央先生」

「ああ……、大丈夫だ」

答えながら、鷹央は崖に向かって進む源蔵の後姿を見つめた。麓にたむろしていた人々が、源蔵の姿を見て大きな歓声を上げる。しかし、源蔵は彼らに一瞥(いちべつ)もくれることなく、崖をのぼっていった。

「まさかあの男、死ぬつもりじゃないでしょうね」

ぼそりと成瀬が言う。鴻ノ池が「え⁉　どういうことですか⁉」と目を見開いた。

「どうもこうもないでしょ。自分のすべてだった娘を亡くした男が、喪服を着て、遺骨をもって、娘が身を投げた崖をのぼっているんですよ。普通なら、自分もそこから飛び降りて、娘がいる場所に行こうとしているって考えるんじゃないですか」

僕は大きく息を呑む。『復活の儀式』を見に来たという先入観にとらわれていたが、たしかに成瀬の言う通りだ。止めなくては。

僕が地面を蹴って駆けだそうとした瞬間、鷹央が「行くな！」と鋭く言った。

「でも、鷹央先生……」

「大丈夫だ、私を信じろ。あの男は自殺なんかしない」

「どうしてそう言えるんですか？」成瀬が険しい表情で鷹央を見る。

「あの男は、『永遠に美しいままの希津奈と生きること』が人生の目的だと言った。生きることだ。自分も死んで娘のもとに行くことじゃない」

「そんなの、言葉のあやかもしれませんよ」

「先々月、あの男はうちの病院から娘を強引に連れ出した。そのとき、私はあの男に警告した。適切な治療を受けないと、娘が危険に晒される可能性もあるとな。けれど、あの男はそれを無視した。娘が命を落としたからと言って、あとを追うような殊勝な男ではないはずだ。あの男にはきっと確信があったんだ。娘が死ぬはずないと」

「そしていまから、『復活の儀式』で死んだはずの娘を生き返らせるっていうんですか？　そんな非現実的な話が本当にあると思っているんですか？」

「ああ、思っているぞ。今回の事件では、すでに二十年近く齢をとっていない少女という、非現実的な現象が起きているからな」

成瀬は「うっ」と言葉を詰まらす。追い打ちをかけるかのように、鷹央は言葉を重ねた。

「それに、お前もこれまで超常現象としか思えない事件を私が解決するのを見てきているだろ。常識で凝り固まった状態では、ものごとの本質を見逃す。まずは先入観を捨てろ。大丈夫、あの男は自殺なんかしない。なにか企んでいるに決まっている」

「……その予想が当たっていたらいいですけどね」

いやみを口にしながらも、成瀬はそれ以上追及しようとはしなかった。僕たちは息を呑んで、龍神岬で行われている儀式を見つめる。

蠟燭でできた道を一歩一歩踏みしめ、ゆっくりと源蔵はのぼっていく。崖の縁まで到達すると、振り返って麓の会員たちを見下ろした。

「キヅナ様はこの崖から身を投げ、儚くもその命を散らした。魚と鳥についばまれた痛々しい姿で彼女の体は発見され、そして火葬された。ここに、彼女の遺骨がある」

源蔵は骨壺を両手で掲げる。会員たちの間から、悲痛なうめき声が漏れた。

「しかし、悲しむことはない。キヅナ様は自らの罪を贖うために、古い身体を捨てただけだ。崖から身を投げたそのとき、キヅナ様は新しい依り代を産み落とした。その依り代はすでに完成した。この壺に収められている魂を依り代に注ぎ込めば、キヅナ様は復活する」

「……なんの茶番だよ」

隣に立つ成瀬の悪態と混ざって、会員たちの歓声が聞こえてくる。骨壺に視線を注ぐ彼らの目が焦点を失い、その顔に熱に浮かされたかのような表情が浮かんでいるのが遠目にも見て取れた。背中に冷たい震えが走る。

オンラインサロンの様子はこれまで何度か鷹央に見せてもらっていた。確かにそこに書き込まれていたコメントの中には、常軌を逸したものも散見されたが、活字からはそれを書き込んだ人々の熱を感じ取ることはできなかった。ただ、暇な人々が冗談交じりに、おかしなコメントを打ち込んでいるだけだと思っていた。しかし、熱狂的な会員たちを前にして、いかに自分の想像力が欠如していたかを思い知らされる。

やはりこれはカルト宗教だ。ここに集まった人々は、オンラインという仮想空間で濃縮された狂気に支配されている。サロンにあげられる動画を一人でくり返し見ることができるだけに、以前潜入した大宙神光教の信者たちより遥かに深い洗脳状態に陥っているのかもしれない。

ここにいる人々ほどではないにしろ、多かれ少なかれオンラインサロンの会員たちは『キヅナ様』の毒に冒されているに違いない。そんな人々から金を巻き上げるなど、まさに赤子の手をひねるようなものだろう。

特にこのリアルタイムで世界中に配信されている動画において、『死者の復活』という奇跡を起こしたなら、『キヅナ様』は一気に、会員たちにとっての絶対神へと昇華するはずだ。

「さあ、目撃しよう。さあ、祝おう。龍の化身なる『キヅナ様』の復活を！」

雄たけびのような声をあげると、源蔵は抱いていた骨壺の蓋(ふた)を外した。陶器の蓋が足元に落ちて砕けると同時に踵(きびす)を返した源蔵は、両手で持った骨壺を海に向かって大きく振る。

中に入っていた遺骨が蠟燭の淡い明りに照らされながら龍神岩に向かって降り注いでいくのを、僕は呆然(ぼうぜん)と眺め続けた。

「散骨……？」桜井がぼそりとつぶやく。

源蔵は骨壺を放り捨てると、両手を大きく広げて厚い雲に覆(おお)われた天を仰いだ。

「これで、キヅナ様は蘇る！　新たな身体に魂を宿し、キヅナ様は復活する！」

源蔵は声を張り上げるが、会員たちの反応は薄かった。それはそうだろう。なにやら大仰に煽(あお)ってはいるが、その実、海に向かって散骨をしただけなのだから。

会員たちが顔を見合わせはじめる。彼らから熱が引いていっているのが見て取れた。

「なにが『復活の儀式』だ」成瀬が鼻を鳴らした。「たんに海に遺骨を撒いただけじゃないか。馬鹿らしい。無駄足でしたね。帰りましょう」

成瀬が来た道を戻ろうと振り返りかけたとき、腹の底に響くような爆発音が空気を揺らした。僕は目を疑う。崖下から天に向かって、巨大な炎が駆け上っていた。両手を広げたまま、恍惚の表情を浮かべている源蔵の後ろに、炎の柱が出現した。

「なんなんですか、あれは⁉」

桜井が炎の柱を指さした瞬間、「龍神岩だ！」と叫んで鷹央が走り出した。

僕たちは足元を懐中電灯で照らしながら崖下に回り込み、龍神岩が見える位置まで移動する。

「なんだよ……、あれ……」

僕は立ち尽くす。自分がなにを見ているのか理解できなかった。龍神岩の中央に口を開けている『龍神の巣』から、紅蓮の炎が噴き上がっていた。

「これが、『復活の儀式』か……」

隣でつぶやく鷹央の横顔は、炎で紅く照らされていた。

やがて、炎の勢いが弱まっていく。天に届かんばかりに立ち昇っていた炎の柱もじわじわと低くなり、やがて『龍神の巣』に呑み込まれていった。

誰もが口をつぐむ。打ち寄せる波の音が、やけに大きく僕の耳には響いた。

僕たちが固まっていると、鷹央がゆっくりと海に向かって歩き出した。

「鷹央先生、どこへ?」

僕が慌てて声をかける。鷹央は「あいつに会いにだ」と龍神岩のある方向を指さす。

「あいつ?」炎の明るさに眩んでいた目が視力を取り戻していく。僕は大きく息を呑んだ。

龍神岩の前に、人影が立っていた。華奢な人影が。

鷹央は手にしていた懐中電灯をそちらに向ける。一糸まとわぬ少女の姿が、光の中に浮かび上がる。まぶしいのか片手で目を、もう片方の手で胸元を隠した少女。僕は彼女を知っていた。彼女と会ったことがあった。

楯石希津奈。天医会総合病院の閉鎖病棟から退院し、そして十八日前、崖から飛び降りて遺体で発見された少女。

かなり距離はあるが、龍神岩の前に立つ全裸の少女が、先々月会った楯石希津奈であることは間違いなかった。

鷹央の「おい……」という剣呑な声で、僕は我に返る。

「なに子供の裸をまじまじと見ているんだ。本当に逮捕させるぞ」

「す、すみません!」

僕は慌てて回れ右して後ろを向く。僕の後ろに立っていた鴻ノ池と向かい合う形になる。鴻ノ池は口を半開きにしたまま、硬直していた。

ふと横を見ると、桜井と成瀬も僕と同じように森の方を向いている。その顔にも、困惑が色濃く浮かんでいた。

「小鳥(ことり)、お前のジャケットを貸せ。いくらそれなりに暖かくても、足元を海に浸したまま裸で立っていたら、楯石希津奈が低体温症になるだろ」

「は、はい」僕は慌てて羽織っていたサマージャケットを脱いで、鷹央に差し出す。

「で、でも、なにが起きたんですか？　なんで楯石希津奈さんが海に……」

「そりゃ、『復活』したからだろ。不老不死どころか、死者の復活か。面白くなってきた」

僕の手からジャケットを奪い取った鷹央は、舌なめずりをして海の方に歩いていく。

数秒後、「ぐぎゃ」という蛙(かえる)がつぶされたような声が聞こえてきた。

ああ、鷹央先生、転んだんだな。足元よく見ないから。

「鷹央先生、私が持っていきます」

金縛りから解けた鴻ノ池が、慌てて僕とすれ違っていく。

あれは間違いなく楯石希津奈だった。じゃあ、本当に彼女は蘇ったというのだろうか？　いや、そんな馬鹿なことあるわけがない。僕は思考が絡(から)まる頭を振る。死者が生き返るはずがない。すべてなにかのトリックに決まっている。そう、派手な演出で注目を集めて、その隙にタネを仕込む。マジックの基本じゃないか。

『龍神の巣』から吹き出した火柱だって、別に超常現象でもなんでもないはずだ。あらかじめ、あの巨大な穴に大量のガソリンを流し込み、タイミングを計って火を投げ込めばいい。一気に燃え上がった炎が龍のように天に向かってかけていくはずだ。

僕たちがここに到着する前から、あの少女は裸で龍神岩の陰に隠れていたんだ。そして、『龍神の巣』のガソリンに火をつけたあと、姿を現した。そうすれば、火柱の中から生まれたかのように見えるから。単純なトリックだ。

けれど……。再び思考が絡まりはじめる。遠目に見ただけだが、あの少女は、間違いなく先々月、閉鎖病棟で出会った『楯石希津奈』だ。しかし、防波堤で発見された遺体のDNA鑑定から、彼女の死亡は確認されたはずだ。

別人？　双子？　形成手術？　混乱の渦へと飲み込まれかけたとき、鷹央の「見ていいぞ」という声が聞こえてきた。桜井たちとともに、おずおずと振り向いた僕は息を呑む。

僕のジャケットを羽織り、青白い顔で細かく震えている少女。顔の中心をとおる高く細い鼻梁（びりょう）、長い睫毛（まつげ）と切れ長の瞳（ひとみ）、ほっそりとしたあごのラインと薄い唇。少女の幼さと、大人の女性の妖艶（ようえん）さが絶妙なバランスで存在するその顔は非現実的なほどに整い、視線を吸いつける。やはり間違いない、閉鎖病棟に入院していた楯石希津奈だ。「あの……」戸惑いがちに桜井が声をかける。「あなたは、楯石希津奈さんでしょうか？」

鴻ノ池に支えられるように立っている少女は、力なく頷いた。

「私は楯石希津奈。永遠の命をもつ、龍の化身」

「しかし、あなたは亡くなったはずでは……」

このしたたかな刑事もさすがに状況についていけなくなっているのか、桜井は間の抜けた質問をする。成瀬にいたっては、いまだに口を開いたまま、まばたきをくり返していた。

「たしかに私がかつて使っていた身体は朽ちた。しかし、私は新しい身体を産み落とし、そこに魂を封じることで蘇(よみがえ)った」

細かく震えながら、抑揚のない声で希津奈はしゃべり続ける。その姿は、閉鎖病棟の診察室でパニックになっていたときとは、明らかに異なっていた。

精神症状がおさまり、妄想が消えたということか。いや、けれど、もし本気で自分が生き返ったと思っているなら、それも一種の妄想なのかもしれない。だけど、死んだはずの彼女がこうして姿を現したのは事実だし……。

脳細胞がショートしそうなほどに熱をもった頭を僕が片手で押さえたとき、背後から足音が聞こえてきた。振り返った僕ののどから「うっ」と声が漏れる。

厚手のバスローブとスリッパを手にした楯石源蔵がそこに立っていた。その後ろには蠟燭を手にしたオンラインサロンのＶＩＰ会員たちがずらりと並んでいる。熱に浮かされたような表情を浮かべる彼らの視線は、希津奈へと注がれていた。

「希津奈。来なさい」

源蔵に呼ばれた希津奈は小さく頷くと、おぼつかない足取りで歩き出す。進行方向にいた僕と桜井は、思わず道を開けてしまった。希津奈は僕たちに一瞥もくれることなく、裸足（はだし）のまましずしずと源蔵の前へと進む。

「お帰り、希津奈」柔らかく微笑んだ源蔵は、希津奈の体から僕のジャケットを脱がして、かわりにそっとバスローブを掛ける。

「ただいま、お父さん」

感情のこもらない人工音声のような声で答えた希津奈は、目を輝かせている会員たちにぎこちなく微笑んだ。会員たちから歓声が上がり、やがて拍手が沸き上がった。

「よく頑張ったな。それじゃあ、家に帰ろう」

ひとしきり拍手の雨がやむのを待って源蔵が希津奈の肩に手をかける。そのとき、成瀬が「待て！」と声を張り上げた。

「楯石希津奈、俺たちに同行してもらおうか」

「お前はたしか、東京からきた刑事で、成瀬とかいう名前だったな。先月、お前に訊問されたおぼえがある」

一つ一つ確認するかのような源蔵の口調に、成瀬は「そうだが」と眉根を寄せた。

「希津奈をどこに連れていこうって言うんだ？」

「どこって、とりあえず近くの所轄署だ。そのあと東京へと移送する」

「断る」

吐き捨てるように言った源蔵は、「希津奈、行くぞ」と言って身を翻した。

「ちょっと待て！」成瀬がその太い腕を伸ばして、源蔵の肩を摑んだ。

「……なんだこの手は？」首だけ振り返った源蔵は、低い声で言う。

「なんだもくそもあるか。このまま帰れるとでも思っているのか」

「もし思っているなら、どうするつもりだ？　逮捕するとでも言うのか？」

「必要ならそうさせてもらう」

「ほう」源蔵は楽しげな声を漏らす。「誰をなんの罪で逮捕するって言うんだ？」

「もちろん、河合殺害の容疑で、楯石希津奈をだ」

「楯石希津奈？　いったい誰だそれは？」芝居じみた仕草で源蔵は肩をすくめた。

「なにを言っているんだ？　そこにいるお前の娘に決まっているだろ」

成瀬が眉をひそめると、源蔵は「私の娘⁉」とわざとらしく声を張り上げた。

「私の一人娘の希津奈は海で死んだ。そう報告してきたのは、他ならぬ警察だったはずだ。その警察が死んだはずの『楯石希津奈』を逮捕しようとはどういうことだ」

成瀬は「うっ」と一瞬、言葉につまる。

「けれど……、いま生き返ったと……」

「生き返った！」源蔵は両手を合わせた。「つまり、警察は希津奈が死から蘇ったと認めるんだな。希津奈が不死身だと、認めてくれるんだな」

「それは……。と、とりあえずなにが起きたのかを解明するためにも、署で話を」

「希津奈は死んだんだ」一転して、押し殺した声で源蔵は言う。

「希津奈は十六年前に河合を殺した罪を償うため、崖から飛び降り、頭を打って死んだ。その遺体は流され、防波堤のテトラポッドに引っ掛かって発見された。そう判断したのはお前たちだ。死亡届も提出した。記録上、すでに楯石希津奈はこの世にはいないんだ。なのに、お前たちはなんの権限があって、誰を逮捕するって言うんだ？」

源蔵に問い詰められた成瀬は、顔を紅潮させる。その肩を桜井が軽く叩いた。

「やめておこう、成瀬君」

成瀬が「しかし……」と声を絞り出すと、桜井は源蔵の後ろに立っている中年の男を指さす。成瀬の顔がこわばった。男の手には、ハンディカメラが握られていた。そのレンズが、まっすぐに成瀬をとらえている。

「ここでのやり取りは、リアルタイムで配信されている。おかしな言質をとられたら、この男の怪しい商売に協力することになるし、そうでなくても『警察の横暴』ととられかねない映像を残されると厄介だ。ここは引いた方がいい」

冷静に諭された成瀬は唇を嚙むと、源蔵の肩から手を引いた。

「理解してくれたようでよかった。では、希津奈、行こう」

森に向かって歩き出そうとした源蔵が「あ?」と声を上げる。いつの間にか移動した鷹央が、進行方向に立ちふさがっていた。

「なんだ、お前は。まだ文句でも……」

「復活した身体は、前の身体とまったく同じものなのか?」

源蔵のセリフを遮って、鷹央は楽しげに訊ねる。

「お前は新しい身体を産んでそれに魂を乗り移らせたと言ったな。その身体というものは具体的にはどのように産むんだ? それは普通の妊娠と同じようなものなのか? その可能性が高いよな。お前は先々月、妊娠してるみたいなことを言っていたもんな。つまり一般的な出産と同じように自分の分身を産むということか。けれど、だとしたらその身体はわずかな間に十代半ばほどの姿まで急速に成長したということだ。その成長のためのエネルギーはどうやって吸収しているんだ。経口摂取ではさすがに追いつかないと思うんだ。何か特殊な方法を使っていたりするのか。龍神の化身とかだからそれこそ太陽光や風力、潮力など自然のエネルギーを吸収する手段があるとか」

　ほとんど息継ぎもせずに早口でまくし立てる鷹央に圧倒されたのか、源蔵は口をつぐむ。

「本当にお前が死から復活したとしたら、それはまさに奇跡だ。死者の復活と言えば、なんといっても十字架で命を落としたイエス・キリストが三日後に蘇った奇跡だな。あと、聖書にはラザロの復活も記されている。そんな伝説級の奇跡を目の当たりにしたなら、その原理を解明したい。ぜひ、楯石希津奈の身体を調べさせてくれ。隅々までな」

　瞳に危険な光を湛えながら、鷹央が迫る。

「いい加減にしろ！　希津奈はすぐに体を休ませる必要があるんだ」

「そこをなんとか。ちょっと、ちょっとだけでいいから」

　拝むように両手を合わせながらすり寄ってくる鷹央に、希津奈は恐怖の表情を浮かべて後ずさる。鷹央の奇行のせいで、あたりに漂っていた妖しく厳かな雰囲気は完全に消え去っていた。

「調べさせてくれないっていうなら、こうやってずっとつき纏って、質問し続けたり、不老不死や死者の復活についての情報を話し続けるぞ。困るだろ？　嫌だろ？」

　それは困るし、嫌だな。僕が内心でつぶやくと、源蔵は苛立たしげにかぶりを振った。

「なにを調べたいって言うんだ。希津奈は疲れ果てているんだ。さっさと終わらせろ」

投げやりに源蔵は言う。本当は無視してこの場をあとにしたいのだろうが、明らかに消耗(しょうもう)している希津奈を連れていては、それもできないのだろう。

粘り勝ちした鷹央は勝利の笑みを浮かべると、キュロットスカートのポケットから長いプラスチック製の棒状の物体を取り出し、顔の前に掲げる。

「これで、ちょこっと頬の内側をこすらせてくれればいいんだ」

「……DNAを調べたいっていうのか」

「話が早くて助かる。お前が本当に蘇ったというなら、防波堤で発見された遺体とDNAが一致するかどうかを確かめる必要がある。もし一致しなければ、形成手術などで似せただけの別人という可能性もあるからな」

「……希津奈は新しい身体に命を移したんだ。その身体のDNAが以前のものと同じかどうかまでは分からない」

「なら、なおさら確かめてみるべきだろう。これまでの説明によると、楯石希津奈は命を落とす前に、自分の分身を産み、そこに魂を移し替えていると考えられる。分身ということは、ミドリムシが細胞分裂して増えるかのように、同じDNAを持った別個体を生み出しているのかもしれない」

ミドリムシに例えられた希津奈が顔をしかめた。

「もしそこにいる、『キヅナ様』のＤＮＡが先週発見された遺体と同じだったら、まさに死者が復活したという証拠になる。『キヅナ様』が本当に不老不死の存在であることが証明できる。なら、やらない手はないだろ？」

鷹央は希津奈に視線を向けた。希津奈は怯えた表情で、源蔵の喪服の袖をつかむ。

「……分かった」源蔵がいまいましげに言う。「さっさと済ませろ。それが終わったら私たちは行く。お前たちはついてこない。それでいいな」

「ああ、それでいい。取引成立だな」

鷹央は嬉々として棒状のプラスチックケースを開けると、収納されていた綿棒を顔の横に掲げ、押し殺した笑い声を漏らしながら希津奈に近づいていく。希津奈が一歩後ずさる。源蔵が「大丈夫だ」とバスローブで包まれた希津奈の背中に手を添えた。

おそるおそる開かれた希津奈の口に、鷹央は躊躇することなく綿棒を突っ込むと、頰の内側をこすって細胞を採取した。

「これでいいな。私たちは行くぞ」

いそいそとプラスチックの蓋を閉める鷹央のわきを、源蔵に手を引かれて希津奈が通過していく。そのあとを、オンラインサロンの会員たちがためらいがちについていった。

「ああ、そうだ」

希津奈たちが森に入る寸前、鷹央が思い出したように言った。

「一つだけ聞き忘れていた。先々月、うちの病院からお前に連れ出されたあと、楯石希津奈の病状はどうだったんだ。他の医療施設で治療を受けたのか？」

振り返った源蔵が冷めた口調で言う。

「治療？　そんなもの受けさせていない」

「では、自然に治ったというのか？　退院当日に撮影したＭＲＩには脳炎の所見が映し出されていた。軽度だったとはいえ、中枢神経に炎症が生じれば、重篤な状態になることも少なくない。実際、楯石希津奈には脳炎によると思われる明らかな精神症状が生じていた」

「私の娘を普通のやつらと一緒にするな。希津奈は永遠の命と若さを持った奇跡の存在だ。脳炎だかなんだか知らないが、すぐに治すことができる。お前たちも見ただろう」

源蔵は興奮した様子で声を張り上げる。

「希津奈は蘇った。死すら克服したんだ。病気などものの数じゃない」

歪んだ笑みを浮かべると、源蔵は正面に向き直って、希津奈とともに森の中に消えていった。オンラインサロンの会員たちもあとを追う。暗い海辺には僕たちだけが残った。

「なかなか興味深い見世物だったな。まさか、本当に『死者の復活』を目撃できるとは」

鷹央は上機嫌に言うと、希津奈の口腔粘膜(こうくうねんまく)を拭(ぬぐ)った綿棒の入ったプラスチックケースをポケットへと戻す。

「あんなものくだらないトリックに決まってる」苛立たしげに成瀬が言う。「あの少女は前もって龍神岩の陰に隠れていて、源蔵が遺骨を撒いたタイミングで、ガソリンかなんかを仕掛けておいた『龍神の巣』に火種を投げ込んだだけだ」

僕がさっき考えた通りの推理を、成瀬は披露した。

「たしかに、それはあり得るな。しかし、現れた人物が、楯石希津奈としか思えなかったことはどう説明する」

この手の議論に目がない鷹央は、楽しそうに言う。

「たんに外見を似せただけでしょ。化粧やら形成手術で何とでもなるはずだ。防波堤で見つかった遺体が蘇ったなんてあるわけがない」

「そう断言はできないぞ。なあ、舞。見ただろ」

いきなり話を振られた鴻ノ池は、落ち着かないようすで「は、はい」と頷(うなず)く。

「見た？　なにを見たんだ？」

僕が訊ねると、鴻ノ池は気持ちを落ち着かせるように数回深呼吸をしてから答えた。

「手術の跡があったんです」

「手術の跡？」

「そうです。小鳥先生のジャケットを掛けるために近づいて気づいたんです。さっきの子の下腹部には、垂直に大きな手術の跡が走っていました」

「桜井、お前、車の中で言っていたよな。防波堤で発見された遺体を解剖したところ、帝王切開をした痕跡があったって」

鷹央が声をかけると、桜井は喉を鳴らして唾を飲み込んだ。

「さっきの少女に、その手術痕があったっていうんですか？」

「まあ、帝王切開をした跡かは分からないが、少なくとも女であんなふうに下腹部を切開するのは、子宮や卵巣などの手術ぐらいだ。あの遺体が蘇ったと考えても矛盾はないな」

「そんなわけないでしょ」成瀬が上ずった声をあげる。「遺体は魚や鳥に食われてひどい状態だったんだ。それが元に戻るなんて……。そもそも、もう荼毘に付されて……。もし魂なんてものがあったとしても、いや、そんなものあるわけが……」

思考がまとまらないまま喋っているためか、成瀬は支離滅裂な内容をまくしたてる。

「たしかに、蘇っても遺体の傷が残っているのは少しおかしいんだよな。新しい身体を産んで、それを新しい器として魂を移すという方法なら、手術の跡は消えているはずだ。もしかしたら、その説明はまったくの嘘だったのか？　実はふりまかれた遺灰が『龍神の巣』で体となって再生したのか？　もしくは、実は火葬などしておらず、遺体が再生したということも考えられるな」

興奮のためか、小刻みに体を揺らしながら鷹央はつぶやき続ける。そのとき、桜井が「あのー」と小さく手を挙げた。

「なんだよ」思考を邪魔された鷹央は、明らかに不機嫌になる。

「さっきからうかがっていると、天久先生は『死者の復活』という奇跡が本当に起きたと考えていらっしゃるようですが。そうでなく、なんらかのトリックの可能性も検討していただけるとありがたいんですけど……」

「もちろん、考えているぞ。さっき成瀬が言ったように、化粧、形成手術、一卵性双生児などを使ったトリックかもしれないってな。まずありえないだろうがクローンの可能性だって捨てていない」

「それを聞いて安心しました」桜井は胸を撫でおろすようなそぶりを見せる。

「ただ、いまの時点ではさっき出会った『キヅナ様』のＤＮＡを調べるまでは、情報が足りなすぎる。まだ推理を展開するような段階じゃないんだよ」

「その割には、『死者の復活』の方法について楽しげに語っておられたようでしたが」

桜井の皮肉に、鷹央はにっと口角を上げる。

「そりゃあ、形成手術なんていう誰でも思いつくようなトリックよりも、実際に『死者の復活』が起きたのなら、どんな原理だったのか考えた方が楽しいだろ。もし本当なら、イエス・キリストの復活を超える奇跡だぞ。キリストの遺体は十字架にはりつけにされ、ロンギヌスの槍によってわき腹を刺されただけだったが、楯石希津奈の遺体は食い荒らされ、火葬までされていたんだ。どちらの方が復活が難しいか、明らかだろ」

「そうですね」

はしゃぐ鷹央にいやみを言っても無駄だと悟ったのか、桜井は相槌を打った。

「よし、龍神岬も調べてみるぞ。なにかヒントがあるかもしれないからな」

鷹央はさっきまで源蔵が立っていた崖を指さすと、軽い足取りで歩きはじめた。

「ああ、待ってくださいよ。危ないから僕もついていきます」

僕は懐中電灯を片手に鷹央の隣に並ぶ。鴻ノ池、桜井、成瀬も後ろについてきた。

「けれど、本当にさっきの『キヅナ様』に帝王切開をしたような手術痕があったんですか?」

慎重に崖の先端に向かいながら話しかけると、鷹央は軽蔑で飽和した視線を向けてきた。

「なんだ、お前。やっぱり楯石希津奈の裸が見たかったのか」

「違う！」僕は大きく頭を振る。「そんなんじゃありません。もし本当に帝王切開の跡だったら、いつ手術をしたのかなと思っただけです」

「いつ……か」鷹央はあごに手を当てる。「まず一つ考えられるのは、十六年前だな。そのころ、楯石希津奈は殺された河合の子供を妊娠していたという噂だ。その子供を帝王切開で出産した可能性がある」

「そ、そうですよね……」

十代半ばにしか見えない希津奈の外見と、十六年前に妊娠していたかもしれないということが頭の中でうまく整理できず、僕はこめかみを抑える。

「次の可能性は、うちに入院するちょっと前という可能性だ」

「子供を産んだあと、精神症状を発症したということですか」

「出産後、急激なホルモン変化や育児のストレス、出産による体へのダメージなどで、精神症状が起きることは珍しくない。多いのは産後うつと呼ばれる抑うつ症状だな」

「けれど、楯石希津奈さんは抑うつ症状というよりも、統合失調症などで認められるような、妄想を伴った混乱でしたよ。それに、原因として脳炎があったはずです」

僕の指摘に鷹央は歩きながら、「その通りだ」と頷いた。

「だから、積極的にこの説を推すわけではない。十六年前でないとしたら、私が考えてるのは……退院後だ」

「退院後？　この二ヶ月の間に帝王切開を受けたって言うんですか⁉」

「なにを驚いているんだ？　楯石希津奈は言っていただろ。自分は妊娠しているみたいなこと」

「それは、精神症状による妄想で……」

「先入観は禁物だと、いつも言っているだろ」

「けど、先々月の時点で、少なくとも楯石希津奈さんが臨月が近かったってことはなかったはずです。まったく腹部が目立ちませんでしたから。それじゃあ、本当にまだ成長しきっていない胎児を子宮から……」

　さっきの恐ろしい想像が脳裏に蘇り、僕は体を震わす。

「まあ、あくまで仮説の一つに過ぎないさ。いまはなによりも、情報収集だ」

　鷹央はすでに消えた蠟燭の道を通って、崖の先端へと向かっていく。

「あいつ、これを捨てていったのか」

　鷹央は崖の縁に落ちている骨壺を手に取った。足を滑らせて崖から落ちたりしないよう、僕は鷹央のシャツの襟に手をかける。

「罰当たりだな」追いついた成瀬がつぶやく。

「遺骨は海に撒いたんだ。これは空の容器に過ぎないだろ」

鷹央は躊躇なく骨壺に手を差し込む。成瀬は眉をひそめた。

「なにか入っていましたか？」桜井が呆れ声で訊ねる。

「うん、そこの方に少しだけ何か残っているな。この感触は、砂とかではないはずだ。人間かどうかは分からないが、少なくとも焼いた骨が砕けた……」

そこまで言ったところで鷹央は言葉を切ると、鼻の付け根にしわを寄せる。

「どうしました、鷹央先生？」

鴻ノ池が目をしばたたくと、鷹央はゆっくりと骨壺から手を抜いた。彼女の指に摘ままれているものに懐中電灯の光を当てた瞬間、心臓が氷の手で鷲摑みにされた気がした。

それは、歯だった。明らかに人間の歯。しかし、明らかに……。

「……小さい」僕の喉からかすれ声が漏れた。

「ああ、小さいな。小さすぎる」鷹央はつまんだ歯を凝視する。「おそらくは乳児、場合によっては胎児のものかもしれない。胎児でも、上顎骨の中に歯は形成されるからな」

「そんなものが骨壺に入っていたということは……」

僕がそれ以上、言葉が継げなくなると、鷹央は静かにセリフを引き継いだ。

「ああ、おそらく乳児か胎児が火葬されたんだろう。『楯石希津奈』の遺体とともにな」

3

「おう、桜井」

椅子の背もたれに体重をかけた鷹央は、思い切り反り返って、玄関扉を開けて入ってきた桜井を見る。

「……危ないですから、やめて下さい」

僕に注意された鷹央が、「大丈夫大丈夫」と手を振った瞬間、椅子が勢いよく傾いた。僕は慌てて椅子ごと鷹央の体を支える。

「だから言ったでしょ」

鷹央は失敗をごまかすように、「成瀬はいないのか?」と桜井に声をかけた。

「成瀬君は休暇中というわけではありませんからね。それほど自由には動けませんよ」

脱いだサマーコートを腕にかけた桜井は近づいてくると、パソコンの画面を覗き込んだ。

「おや、これはもしかして噂のオンラインサロンってやつですか？」

「そうなんですよ」そばに立っている鴻ノ池が声を上げる。「会員がうなぎのぼりなんです。なんか、この前の『死者の復活』の口コミがネットで広がったらしくて」

新潟で希津奈の復活を目撃してから四日後の夕方、一通りの勤務を終えた僕たちは、屋上の〝家〟で、オンラインサロンを見ながら桜井が来るのを待っていた。

「そんなにすごいんですか？」

「すごいなんてもんじゃありません。この四日間で五千人近く会員が増えているんですよ。入会金五千円、月会費三千円の先払いですから、四千万円も荒稼ぎしてるってことです」

「四千万円⁉」桜井は目を大きくする。「それはすごいですね。私の安月給じゃそれだけ稼ぐのに何年かかるやら……。私も心機一転、ネットの教祖様を目指してみましょうかね」

「さっさと本題に入れよ。なにか大切な情報があるから、わざわざ連絡してきたんだろ。私たちは仕事が終わったにもかかわらず、帰りもしないでお前を待っていたんだぞ」

帰りもしないでって、あなたの自宅はここじゃないか。恩着せがましく言う鷹央に僕が呆れていると、へらへらとした笑みを浮かべていた桜井の表情が引き締まった。

「DNA鑑定の結果が出ました」

部屋の空気が張り詰める。新潟で希津奈の口腔粘膜から採取したDNAサンプルを、鷹央は桜井に渡して、科捜研で鑑定してもらうように依頼していた。

「ようやくかよ。DNA鑑定なんて、その気になれば一日でできるだろ」

「無茶を言わんでくださいよ。正式な捜査じゃないんですから。顔見知りの科捜研の職員に無理をいって鑑定してもらったんです」

「分かった分かった。それで、結果はどうだった？」

「まず、河合との血縁関係ですが、それについては否定されました。新潟で『復活』した少女は、河合の娘ではありません」

「希津奈シニアと希津奈ジュニアの説は没か」

たいして残念そうでもなくつぶやいた鷹央は、鋭い視線を桜井に向ける。

「それで、遺体のDNAとの比較はどうだった？」

桜井は心を落ち着けるように、一度目を閉じて深呼吸をしたあと答えた。

「一致しました」

部屋の空気がいびつに揺れる。僕は「一致した⁉」と目を見開いた。

「ええ、そうです。防波堤で見つかった遺体、この病院に保管されていた血液、そして、四日前に龍神岩から出現した少女、その三つから採取したDNAは完全に一致しました。念のため、二回も確認してもらったので間違いありません」

「じゃあ、本当に楯石希津奈さんは生き返った……？」

鴻ノ池が呆然とつぶやくのを聞きながら、僕が大きく手を振る。

「そんなわけないだろ。なにかのトリックだって。死んだ人間が生き返るわけがない」

「どんなトリックだ？」

鷹央が落ち着いた声で訊ねてくる。僕は数瞬、言葉を詰まらせたあと口を開いた。

「や、やっぱりクローンとか……」

「人間のクローンを作るのは困難だとこの前言ったはずだ。万が一可能だとしても、専門的な施設と、多くの協力者、そして莫大な金がかかる。百パーセント否定できるものではないが、可能性は極めて低い」

「それじゃあ、一卵性双生児は……」

「たしかに一卵性双生児ならＤＮＡは当然一致するな。しかし、楯石希津奈の家族構成ぐらい警察が徹底的に調べたはずだ」

鷹央は「だろ？」と桜井に一瞥をくれる。

「ええ、もちろん調べました。少なくとも記録上、楯石希津奈に姉妹はいません。一人っ子で、彼女が二歳のときに母親は亡くなっています」

「でも、戸籍に記録されていない双子の姉妹がいたかもしれないじゃないですか」

僕の反論に鷹央は頷いた。

「その可能性は調べる必要があるな。実は『楯石希津奈』は二人いて、そのうちの一人が命を落とし、もう一人が現れて『復活』を演出した。ただその場合、一つの謎が残る」

僕が「謎？」と聞き返すと、鷹央は顔の横で左手の人差し指を立てた。

「なぜ、楯石希津奈はまったく齢を取っていないかだ」

あまりにも当然の指摘に、僕は「あっ」と声をあげる。

「クローンなら説明はつく。十数年前にクローン作製をしたなら、私たちが会った『キヅナ様』はまだ十代なんだからな。ただ、一卵性双生児だとしたら、『キヅナ様』も三十二歳ということになる。『死者の復活』は説明できても、『永遠の若さ』は説明できない」

「なら、どういうことになるんですかね」

桜井が口を挟むと、鷹央は唇の端をあげた。

「一番単純なのは、本当に楯石希津奈が『不老不死』だということだな」

「鷹央先生、そんなわけ……」

ないじゃないですか、と続けようとした僕は、鷹央に睨まれて言葉を飲み込む。

「そんなわけない、なんてことはない。いつも言っているだろ。先入観を捨てて全ての可能性を検討しろって。いつになったら分かるんだよ。常識という名の鎖で自分をがんじがらめにしてどうするんだ」

「すみません」

首をすくめて謝罪する僕に、鴻ノ池が「やーい、叱られた」と耳打ちしてくる。僕が顔をしかめると、桜井は鳥の巣のような頭を掻いた。

「いやあ、情報が増えているのにどんどんわけが分からなくなりますね。それで、天久先生。これからどうやって、真相を探っていくんでしょうか？」

「もちろん、情報収集だ」

「まだ情報が足りないと？」桜井の表情に、わずかな失望が浮かぶ。

「同じ情報収集といえども、ある程度、可能性が絞れたことでフェーズが変わった」

桜井は「フェーズが変わった？」と首を傾ける。

「そう、原因不明の症状に対してなんの疾患か探っていくのと同じだ。最初は問診、触診、聴診に打診、採血やレントゲンなどで、患者の体に大まかになにが起きているのかを調べていく。例えば、腹痛を訴える患者に触診をして、腹膜刺激症状を認めたり、採血データで白血球の増加や炎症所見があるのを見て、腹腔内で強い炎症が起きていると推察するようなものだな。そして、その症状を起こす疾患をリストアップする。虫垂炎、憩室炎、消化管穿孔、急性膵炎などなどだな」

「なるほど、可能性のある疾患を絞り込む段階ですね」

「その通りだ。それが終わると、診断を下すために疾患を絞っていくフェーズになる。このケースでは、CTや腹部エコー、あとは膵臓の酵素などを調べたりするな。そうやって、画像検査で腫大している虫垂を確認して、ようやく虫垂炎という診断がくだせるんだ」

「めでたしめでたしですね」

桜井が合いの手を入れる。鷹央は首を横に振った。

「いいや、まだめでたしじゃない。治療して患者を助けることが必要だ」

「なるほど。事件だったら、真相をあばいても、犯人を捕まえるまで終わりじゃないというわけですか。虫垂炎というのは盲腸ですよね。今回も、天久先生にしっかり盲腸を治していただけるというわけですね」

桜井が不敵な笑みを浮かべると、鷹央は猫を彷彿させる大きな目をしばたたいた。

「ん？　虫垂炎の治療は私にはできないぞ。軽度なら抗生剤の投与で何とかなるが、ある程度まで悪化したら手術が必要だ。私は内科医だからオペは無理だ。必要な場合は元外科医の小鳥にやらせるな」

比喩表現と相性が悪い鷹央の反応に、桜井は「はぁ」と首筋を掻く。なんとも間の抜けた沈黙が部屋に降りた。

「ともかく」桜井は咳ばらいをする。「これから真相を絞り込むために、さらなる調査が必要ということですね」

「そういうことだ。というわけで、お前たちにはもっと協力してもらうぞ。まずは……」

指示を出そうとした鷹央に向かって、桜井は掌を突き出す。

「天久先生、申し訳ございませんが、これ以上はあまりお力にはなれません」

「なんだよ急に。共同戦線を張るって約束だろ」鷹央が鼻の付け根にしわを寄せる。

「はい、出来る限りの協力をしたいとは思っています。ただ、もうすぐ休暇は終わり、私が所属している班は待機状態になります。おそらく、近いうちに他の殺人事件の捜査に駆り出されるでしょう」

「ちょ、ちょっとまて」鷹央の声が高くなる。「他の殺人事件って、タイムカプセルのミイラは？　河合殺しはどうするんだ？」

「……その捜査は警視庁としては終わっています」

「終わっているってどういう意味だ⁉　罪の告白をした楯石希津奈が蘇ったんだぞ。なにも終わってなんか……」

鷹央がそこまで言ったところで、僕は彼女の肩に手を置く。鷹央は「なんだよ？」

と睨んできた。その迫力に少々怯えながら、僕は桜井に声をかける。

「警視庁は楯石希津奈さんの『復活』を認めなかったんですね」

「はい。当然といえば当然ですよね。死者が生き返ったなんて警察が認められるわけがない。あのオンラインサロンに投稿された『死者の復活』の動画については、刑事部長や捜査一課長も見ましたが、たんなるマジックだと一笑にふされました。河合殺しの犯人である楯石希津奈は間違いなく死んでいる。『復活』したのは、なんらかの方法で姿を似せただけの偽物。それが警視庁の公式見解です」

「で、でもDNAが一致したんじゃ……」

　鴻ノ池が声を上げると、桜井は自虐的に唇を歪めた。

「あれは、私が非公式に頼んだものでしかありません。そんなもの、なんの証拠にもなりません。十六年前に河合を殺した楯石希津奈は、自らに捜査が迫っていることに気づき、逃げられないと悟って崖から身を投げて死んだ。それが最終的な結論です」

「なんて頭が固いんだ！　それでも天下の警視庁か！」

　鷹央は苛立たしげにかぶりを振ると、桜井は力ない笑い声を漏らす。

「天下の警視庁だからこそですよ。伝統がある組織は概して保守的になるんです。それに、被疑者死亡ですでに送検した事件の再捜査なんてしたら、メンツ丸潰れですからね。よっぽどのことがないとできません」

「それじゃあ、もう警察からの情報は期待できないってことか」

　鷹央が乱暴に髪を掻き乱すと、桜井は「さあ、どうでしょう」とつぶやいて、ズボンのポケットからメモ用紙を取り出し、それを放した。ひらひらと紙が床に落ちる。

「おい、なんだよ。私の家にごみを捨てるなよな」

　鷹央の文句を聞きながら僕はその紙を拾って広げる。そこには二つ、氏名と住所のようなもの、そしてメモ書きが記されていた。

「おや、困ったなあ」桜井はわざとらしくポケットを探る。「事件の関係者の情報を書いたメモ用紙をなくしてしまったみたいだなぁ」

「なに言っているんだ。いま落とした……」

　僕の手にしている紙を指さした鷹央の口を、鴻ノ池がそっと掌で覆った。

「ちなみに、どなたの情報が書いてあったんですか？」

　僕が訊ねると、桜井はにっと笑った。

「栖石希津奈の母方の祖母と、以前所属していた芸能事務所の元社長ですね」

「それは困りましたね。もし見つけたら連絡しますよ」

「助かります」

　僕と桜井が茶番を繰り広げていると、鷹央が鴻ノ池の手をつかんで口元から引きはがす。

僕が同じことをすると、いつも噛みついてくるくせに……。

「分かったぞ」鷹央は両手を合わせる。「警視庁が正式に捜査をしないと決めた以上、お前は立場上、私たちに協力しづらくなった。だから、こんな小芝居をして私たちに情報を渡そうとしているってことだな」

……台無しだ。僕は片手で顔を覆う。

「ま、まあ、その……。どう解釈されるかは皆さんの自由ですので……」

気を取り直すように、桜井は軽く頭を振った。

「なんにせよ、私個人としては今回の幕引きに納得してるわけではありません。ぜひとも事件の真相を知りたいと思っています。そのためには『可能な範囲』での協力は惜しまないつもりです。きっと、私だけでなく成瀬君もね」

桜井は腕時計に視線を落とした。

「おや、こんな時間だ。スーパーで卵を買って帰るよう、さっきうちの家内から……」

そこではっとしたような表情を浮かべて言葉を切った桜井は、シニカルに微笑む。

「うちのカミさんから連絡がありましたので、そろそろお暇させていただきます」

おどけて敬礼をして玄関に向かう桜井の背中に、鷹央がからかうように声をかける。

「警視庁は保守的な組織じゃなかったのか？　こんな刑事がいてもいいのかよ」

振り返った桜井ははにかんだ。

「どこの組織にも異端児はいるものですよ。ロサンゼルス市警察殺人課にコロンボがいたみたいにね」

4

『あのー、鷹央先生。検査オーダー、こんな感じでどうですか？』

スピーカーモードにしたスマートフォンから、鴻ノ池の声が聞こえてくる。

「んー、そうだな。大まかには問題ないが、原発性胆汁性胆管炎による掻痒感によって皮膚を掻いて、それによって接触性皮膚炎を起こしている可能性もあるので、抗ミトコンドリア抗体も追加しておいてくれ」

スマートフォンを持った鷹央が言うと、鴻ノ池の『……ラジャーです』という覇気のない声が聞こえてきた。

桜井が訪れた翌日の昼下がり、僕と鷹央は自由が丘にある有料老人ホームを訪れていた。桜井のメモによると、ここに楯石希津奈の祖母、北川ウメが入所しているらしい。

「しかし、舞が研修にきてくれて助かった。じゃなきゃ、平日に調査は難しかったし」

上機嫌で鷹央が言うのを聞きながら、僕は「いいのかなぁ」と口の中で言葉を転がす。

二時間ほど前、午前の外来や、依頼を受けた患者の診察などの仕事を終えた鷹央は、「じゃあ、あとはよろしく頼むぞ」と鴻ノ池の肩を叩いた。そうして鴻ノ池に業務を押し付け、僕にCX−8を出させてこの老人ホームを訪れていた。

もちろん、いくら優秀とはいえ、研修医の鴻ノ池が一人で全ての業務を完璧にこなせるわけがないので、こうして適宜、スマートフォンで指示を出している。いまも、老人ホームの正面玄関のそばで鴻ノ池と話していた。

『……ずるいです』

スマートフォンから恨めしげな声が響いてくる。鷹央は「ん？」とまばたきをした。

『ずるいですよ、鷹央先生と小鳥先生だけで調査に行くなんて。私も行きたかった！私だけ仲間外れなんて寂しい！』

駄々をこねるように鴻ノ池が言う。鷹央は困ったようにこめかみを掻いた。

「でもなあ、さすがに勤務時間中に統括診断部の全員が消えたことが姉ちゃんにバレたりしたら、大目玉喰らうし……」

いや、僕たちが消えたことがばれただけでも、十分に大目玉喰らいますよ。

『なら、小鳥先生が留守番すればよかったじゃないですか。研修医の私よりも、小鳥先生の方が少しは頼りになるはずですよ』

「少しはってなんだ」

反射的に声をあげるが、とんでもなくフットワークが良いうえ、勉強もよくしている鴻ノ池と、外科医から内科医になってまだ一年半も経っていない僕では、そんなに違いがないかもしれないという思いが頭をかすめ、あまり強くは言えない。

「でも、舞は車を持っていないだろ」

『車はなくてもバイクはあります。先月、鷹央先生を後ろに乗せて、近場をツーリングしたじゃないですか』

そんなことしてたのか。僕が内心でつぶやくと、鷹央の顔がみるみる青ざめ、その体が細かく震えはじめた。

「……鴻ノ池、お前、鷹央先生を乗せてどんな運転したんだよ」

『どんなって、普通ですよ』

「お前の普通は普通じゃないんだよ。ほら、鷹央先生、冷凍庫に閉じ込められたみたいになっているぞ」

『人体自然発火現象事件』の際、鴻ノ池のバイクに乗ったことを思い出し、体の底から震えが湧き上がってくる。車体を四十五度近く傾け、減速することなくコーナリングする鴻ノ池の運転は、これまでに乗ったどんなジェットコースターとも比べ物にならない恐怖だった。

『えー、なんでですかぁ？　一緒に風になれて、すごく楽しかったじゃないですかぁ』

不思議そうに言う鴻ノ池の声を聞きながら、僕は震える鷹央の背中を撫でた。

『そうだ、バイクが問題なら、私が小鳥先生の車を運転すればいいじゃないですか』

「ふざけんな！」

『大丈夫ですよ。ちゃんとバイクと同じように大切に運転しますから』

「お前に『大切に運転』されたら、愛車がスクラップになる未来しか見えないんだよ！」

『車両保険、入ってますよね？』

「壊す気満々じゃないか！　いいから、おとなしく仕事をしていろ。ここでの聞き込みが終わったら、すぐに病院に戻って手伝うから」

『……分かりましたよ。頑張った舞ちゃんになにかお土産を買ってきてくださいよ』

頬を膨らませた鴻ノ池の映像が消える。

「しかたがないな。帰りに『アフタヌーン』でケーキでも買っていってやるか」

「それ、自分が食べたいだけでしょ」

いそいそとスマートフォンをズボンのポケットへと戻す鷹央に僕が突っ込んだとき、自動ドアが開いて施設の職員の女性が顔をのぞかせた。

「あの、北川ウメさんのリハビリ終わったそうです。面会できるので、お二階へどうぞ」

僕が「ありがとうございます」と会釈すると、職員は微妙な表情を浮かべる。

「けど、ウメさんから話を聞くのは難しいと思いますよ」

「認知症ということですか？」

北川ウメはすでに九十二歳のはずだ。認知症になっていてもおかしくはない。

「はい、それなりに。ただそれ以上に問題なのが、人嫌いで、職員でもよっぽどの顔見知りじゃないと口をきいてくれないんですよ。初めて会う職員なんて、完全に無視です」

「それはなかなか手ごわそうですね」

どうしたものか。僕がこめかみを掻くと、女性は小さく息を吐く。

「仕方ないんですよ。ウメさんへの面会、ほとんどないんだから。娘さんがいるんですけど、北海道に住んでいるらしくて、なかなか会いにこれないんです。そんなだったら、他の入所者の方がお孫さんと会っているのを見ると、心も閉ざしちゃいますよね」

そこまで言った女性は、はっと我に返ったような顔になる。

「ああ、すみません、余計な話を。奥に階段があるので、そこを上がってください。談話室がありますので、そこにウメさんはいます」

僕は職員に礼を言うと、施設に入って廊下を進んでいく。

「どうするんですか、鷹央先生。話を聞くのはなかなか難しそうですよ」

隣を歩く鷹央に声をかけると、彼女は肩をすくめた。

「そんなの会ってみないと分からないだろ。臨機応変にやるしかない」

臨機応変というより、あなたの場合、行き当たりばったりでしょ……。

鷹央がトラブルを起こさないことを祈りつつ階段をのぼると、そこには広々とした談話室が広がっていた。丸テーブルや椅子がいくつも置かれ、数人の老人が面会者たちと楽しそうに話している。面会者のなかには、小さな子供も含まれていた。大きな窓からは明るい光が差し込んでいる。壁際（かべぎわ）にはドリンクバーが設置されていて、自由に飲みながら歓談ができるようになっていた。

「あの、北川ウメさんは、どちらに？」

通りかかった職員に声をかけると、彼女は「ウメさんならあちらに」と窓際を指さす。そこには車椅子に腰かけ、外を眺めている老人がいた。次の瞬間、鷹央は僕が止める間もなく、早足でウメに向かって歩いていった。

「お前が北川ウメだな。私は天久鷹央だ」車椅子に近づいた鷹央が、胸を張って言う。

ああ、行き当たりばったり過ぎるだろ。もっと、こう、作戦とか立ててから……。

頭痛をおぼえながら僕が追いつくと、ウメは焦点の合わない目をこちらに向けてきた。

その顔にはひび割れに似た大量のしわが刻まれ、まだら模様のように染(し)みが目立つ。

しかし、高い鼻と切れ長の目、ほっそりとしたあごのラインは、かつてその顔に美が宿っていたことを想像させた。

「ちょっと話を聞かせて欲しいんだ。いいか？」

鷹央が声をかけるが、ウメは無言で再び窓の外に視線を向ける。

「おーい、聞こえているか？　もしかして、耳が聞こえにくいのかな。おーい」

鷹央はウメの耳元に口を近づける。ウメは顔をしかめると、手で払いのけるような仕草をした。このままじゃ、埒(らち)があかない。僕は鷹央の代わりに口を開く。

「急にお邪魔して申し訳ありません。僕たちは天医会総合病院の医師で、小鳥遊と天久といいます。少しだけお時間よろしいでしょうか？」

慇懃(いんぎん)に言うが、ウメは完全に黙殺する。

「ダメじゃないかよ」

鷹央が小声で言いながら、わき腹を肘(ひじ)でつついてくる。

僕も声を押し殺しながら、「やめてくださいよ」と抗議した。

「そもそも、鷹央先生がなんの前置きもなくいきなり話しかけたから、警戒されたのかもしれないじゃないですか」

「おっ？　自分の失敗を私のせいにするのか？　男らしくないな。だから、ナースにフラれてばっかりなんだぞ」

「ほっといてください！　それより、どうするんですか」

「どうしたもんかな。会話が成立しないほどの認知症ではないと思うんだが……」

腕を組んで鷹央は数秒考えこむ。

「押してダメなら、さらに押し込んでみるか」

引けよ！　僕が突っ込む隙（すき）すら与えず、鷹央は再びウメに話しかけた。

「少しでいいから話を聞かせてくれよ。楯石希津奈についての……」

鷹央がそこまで言った瞬間、ウメがこれまでの緩慢な動きが嘘のように、ぐるりと勢いよく顔を回した。ホラー映画チックなその動きに、鷹央は「ひっ⁉」と一歩後ずさる。

「きづ……な……？」

「そ、そうだ……。楯石希津奈だ」

腰が引けたまま鷹央が頷くと、唐突にウメは両手を伸ばしてきた。

危ない。僕が止めようとするが、その前にウメは両手で鷹央の頭を挟み込む。

「希津奈ちゃんなのかい。本当に希津奈ちゃんかい。おばあちゃんだよ。分かる？」

ウメは満面の笑みを浮かべると、両手で鷹央の頭を撫でまわした。元々わずかにウエーブのかかっていた鷹央の髪がぐしゃぐしゃにされていく。

「会いたかったよ。本当に大きくなって。最後に会ったのは、あなたがまだ幼稚園児の頃だったからね。本当にずっと会いたかったんだよ」

細められたウメの目から、大粒の涙が零(こぼ)れだす。それを見てようやく、ウメが勘違いしていることに気づく。

「こんなに大きくなって。いまはいくつになったのかな。小学生だったっけ」

「しょ、小学生⁉　私は楯石希津奈じゃ……」

鷹央は大きな目を剝(む)き、反論しようとする。しかし、その前に素早く動いた僕が、彼女の口を掌で塞(ふさ)いで耳打ちをした。

「ダメですよ、鷹央先生。せっかくウメさんが話してくれているんですから。とりあえず、否定せずに話を合わせてあげてください」

口を塞がれたまま僕を睨(ね)め上げた鷹央は、小さく頷く。安堵(あんど)の息を漏らした瞬間、脳天まで鋭い痛みが突き抜け、僕は声にならない悲鳴をあげて手を引いた。

「分かったから、さっさと手を放せ。このセクハラ男が」

「いまのは仕方がなかったでしょ。毎回毎回、嚙みつかないでください」

抗議するが、鷹央は不機嫌そうに鼻を鳴らしただけだった。これで嚙みつかれるのは何回目だろう。僕は尖った八重歯の跡がくっきりとついた手に息を吹きかける。

「どうかしたのかい、希津奈ちゃん」

「な、なんでもないよ……、お、おばあちゃん」

たどたどしく鷹央は希津奈を演じる。その大根役者ぶりに不安になるが、ウメが気づく様子はなかった。

「そうかい、ならいいんだけど。で、あんたは誰？」

ウメが僕に訊ねてくる。何と答えるべきだろう。迷いつつ、僕は口を開く。

「え、えっと……先生です」

「……先生？」ウメはいぶかしげに言う。「あんたは先生じゃないでしょ。先生はね、もっと背が低かった。しっかり覚えてる。忘れたりなんかしないよ。……絶対に忘れない」

敵意がこもった視線に圧倒され、僕は軽くのけぞる。どうやら、他の教師とでも勘違いされているようだ。ここまで警戒されるということは、その人物に対して何か良くない感情を抱いているのだろう。

「いえ、その先生ではなくて、いま希津奈さんの担任をしている教師です。小学……」

鷹央に向う脛を蹴られた僕は「……高校の」と言い直した。

「ああ、学校の先生なのね」ウメの表情が穏やかになる。誤解は解けたようだ。

「希津奈ちゃん。立っていたら疲れるでしょ。私のお膝の上に座るかい」

「い、いや、さすがにそれはお前が……」

僕は「鷹央先生」と小声で言う。鷹央は顔を引きつらせると「お、おばあちゃんが、怪我するかもしれないし」と言い直した。

僕は近くにあった椅子を持ってきて、ウメの車椅子の隣に置く。鷹央はためらいがちにそこに腰掛けた。

「本当にありがとうね、希津奈ちゃん。希津奈ちゃんが来てくれて本当に嬉しいのよ」

ウメは再び鷹央の頭を撫ではじめる。鷹央は唇をへの字に歪め、されるがままになる。

「今日は、おま……、おばあちゃんに聞きたいことがあってきたんだ」

鷹央が言うと、ウメは「なにが聞きたいの？」と相好を崩した。

「まずは」鷹央の表情が引き締まる。「私の姉妹のことだ」

「姉妹？」ウメは不思議そうに目をしばたたいた。

「そうだ。きづ……私には双子の姉妹がいただろ？　覚えていないか？」

希津奈に一卵性双生児の姉妹がいたという仮説を確認しようと、鷹央はウメの顔を覗き込んだ。もともとしわの多いウメの額に、さらにしわが刻まれる。

「なにを言っているの？　あなたは一人っ子よ」

「間違いないのか？　私が生まれた日、お……、おばあちゃんもいたのか？」

「もちろんいたわよ。大切な一人娘のはじめて出産する日なんだから。あなたを取り上げたときのことは、いまも夢に見るのよ」

「取り上げた？」

鷹央は頭を撫でられたまま、眉根を寄せて聞き返す。ウメは幸せそうに頷いた。

「話してなかったかい。私は昔、産婆さんをやっていたんだ。希津奈ちゃんを取り上げたのは私なんだよ。本当にかわいい赤ちゃんだった」

ウメが懐かしそうに天井を見上げるそばで、僕と鷹央は目を見合わせていた。

ウメは助産師として希津奈の誕生に立ち会っていた。たしかにウメには、ある程度は認知症の症状がみられるが、一人娘のはじめての出産となれば、その記憶は強烈だろう。記憶違いがあるとはなかなか考えにくい。

これで、楯石希津奈が一卵性双生児だったという説はほぼ否定された。なら、どうして蘇った『キヅナ様』と、防波堤で発見された遺体のＤＮＡが一致したのだろう。

本当に『死者の復活』……。

「本当に楯石きづ……、私は双子じゃなかったんだな」

「そうだって言っているじゃない。信じられなければ、先生に訊いてみなさいよ。……そばにいるでしょ」

ウメの表情が険しくなる。

「いや、僕に訊かれても……。あの、話題を変えた方が……」

せっかく気持ちよく話してくれていたのに、ここでへそを曲げられたら厄介だ。まだ、ウメから聞き出さなくてはいけない情報はたくさんある。僕の提案に鷹央は小さく頷いた。

「あ、あの、おばあちゃん」相変わらず、たどたどしい口調で鷹央は言う。「私のお母さんのことを教えてくれないか」

「あら、『お母さん』って言うようになったの。前は『ママ』って言っていたのに」

鷹央の頰が引きつる。僕は笑いをこらえながら、軽くあごをしゃくった。

「ま……、ママのことを教えてください、おばあちゃん」

もはや、ヤケクソといった様子で鷹央は声を張り上げる。

「歌子かい。歌子ちゃんは本当に優しい子でね、そして私に似てすごく器量よしだったんだよ。うんうん、やっぱり希津奈ちゃんもそっくりだね」

ウメは嬉しそうに鷹央の顔を覗き込む。

「……それはないと思うぞ」

ウメが「え……？」とまばたきをする。

「あ、なんでもない、なんでもない。それで、結婚して私を産んだんだよな」

鷹央が慌ててごまかすと、ウメの顔が哀しげに歪（ゆが）んだ。

「そう、結婚したの。私がお見合いさせたのよ。でもね、あなたが生まれる前、大変だったの。歌子ちゃんね、病気になっちゃったのよ」

「病気？　なんの病気だ？」

鷹央の質問に、ウメはかすれ声を絞り出した。

「……白血病よ」

予想外の病名に、鷹央と僕は目を大きくする。ウメはつらそうに話し続けた。

「一度はね、お薬で治ったの。そして、……あなたを産んだ。でもね、あなたが二歳になったころ、また同じ病気になって、それからすぐに歌子は……」

言葉が継げなくなったウメは、目を固く閉じて俯（うつむ）く。

化学療法により一時は寛解、白血病細胞がまったく検出されない状態にすることができ、その間に妊娠、出産をした。しかし、その後、白血病が再発して命を落とした。そういうことなのだろう。

細かく肩を震わせるウメの隣に座った鷹央は、どうしていいのか分からないのか目を泳がせる。助けを求めるような視線を向けられた僕は小さく頷(うなず)いた。鷹央は口を固く結ぶと、そっとウメの背中に小さな掌を添え、撫ではじめた。

午後の穏やかな陽光を浴びながら、鷹央がウメの背中を優しく撫で続けるのを、僕は微笑みながらただ眺め続けた。

5

「えっと、ここですね」

スマートフォンと見比べながら、鴻ノ池は雑居ビルを見上げる。周囲には原色の妖(あや)しいネオンがきらめき、酒に酔ったサラリーマンや、風俗店への呼び込みが行きかっている。

老人ホームで北川ウメとあった翌日の夜九時過ぎ。鷹央、鴻ノ池とともに歌舞伎町(かぶきちょう)のはずれにやって来ていた。

「それじゃあ、行きましょう。鷹央先生、小鳥先生」

昨日、おいていかれたせいか、やけに張り切って鴻ノ池が言う。けれど……。

「けれど、本当にその恰好(かっこう)になる必要、あったのか？」

僕はブレザー姿の鴻ノ池に、冷たい視線を送る。

「なに言っているんですか。いまから面接に行くお店、ここですよ」

鴻ノ池はスマートフォンを僕に見せつける。そこには派手なフォントで、『制服大作戦』という文字が躍っていた。

「制服姿の女の子がいる部屋を、客のいやらしい男たちがマジックミラー越しに覗き込むんです。そんなお店に面接にいくんですから、当然、こういう格好でいかないと」

「そうかなぁ。べつに最初からわざわざ女子高生のコスプレしていかなくてもいいんじゃないか。……さすがに、きついんじゃ」

「……なんか言いました？」鴻ノ池は目をすっと細くして、手刀を構えた。

「なんにも言ってない、なんにも言っていない」

僕は慌てて胸の前で両手を振る。鴻ノ池の合気道の腕は、文字通り痛いほどに味わってきた。こんなアスファルトの上で投げ飛ばされたらたまったもんじゃない。

「それに、この下品な服のクリーニング代も払わないといけなくなるしな……」

僕は大きなため息をつきながら、ラメの入ったスーツに包まれた自分の体を見下ろす。鴻ノ池に強引に貸衣装店に連れていかれて、着せられたものだった。完全に、場末のホストといった服装だ。頭髪も、大量のワックスによって鴻ノ池にオールバックにさせられている。

「えー、なかなかかっこいいじゃないですか」

「お前の美的センス、どうなっているんだよ！」

疲労をおぼえながら言うと、「さすが小鳥先生、いい突っ込み」と鴻ノ池に背中を叩かれた。

テンション高いこいつと一緒にいると、本当に疲れる。

「ほれ、さっさと行くぞ。ネオンの明かりがチラチラして頭が痛くなる」

隣で声をあげた鷹央を見て、僕はわずかに動揺する。その華奢(きゃしゃ)な体はセーラー服に包まれていた。鴻ノ池にヘアスタイルをセットされ、さらにうっすらと化粧をしているせいか、その姿は深窓の令嬢といった様子だった。クラシカルなセーラー服が似合いすぎていて、一見すると普段だぼだぼの白衣を纏(まと)っている年下上司と同一人物とは思えない。

「しかし、本当にスカートって落ち着かないな。足元がスースーして気持ち悪い」

鷹央はスカートを両手でつかむと、苛立(いらだ)たしげにバサバサと振って舌打ちをした。

「……なんだ、動くといつもの鷹央先生だ」

つぶやく僕を、鷹央は「なんか言ったか」と睨んでくる。僕が慌てて首を左右に振った瞬間、鴻ノ池が鷹央に抱き着いた。

「セーラー服姿の鷹央先生、めっちゃ可愛(かわい)い。このまま持って帰って、お家に飾りたい」

サイコキラーのようなセリフを吐く鴻ノ池の顔を、「やめろよ、暑苦しい」と鷹央が押し返す。捜査のためと言いくるめられ、鴻ノ池の着せ替え人形にされたことで不機嫌になっているのだろう。以前、『人魂の原料事件』の際は嬉々としてナースのコスプレをしていた鷹央だが、自主的に着るのと無理やり着せられるのは違うようだ。

「ああ、ごめんなさい。あんまり鷹央先生がキュートだったんで、我を忘れちゃいました。いやあ、マジで眼福」

鴻ノ池は両手を合わせて鷹央を拝む。

「けど、これは私が見たかったからだけじゃありませんよ。こんな怪しい商売をするような奴ですから、ぜったいに若い女に異常な欲望をもっているんですよ。だったら、この恰好を見せたらきっと涎を流して喜びますよ。そうなれば、口も軽くなって、ぺらぺら情報を喋りますって。私は捜査のために仕方なく、鷹央先生と一緒に女子高生のコスプレをしているんです。そう、仕方なく」

鴻ノ池はそう言ったあと、ぐふふと下卑た笑いを漏らした。

「……言葉と態度の乖離が激しいぞ」

僕の指摘に、鴻ノ池は「あ、失礼」と涎を拭うようなそぶりを見せる。昨日、留守番をさせられた反動で、テンションがおかしくなっているようだ。僕は肩を落としたがら、ビルの外壁に輝く『制服大作戦』の看板を見上げる。

この風俗店の店長こそ、かつて楯石希津奈が所属していた芸能事務所の元社長だった。昨日、鴻ノ池が連絡を入れ、今夜、店長の面接を受ける予定になっていた。

「さて、それじゃあさっそく行きましょう」

意気揚々と雑居ビルに入っていく鴻ノ池に、僕と鷹央はついていく。

狭い階段をあがっていると、上から小太りの中年男がおりてきた。こちらに気づいた男は、いやらしい視線を鷹央に注いでくる。

「おい、なに見てるんだよ」

強引にコスプレをさせられて不機嫌な鷹央は、ドスの利いた声で男に言う。男は慌てて目をそらすと逃げるように階段をおりていった。

「これから行く店の客か。制服を着た若い女に執着するとは、お前の仲間だな」

「最近ちょくちょく、僕の変な噂を流そうとするのやめてください！」

「けどお前、『魔弾の射手事件』のとき、女子高生に頰にキスされてデレデレしていたじゃないか」

「デレデレなんかしてない！」

そんなやり取りをしながら階段を上がった僕たちは、店へとたどり着いた。面接を受けることを受付にいた男に告げると、ブラックスーツを着た体格のいいスタッフは、さらに上の階にある店長室へと通してくれた。

「……なんなんだよ、その恰好は？」

ローテーブルを挟んで対面にあるソファーにふんぞり返った壮年の男が、いぶかしげな視線を向ける。腹に蓄えた大量の脂肪がシャツを突き上げ、薄い頭髪は脂ぎっている。口を開くとタバコのヤニでか、茶色く変色した歯が覗いた。この男がかつて楯石希津奈が所属していた芸能事務所の元社長、比村勉だった。

ほら言ったこっちゃない。鷹央と鴻ノ池が座るソファーの後ろに立った僕は、軽い頭痛をおぼえてこめかみを抑えた。

「こういう恰好で面接にのぞんだ方が採用されやすいかと思って、制服姿で来ました！」

鴻ノ池の覇気のこもった声に圧倒されたのか、比村は「お、おお、そうか」と頷くと、タブレットを眺める。おそらく、履歴書が表示されているのだろう。鴻ノ池が昨夜、自分と鷹央の二人分、偽の履歴書を作って送信していた。

「二人とも風俗の勤務経験はなし。今年、高校を卒業した十八歳か」

僕が「十八⁉」と声をあげると、鴻ノ池が振り返ってコケティッシュに小首をかしげた。

「なにか問題でも？」

言いたいことは山ほどあったが、ぐっとこらえていると、比村が僕に視線を向けた。

「で、お前は誰なんだよ？」

「僕……、いや、俺はホストだよ」

僕は前もって鴻ノ池に指示されていた設定を口にする。比村は「ホストぉ？」と眉間にしわを寄せた。

「ああ、そうだ。この二人は俺の客だ。俺を指名して、何本もシャンパンを開けてくれる上客だったんだけどな、とうとう金が払えなくなった」

「ああ、なるほどな。だからうちで働かせて、その金でツケを払わせようってわけか。しかし、わざわざ付いてくることねえだろうが。お前もホストなら知ってるだろ。一度嵌まった女は、逃げたりしねえよ。ちゃんとうちで稼いで、その金をお前に貢いでくれるさ」

おそらく、似たようなケースがよくあるのだろう。比村はあっさりと納得した。

「じゃあ、私たちを雇ってくれるんですね」

鴻ノ池が嬉々として言うと、比村は小馬鹿にするように唇を歪めた。

「お前はダメだ」

「えー、なんでぇ」

不満の声をあげる鴻ノ池を、比村は「きついんだよ」と指さす。

「なにが十八歳だ。どう見ても、もっと年食ってるだろうが。うちの店に来る客はみんな、ガキに欲情する変態どもだ。いくらコスプレしようが、お前みたいに薹が立っている女なんかに食指は動かないんだよ」

「と、と、薹が立ってる⁉」

顔を真っ赤にして立ち上がる鴻ノ池を、僕は慌てて羽交い絞めにする。

「落ち着け鴻ノ池。気持ちは分かるけど、落ち着け。ここでキレたら、台無しになる」

鴻ノ池に囁いた瞬間、景色が逆さまになる。なにが起きたか分からないうちに、背中に激しい衝撃が走り息がつまった。

「分かりましたよ。落ち着きます」

不満げな鴻ノ池に顔を覗き込まれ、ようやく僕は投げ飛ばされたことに気づく。床に絨毯が敷いてあったので大したダメージではないが、それでも背中が痛い。

「お、お前な……、先輩を投げてストレスを発散させるんじゃない」

よろよろと立ち上がる僕に、口を半開きにした比村が視線を送ってくる。

「こいつ、乱暴なやつで」

笑ってごまかすと、比村は「とにかく」と軽く頭を振った。

「お前は不採用だ。あとで系列の風俗店を紹介してやるよ。で……」

鷹央に視線を移した比村の顔に、いやらしい笑みが浮かんでいく。

「お前は採用だ。感謝しろよ」

「感謝？」鷹央は首を傾ける。「なんで感謝しないといけないんだ」

「当然だろ。お前、十八歳じゃないだろ」

「おお、さすがだな。私の大人の魅力に気づくとは」

一転して上機嫌になった鷹央は、声を弾ませる。

「どう見ても、高校生だ。いや、それとも中学生か」

「んだと、てめえ⁉」

怒声をあげて立ち上がる鷹央を、僕と鴻ノ池が必死になだめるのを尻目に、比村はしゃべり続ける。

「他の店じゃ、さすがに未成年は雇わねえ。けど、うちは別だ。ちゃんと雇ってやるよ。お前はうちの客たちのストライクゾーンど真ん中だ。かなり稼げるぜ」

「かなり稼げる？」少しは落ち着きを取り戻した鷹央は、低い声で言う。「どういうことだ？　ここは制服姿を客に見せるだけの店なんだろ」

「それだけじゃねえよ。マッサージや、膝枕で耳かきのオプションがあるんだ。お前なら指名が次から次に入って、いい金になるぞ。十五分で三千円がお前の懐に入ってくる」

「……そんな小金をちまちま稼ぐのは性に合わないな。もっと、一気に稼げないのか？」

鷹央の言葉に、比村は腫れぼったい目を細めた。

「それなら、裏オプションがある。ドーンと一気に稼げるぞ」

「裏オプション。具体的には？」

「具体的？　それは客次第だな。お前は十五分一万円で、客にレンタルされるんだ」

「レンタル……か。それには、性行為も含まれるってわけか」

「当然だろ。まあ、それ以上にヤバいプレイを求められたときは、うまく交渉しろ。さらに代金を上乗せさせたりな。どうしても無理ってときだけ、俺たちが助けてやるからよ。まあ間に合わないこともあるけどな」

ぐふふと笑い声をあげる比村の醜悪な姿に吐き気を催し、僕は思わず胸を押さえる。見ると、鴻ノ池も道端の嘔吐物を見るような眼差しを比村に向けていた。

「……未成年者にもそんなことさせているのか？」

鷹央は氷のように冷たい声で訊ねる。比村は大きく両手を開いた。

「当然だろ。それがうちの秘密の『売り』だ。未成年なら相場の数倍の金をとれる。お前も十分に稼げるぜ。もしそれが嫌なら……」

舌なめずりしながら腰をあげた比村は、鷹央の胸元に手を伸ばしてくる。

「俺の愛人になるか？　店に出るより稼げるぞ」

「……舞」

鷹央に名を呼ばれた瞬間、鴻ノ池はセーラー服に触れかけている比村の手を摑み、ひねり上げる。手首関節を極められた比村は「ぎゃ!?」と悲鳴をあげながらつま先立ちになった。次の瞬間、鴻ノ池は摑んだ比村の手を振り下ろすと同時に、残った手で肘関節を押し下げる。比村が顔面から突っ込んだローテーブルが大きな音を立てて倒れた。僕は「ああ……」と顔を片手で覆う。

「できる限り穏便にって言ったじゃないですか」

「これが『できる限り穏便』だ。この程度で済ましているんだからな」

鷹央は立ち上がると、鴻ノ池に手首、肘、肩関節を極められて床にはりつけになっている比村の顔を軽くつま先で蹴った。

「ふざけんな、この売女ども、こんなことしてただで……、痛ててて！」

めきめきと音がしそうなほど、鴻ノ池に肩関節を極められた比村が悲鳴を上げる。

二人とも、相当頭にきてるな。

触らぬ神に祟りなしという格言に従うことを決めた僕が傍観していると、比村は倒れたまま、ローテーブルから床に落ちた内線電話の受話器を取った。

「お前らすぐに来い！　カチコミだ！」

止める間もなく比村が叫んだ。数十秒して、数人分の足音が階段を駆けあがってくる。鷹央が「小鳥」とあごをしゃくった。

「はいはい、分かりましたよ」

僕は大きく息を吐きながら、出入り口の近くに移動する。扉が勢いよく開き、僕たちをここに案内したブラックスーツの男が飛び込んできた。その瞬間、僕は抱え込むようにして膝を胸辺りまで上げると、男に向けて前蹴りを叩きこむ。革靴のつま先が男のみぞおちにめり込んだ。急所を貫かれた男は、両手で腹を押さえながら膝をつく。その口からこぼれた胃液がわずかに、僕のズボンにかかった。

「ああ、クリーニング代が⁉」

悲嘆にくれながら、僕は続いてやってきた金髪の男のふくらはぎに向けて、カーフキックと呼ばれる下段回し蹴りを打ち込む。腓腹筋(ひふくきん)の線維が切れる感触が靴を通して足の甲に伝わってくる。苦痛の声をあげた男は、ふくらはぎを押さえて床をゴロゴロと転がった。

最後に入ってきた若く線の細い男は、あっという間に倒された二人の仲間を呆然(ぼうぜん)と見下ろし、立ち尽くす。僕は彼に近づくと、あご先をこするようにフックを振るった。脳が激しくシェイクされた男は、糸の切れた操り人形のように崩れ落ちた。

「さすが小鳥先生。一年以上、統括診断部でもまれてきただけありますね」

僕はチンピラ相手の立ち回りを習いに、統括診断部に来たんじゃない。

鴻ノ池の賞賛の言葉に顔をしかめていると、比村が怒鳴り声を上げた。

「てめえら、こんなことしていいとでも思っているのか⁉」

「ん、どういうことだ？」スマートフォンをいじっていた鷹央が、からかうように訊ねる。

「ただじゃ済まさねえってことに決まっているだろ」

「ただで済まないのはお前の方じゃないか？　さっきまでの会話は全部録音させてもらった。これを警察に持っていけば、どうなるかな？」

一瞬、表情をひきつらせた比村だったが、すぐに不敵な笑みを浮かべる。

「警察なんか怖くねえよ。あいつらがガサ入れする情報ぐらい、俺たちには流れてくるんだ。その日だけは、『まっとうな風俗店』になるさ」

「けれど、さすがにこの録音の内容を聞かれたらヤバくないか。徹底的に調べられるぞ。こんないかがわしい店で未成年を働かせ、挙句の果てに違法な性的サービスまでさせていたとなったら、当然後ろに手が回るぞ」

「……そんなことにはならねえよ」

「どうしてそう言える」

「お前らは、警察なんかに行けないからだ。うちのケツ持ちがお前らをこの歌舞伎町から逃がさねえ」

「ケツ持ちっていうのは、ヤクザってことか」

「そうに決まってるだろ。こんなときのために高いみかじめ料を払っているんだ」

「そうかそうか。ヤクザが私たちを拉致(らち)するってことか。怖いな。それじゃあ、私の『ケツ持ち』に頑張ってもらわないとな」

鷹央が楽しげに言ったとき、腹を押さえてうずくまっていた男が立ち上がる。

「ケツ持ちの連中にすぐに伝えろ！　行け！」

床に這(は)いつくばったまま比村が叫ぶと、男は扉の外に出ようとする。しかし、その寸前、部屋に入ってきた人物と鉢合わせになった。

ブラックスーツの男は、自分より一回り体格の良いスーツ姿の男を見て、かすかに怯(ひる)むようなそぶりを見せたあと、腕を振りかぶった。しかし、拳を振るう前に、相手のハンマーのような拳が肩口に叩きつけられた。

ブラックスーツの奥襟と袖を摑まれて完全に動けなくなった男の体が、次の瞬間、後方になぎ倒される。

「……誰がケツ持ちですか」大外刈りで男を投げ倒した成瀬が、渋い顔で言う。

「おや、そこまで聞こえていたのか」

鷹央はスマートフォンを軽く振る。ここに来る前から、ずっと鷹央と成瀬のスマートフォンは通話状態にしてあり、成瀬に状況が分かるようにしてあった。

「だ、誰だよ、お前は？」

泣きそうな顔になりながら比村が声を張り上げると、成瀬はスーツの懐から警察手帳を取り出して比村に見せつける。

「刑事課の成瀬ってもんだ。ちょっと話を聞かせてもらうぞ」

「ほ、本当にこの店にガサ入れしたりしないんだな」

床に正座をした比村が、上目遣いに成瀬を見る。

「何度も言っているだろ。素直に質問に答えれば、うちの署はこの店に手は出さない」

面倒くさそうに成瀬が答えると、比村は媚（こ）びるような笑みを浮かべた。

「で、聞きたいことっていうのはなんでしょう？」

「質問するのはこのデカブツじゃない、私だ」

セーラー服姿で足を組み、ソファーにふんぞり返っている鷹央が言う。

「ああ、鷹央先生、ダメですよ。そんな足の組み方したら、太腿（ふともも）見えちゃいます」

隣に座った鴻ノ池が、鷹央のスカートを直す。比村は「お前が？」といぶかしげに聞き返すが、鷹央に睨めつけられ、視線をそらした。

「お前は、数年前まで芸能事務所の社長をしていたな？」

鷹央の問いに比村は「あ、ああ」と頷く。あごについた脂肪が揺れた。

「敷地に埋めてあったタイムカプセルから遺体が見つかったことは知っているな」

「……もちろんだ」比村の顔が歪む。「あのせいで、何度も刑事が自宅まで話を聞きにきやがった。それで店に出られなくて、仕事にも支障が出たんだ」

「こんないかがわしい店に、刑事がやってきたら困るもんな。じゃあ、十六年前、なにがあったか教えろ」

「なんにも知らねえって。河合のやつが急にいなくなったけど、どうせ借金取りから逃げたんだろうとしか思ってなかったよ」

鷹央の目がすっと細くなる。

「刑事に言った通りの説明か。そんな話を聞きにきたわけじゃない。洗いざらい話さないなら、この店ごとお前を終わりにしてやろう。お前、しょせんは雇われ店長だろ。お前のせいで店どころか、オーナーにまで捜査が入ったとなったらどうなるだろうな。ケツ持ちとやらに拉致されるのは、お前になるんじゃないか？」

さっと青ざめた比村に、鷹央は妖しい流し目をくれる。

「いまの季節でも、東京湾の水は冷たいだろうなぁ」

「わ、分かった。なんでも話す。なんでも話すから、それだけは勘弁してくれ」

足元に縋りついてくる比村を、鷹央は石ころでも蹴るかのように、足蹴にする。

「それじゃあ、あらためて聞くぞ。お前はあのタイムカプセルの中に、河合の遺体が入っていることは知っていたのか？」

「知らない知らない。本当に知らなかったよ。刑事から聞いたときは、耳を疑った」

「じゃあ、なんで去年、タイムカプセルを掘り出さなかったんだ。なかに遺体が入っているのを知っていたからじゃないのか？」

「本当に違うって。会社がつぶれてそんな余裕なかったんだ。そもそも、あそこにタイムカプセルを埋めたことすら忘れてた」

「忘れてた？　タイムカプセルを開くのを楽しみにしていたファンとかいたはずだ。そいつらからの問い合わせとかなかったのか」

「そんなものあるわけねえだろ」比村はひらひらと手を振った。「最初から俺は、あんなものを掘り出すつもりなんかなかったよ。アイドルのファンなんてやつはな、どんなに熱心なやつでも一、二年すれば、他のアイドルに鞍替えするか、アイドルの追っかけなんて非生産的なことから足を洗うんだ」

「じゃあ、ファンレターやらなんやらを大量に詰め込ませたのはなんでだ？」

「ビジネスだよビジネス」比村は皮肉っぽく言う。「あいつら、金払いだけはいいからな、タイムカプセルにファンレターを入れる権利なんて意味のないものにも、数千円を払うんだ。ぼろい商売だったな。『フリルズ』の閉店セールってやつだ」

鷹央は「閉店？」といぶかしげにつぶやく。

「なんで閉店なんだ。そんなにファンがいたんだろ。まだまだ稼げるじゃないか」

「ああ、人気があったさ。テレビに出るほどにはメジャーにゃなれなかったが、『フリルズ』には何百人も熱心なファンがついてた。けどな、そいつらの目当ては希津奈だったんだよ」

楯石希津奈の名前が出てきて、部屋に緊張が満ちる。比村は寂しげに視線をあげた。

「そりゃそうだよな。希津奈と他のメンバーじゃ、月とスッポンだ。全員が希津奈の引き立て役さ。希津奈こそが『フリルズ』だったんだ。あいつがいなきゃ、解散するしかない」

「つまり、タイムカプセルの企画を立てた時点で、楯石希津奈が『フリルズ』を抜けることが決まっていたということか」

「ああ、そうだ。というか、あいつが抜けることが決まったからこそ、最後のひと稼ぎの方法としてタイムカプセルを思いついたんだよ」

話が核心に迫っている予感に、部屋の空気が張り詰めていく。鷹央が口を開いた。

「なぜ、楯石希津奈は『フリルズ』を辞めようとしていたんだ」

「妊娠したからだよ」いまいましげに、比村は吐き捨てる。「ある日いきなり、妊娠したからグループを辞めるって言いだしたんだ。ふざけやがって。希津奈に目をつけたテレビプロデューサーから、出演の依頼だってきていたんだぞ。あれだけのルックス、そういるもんじゃない。もしテレビに出れば、希津奈は全国区になったはずだ。そうなれば、うちの事務所は一気に大きくなるはずだったんだ。だから、大事に育ててきたのに。……畜生」

「大事にっていうのは、自分の愛人にしてってことか」

鷹央が軽蔑(けいべつ)で飽和した声で言う。比村は力なく、首を横に振った。

「まさか、……いやたしかに何度か口説こうとしたさ」

「自分の会社に所属する未成年のアイドルを口説こうと……か」

刺すような視線を浴び、比村は体を小さくした。

「けど、全然だめだった。あいつはそんなに甘い女じゃなかったよ。親父(おやじ)が働かなくて金に不自由している生活から、自分の身一つで抜け出してやるって野望を抱いていた。まあ、俺なんかの愛人になったところで、特にメリットがないって見抜いていたんだろうな」

「あいつの父親、楯石源蔵は働いてなかったのか？」

「ああ、まったくだな。なんか、働かなくても最低限の金は入って来ていたみたいだが、希津奈は金のかかる娘だった。ガキのくせに、やけに高級なアクセサリーとか化粧品を買いあさっていた。父親の少ない稼ぎじゃ、満足できなかったんだろうな」

「楯石源蔵は働きもせず、なにをしていたんだ」

「追っかけさ」

比村は肩をすくめる。鷹央は「追っかけ？」と小首をかしげた。

「ああ、そうだ。自分の娘の追っかけをしていた。ありとあらゆるライブに参加して、地方公演のときも毎回ついてきていた」

「娘さんを溺愛（できあい）していたってこと？」

鴻ノ池がつぶやくと、比村は大きくかぶりを振った。

「溺愛というより、執着だな。やばい親父だったよ。娘を独り占めしたくて仕方がないって感じだった。本当ならアイドルなんてさせたくなかったんだろうな。他の男に希津奈を見せるのを嫌がっていた」

「じゃあ、なんで希津奈さんはアイドルを？」

「あいつ自身がやりたがっていたからさ。大切に育てられすぎたのか、希津奈は本当にわがままなガキだったよ。なにかにつけて干渉してくる親父を嫌っていた。自分のルックスが金になることを知っていた希津奈は、さっさと稼げるようになって、親父との縁を切りたがっていた。芸能界でのし上がって、大金を手に入れてな」

「それくらい、のし上がる気満々だった楯石希津奈が、どうして妊娠なんてしたんだ。

未成年のアイドルにとって、妊娠なんて致命的なスキャンダルだろ」

「そこはいくら大人びて計算高くても、まだまだガキだったたってことさ。本当に好きな男ができたら、周りが見えなくなっちまうんだ。恋に恋するお年頃ってやつさ」

「それで、どうなった？」

「もちろん、俺は中絶しろって言ったさ。アイドルとしてブレイクする寸前だったんだからな。体調不良ってことにして一、二ヶ月休んで、その間に堕ろせって」

僕たちから軽蔑の視線を浴びた比村は、慌てて手を振った。

「いや、勘違いするなよ。実際は中絶なんてしていないぞ。あいつは絶対産むって譲らなかったんだ。一度言い出したら聞かない奴なんで、俺もすぐに諦めたよ」

「せっかくブレイク寸前だったアイドルグループをそう簡単に諦められたのか？」

疑わしげに鷹央が訊ねると、比村は鼻を鳴らした。

「ブレイク寸前だったのはグループじゃなくて、希津奈だけだ。別にグループが解散しようが、希津奈さえいれば問題なかった。仕方がないから『学業に専念』とか名目をつけて一年ほど休養させて、出産してから女優としてでも再デビューさせるつもりだったんだよ。だから、口が堅いっていう産科医のいる病院に通わせた」

「……誰の子供を妊娠したかは言っていたか？」

「いいや、何度も問い詰めたけど、絶対に口を割らなかった。けどな、見当はついたよ。河合の野郎だ。あいつには『フリルズ』のマネージャーを任せていたが、特に希津奈にご執心でな。いつもかいがいしく面倒を見ていたよ。俺からすれば下心丸見えだったんだが、ガキからすれば『頼りになる爽やかなお兄さん』って感じに見えたんだろうな。所属アイドルに手を出したらクビだって、何度も言っていたのにあの野郎」

「お前だって、楯石希津奈を愛人にしようとしていただろ。この変態が」

鷹央に罵倒され、比村はうつむく。

「楯石希津奈の妊娠が分かったあとに、河合は行方不明になったんだな」

「ああ、二ヶ月くらいあとかな」

「妊娠発覚してから二ヶ月か。ちょうど安定期に入ったくらいだな。で……」

鷹央の目つきが鋭くなる。

「お前は、本当に河合が借金取りから逃げて姿を消したと思っていたのか?」

「は、半分くらいはそうじゃないかなと……」

「残りの半分は?」

間髪入れずに鷹央が質問を重ねる。比村はためらいがちに答えた。

「希津奈に……殺されたと思った」

比村が喉の奥からかすれ声を絞り出す。鷹央は淡々と「なぜ、そう思った?」と訊ねた。

「河合は外面（そとづら）はいいが、真正の屑だった。何人も女がいたし、そいつらに金をせびってはギャンブルにつぎ込んでいた。闇金にまで手を出していたぐらいだ。そんな奴に妊娠したなんて言ったら、返ってくる言葉は一つしかねえ。『さっさと堕ろせ』だ」

　鼻の付け根にしわを寄せる鷹央の前で、比村は堰（せき）を切ったように話し続ける。

「希津奈の言葉の端々から、子供の父親への信頼が感じられた。いくら計算高いと言っても、まだまだガキだったってことだな。そして、男を見る目がなかったのさ。だから、信頼が裏切られれば、どんなことをしてもおかしくなかった」

「それは、殺人でもということか？」

「ああ、そうだ」比村は静かに言う。「希津奈は基本的にガキとは思えないほど冷静沈着だが、その一方で腹を立てると手がつけられないことがあった。それに、グループの他のメンバーを、自分の引き立て役として割り切る残酷さもな。キレたら、なにをしでかすか分からないような女だったよ」

　比村はふっと表情を緩ませると、「まあ、その不安定さもあいつの魅力だったけどな」と付け足した。

「……凶器のトロフィーについては知っているか？」

「備品倉庫に置かれていたやつだ。埋める前、タイムカプセルもそこに保管していた」

「その部屋が犯行現場の可能性が高いな。トロフィーで殴り殺し、そこにあったタイムカプセルに遺体を隠した。タイムカプセルの錠はかけていなかったのか」

「かけていたとは思うけれど、たぶん鍵も倉庫に放っておいた気がする」

「つまり、開けて遺体を隠してから、錠を閉められる状態だったわけか。適当な管理だな。まあ、掘り起こす気がなかったんだから当然か。で、楯石希津奈が殺人を犯したかもしれないのに、お前はずっと黙っていたんだな」

鷹央が呆れ声で言う。比村は慌てて両手を大きく広げた。

「仕方ないだろ。別に希津奈が殺したって確証があったわけじゃない。たしかに、河合が消えてから希津奈は塞ぎ込んでいたけど、腹の子の父親が逃げ出したからだと思ってた」

「そう思い込もうとしていただけだろ。楯石希津奈が殺人犯として逮捕されたら、出産後に女優として売り込むという計画が台無しになるから」

鋭い指摘に、比村は目を伏せて黙り込む。

「それじゃあ、一番大切な質問だ。楯石希津奈が産んだ子供はどうなった？　そいつがいま、どこにいるのか知っているか？」

「子供……？　お前ら、知らないのか？」

比村は腫れぼったい目をしばたたくと、押し殺した声で言った。

「死んだよ。死産だったんだ」

「死産……？」

鷹央が呆然とつぶやくと、比村はため息交じりに頷いた。

「ああ、そうだ。妊娠九ヶ月ぐらいだったかな。復帰後すぐに女優デビューできるように、あいつは事務所で演技の指導を受けていた。そのときだよ、急に『腹が痛い』って言いだしたんだ。俺の車に乗せて、すぐに病院に連れていったけど、すでに赤ん坊の心臓は止まっていたってよ」

「……間違いないのか？」

「分娩室(ぶんべんしつ)に入って、死んだ赤ん坊まで見たんだからな。間違いねえよ」

そのときのことを思い出したのか、比村は顔をしかめた。

「それから、どうなった？」

「どうなった？」比村は気怠(けだる)そうに言う。「希津奈は完全に壊れちまったよ。すべてを捨てる覚悟までして産もうとした赤ん坊が死んじまったんだからな。完全に生気を失って、素人の俺から見てもまともじゃないのは明らかだった。そして、……姿を消したよ」

「姿を消した？」

「ああ、そうだ。あいつが父親に連れられて退院してから、希津奈とは完全に連絡が取れなくなった。うちの会社は稼ぎ頭を失って、そのまま傾き、数年前に潰れて、俺はこんな怪しい風俗店の雇われ店長にまで身を落としたというわけさ」

さすがに話し疲れたのか、比村は力なく俯いた。

「なるほどな。大まかな話は分かった。あとは、ちょっとこまごまとした質問がある。それに答えろ。まずは……」

鷹央が喋っているのを聞きながら、僕は頭の中を整理する。

楯石希津奈の子供は死んでいた。ということは、骨壺の中に残っていた歯は、その死産した胎児のものだったのだろうか？　しかし、母親と胎児の遺骨を混ぜるなんてことを果たしてするだろうか？

楯石希津奈の子供が産まれていなかったことで、『死者の復活』と『永遠の若さ』の謎も振り出しに戻ってしまった。様々な事実が分かってきたにもかかわらず、真相からどんどん遠ざかっているような感覚をおぼえる。

僕が頭を押さえていると、鷹央は「これで最後だ」と、スマートフォンの画面を比村に見せた。そこに、オンラインサロンにアップされている動画が映し出される。

『皆さんがご存知の通り、私は蘇りました。そして古い身体を捨てたことにより、十六年前の罪からも逃れることができました。もはや、警察も私に手出しをすることはできません。これから私は皆さんに、永遠の若さを得るために必要な修行について少しずつお教えします。それは簡単な道ではありません。おそらく、ほとんどの方は途中で挫折するでしょう。しかし、その苦行に耐えた者には、光り輝く世界が……』

滔々と語る『キヅナ様』の動画を見た比村は、「希津奈……？」と小声でつぶやく。

「なんなんだ、この動画は？　こんなもの撮影した覚えはないぞ」

「そりゃそうだ。これが撮影されたのはごく最近なんだからな」

比村の顔に混乱が浮かぶ。

「なに言ってんだよ。だって、どう見てもこれは、うちにいた頃の希津奈じゃねえか」

「十六年前まで、アイドルとして手元に置いて必死に育てあげていたお前にも、これは楯石希津奈に見えるということだな。なるほど、参考になった」

鷹央は勢いよく立ち上がる。セーラー服のスカートがふわりと揺れた。

「よし、もうこいつに用はない。行くぞ」

『制服大作戦』が入っている雑居ビルを出ると、成瀬が乱暴に髪を掻いた。

「楯石希津奈が子供を死産したということは、骨壺に残っていた小さな歯は、その胎児のものだったってことですかね？」

「その可能性はあるな。なぜ、わざわざ楯石希津奈の遺骨と混ぜたのか……。いや、もしかしたら混ぜていないのか。もともとあの骨壺の中には、死産した子供の遺骨だけが入っていた？　つまり、楯石希津奈の遺体は火葬されておらず、そのまま蘇った？　だとすると、蘇った『キヅナ様』に遺体と同様の手術痕があったのも納得できる。しかし……」

成瀬が大きく舌を鳴らす。

「そんなオカルトじみた仮説に興味はありません。現実的な話をしてくださいよ。わざわざ歌舞伎町まで出張ってきたのに、結局なにも分からなかったじゃないですか」

「そんなことはないぞ」鷹央は口角を上げる。「楯石希津奈が子供を死産していたということで、河合との間にできた子供がどこかにいて、事件にかかわっているという仮説が否定できた。これは大きな前進だ」

「じゃあ、事件の謎が解けたんですか？」

まったく期待していないことを隠そうともしない口調で成瀬が訊ねる。

「いや、まだだ。ただ、事件の核心にだいぶ迫ってきた感覚はある。あと少し。あと少しで、この濃い霧の奥にある真相が見えてくるはずだ。期待して待っていろ」

鷹央に腕を叩かれた成瀬は、「期待せずに待ってますよ」と渋い表情になる。

「で、これからやるべきことは分かっているな」

「ええ、新宿署に行って、顔見知りの刑事にこの店のことを教えます。天久先生が録音した会話の内容があれば、きっとすぐにガサ入れの許可が下りるでしょう」

「あれ？　警察は手を出さないっていう約束は破るんですか」

ブレザー姿の鴻ノ池が、小首をかしげる。

「約束を破るなんて、人聞きの悪いことを言わないでくださいよ、鴻ノ池先生」

成瀬はいかつい顔に、皮肉っぽい笑みを浮かべる。

「私が約束したのは、『うちの署は手出ししない』ということです。私は田無署の刑事ですから、この地域の管轄（かんかつ）である新宿署が捜査する分には約束を破ったことにはなりません」

おそらく、最初から鷹央とそのような打ち合わせをしていたのだろう。

僕の想像を裏付けるように、鷹央も笑みを浮かべていた。

「なあ、成瀬。しっかり色々な証拠をつかんで、比村がちゃんと実刑を喰らうように、新宿署の刑事に言っておいてくれ。中途半端に執行猶予でもつこうものなら、あいつが自慢の『ケツ持ち』になにをされるか分かったもんじゃないからな」

そこで言葉を切った鷹央は、目を細めて『制服大作戦』の看板を眺める。

「あんなクズでも、東京湾の底行きはさすがにかわいそうだ」

6

「ええっと、天久鷹央さんと、天久優さんですね」

初老の男性医師が問診表を見ながら、テーブルを挟んで向かい側の椅子に腰かける。わずかに白髪のまじった頭をきれいにワックスで固め、糊のきいた白衣を着た姿は、いかにも『信頼に足る医師』といった雰囲気だった。

「ああ、そうだ」

潑溂と答える鷹央の声を聞きながら、僕は「はい……、そうです」と肩を落とす。

歌舞伎町で比村の話を聞いた四日後の午後九時。僕は鷹央とともに、練馬にある産科病院にやってきていた。この病院こそが、比村の言っていた「色々と無理を聞いてくれる病院」だった。

「院長の神無月と申します。えー、今日は不妊治療についてのご相談ということですね。時間は十分にありますので、ゆっくりとお話をしましょう」

この相談にくる一般的な女性に比べ、鷹央があまりにも幼く見えるせいか、わずかにいぶかしげな口調になりつつも、神無月は柔らかい笑みを浮かべる。

この神無月レディースクリニックは個人病院としてはかなりの規模を持ち、一般的な産科診療以外に、最先端の不妊治療も行っている。その一環として、自由診療として不妊に悩むカップルに対して時間をかけて相談に乗るというサービスがあった。

鷹央は確実に神無月と話をするため、四日前、歌舞伎町から〝家〟に戻ってすぐ、セーラー服を着替えることもせず、ネットで予約を取ったのだった。

……僕と夫婦だという設定で。

「ああ、いろいろと訊かせてもらうとしよう」

あごを引いた鷹央は、舌なめずりをした。

「ではまず、基本的なことをうかがいますが、お二人が結婚なさったのはいつ頃ですか？」

神無月の質問に、僕と鷹央は顔を見合わせる。不妊治療の相談という建前で予約を取っただけなので、そこまで詳しい設定は考えていなかった。

「あー、いつ頃にする？」

鷹央の間の抜けた質問に僕はこめかみを掻く。

「去年の七月からとかでいいんじゃないですか？」

僕が統括診断部にやってきたのが、その頃だ。鷹央の「じゃあ、去年の七月ということで」という答えに、神無月の顔に困惑が浮かぶ。

「で、では。お二人は月に何回ほど性行為をされていますか？」

あけすけな質問に一瞬、ぎょっとするが、不妊治療の相談を受けるために当然必要な質問だ。ふと気づくと、鷹央が僕の横顔をじっと見つめていた。

「これはどうする？」

どうするじゃないでしょ。

「もういいんじゃないですか、そろそろ種明かしをしても。時間がもったいないですし」

僕がため息まじりに言うと、鷹央は「そうだなぁ」とあごを撫でる。

「お前の生殖機能の検査をしてもらうぐらいまでは、引っ張ろうと思っていたんだが……」

「もういいんじゃないですか！」

鷹央は「大きな声を出すなよな」と顔をしかめながら神無月に向き直った。

「こんなむさい男と性行為なんてするわけがないだろ」

むさい男で悪かったな。内心で愚痴をこぼしていると、鷹央が「可愛らしい女の子ならともかく」と付け足す。……聞こえなかったことにしよう。

「なにを言ってるんですか？　性行為をしていないなら、不妊かどうかなんてわからない」

神無月の顔に、困惑が色濃く浮かんだ。

「私たちは不妊の相談に来たんじゃない。お前を尋問しに来たんだ」

「尋問、ですか？」

「そうだ。楯石希津奈について、知っていることを全て話してもらおうか」

「楯石……希津奈……？」神無月の顔から血の気が引いていく。

「そう、楯石希津奈だ。知っているだろ。十六年前、ここの病院で死産した少女だ」

「……患者の個人情報を他人に伝えられるわけがない」

「そんなことを言っていいのかな？　秘密を知っているんだぞ」鷹央は唇の端を上げる。

「秘密……？」神無月は警戒で飽和した声でつぶやいた。

「ああ、そうだ。十八年前、この病院では医療事故が起きて、妊婦とその子供が亡くなっているらしいな。その噂が周囲に広がってもいいのか？」

勝ち誇った態度で鷹央が言った瞬間、こわばっていた神無月の表情が一気に緩んだ。

「なんだ、そんなことか？」

鷹央が「そんなこと？」と、まばたきをくり返すと、神無月は大きく手を振った。

「その噂をばらまきたいならご自由に。たしかに、この病院では十八年前に医療事故があった。けれど、それは私がここの院長になる前の話です。私はそれにかかわっていないし、すでにあれから十八年経ち、地域の信頼も得ている。どこの馬の骨とも分からない者たちが誹謗中傷をしようとも、うちの病院にはなんの影響もありませんよ」

「え、でも、比村が……」

唖然としつつ、鷹央が声をこぼす。先日、比村が言っていたのだ。十八年前、この病院で医療事故があったことを知り合いから聞いた。その噂をばらまくと脅せば、神無月はどんな無茶な要求にも従うと。

「比村さんか」神無月は苦笑を浮かべる。「全部、あの人の勘違いですよ。十八年前のことなんて、新聞にまで載ったんだから多くの人に知られている。なぜか、それで私を脅していると思い込んでいるんだ」

「じゃ、じゃあ、あいつに無理やり不法な診療を強いられているっていうのは……？」

「不法な診療なんか何一つしていない。ただ、あそこで働いている女性たちの性病の検査や、場合によっては中絶手術などを引き受けているに過ぎない。気がのらない仕事ではあるが、私がやらないと女性たちが不幸になるだけだから。疑うなら、警察にでも通報すればいい。私には何一つやましいことはないんだからね」

神無月の態度からは完全に動揺が消え去っていた。

「ただ、もしそういうことをするなら、私にも考えがある。名誉毀損で刑事、民事ともにしっかりと対応させていただくからそのつもりで」

勢いよく立ち上がった神無月は、出入り口に近づくと扉を開いた。

「お引き取りください」

「いや、でも……、相談料は一時間分払っているし……」

「料金はいらないからすぐにお引き取りください。さもないと、通報しますよ」

「鷹央先生、行きましょう」

完全に負けだ。これ以上粘っても立場が悪くなるだけだ。僕に促された鷹央は、桜色の唇を噛(か)みながら立ち上がると、大股(おおまた)で出入り口に向かった。

ああ、また機嫌を直すのが面倒だな。僕は頭を掻きながら彼女のあとを追う。

部屋から出ると、大きな音を立てて扉が閉められた。

「鷹央先生、待ってくださいよ」

神無月レディースクリニックを出た僕は、一人でずんずんと歩いていく鷹央に駆け寄る。

「比村の野郎、適当なことを教えやがって。あいつのせいで恥をかいた。やっぱり、情けなんてかけずに、東京湾の底行きの片道切符をやるべきだった」

「物騒なこと言わないでくださいよ。帰って作戦を練り直しましょう」

足を止めた鷹央は、「やだ！」と腕を組んでそっぽを向く。

「やだって、どうするんですか？　ここにいても仕方がないでしょ」

「やだったら、やだ！」

思惑が外れたことで完全に拗ねているのか、鷹央は二歳児のように駄々をこねる。

ああ、面倒くさい。とりあえず、なんか甘いものでも口に突っ込んでおくか。そう思った僕はあたりを見回す。洒落たカフェが街灯に照らされているが、さすがに午後九時を過ぎているだけあって、すでに全て閉まっている。

コンビニスイーツでも買い与えておくか。けれど、ここまで機嫌悪くなると、量産品じゃだめな気がするな。これまでの鷹央との付き合いで、どの程度のグレードの甘味が必要か頭の中で計算していると、陽気なアニメソングがあたりに響きだす。

鷹央がポケットから取り出したスマートフォンには、『舞』と表示されていた。

鷹央は『通話』のアイコンに触れると、スピーカーモードに切り替える。

『いえーい、鷹央先生！』

スマートフォンから鴻ノ池の陽気な声が響いてくる。見ると、頬を赤く染めた鴻ノ池が、居酒屋らしき場所で顔見知りの女性と肩を組んでいた。天医会総合病院産婦人科の部長である小田原だった。

『鷹央ちゃーん、聞こえてるー』

完全に出来上がっている小田原が大きく手を振る。

「そんなでかい声を出さなくても聞こえてるよ」

『あらー、鷹央ちゃん、ご機嫌ななめねえ。こっちにきて一緒に飲むぅ？』

「舞とはこの前飲んだし、お前と飲んだら、なんかおもちゃにされそうだからやだ」

『そんなこと言っていいのかなぁ？ こっちには、若いナースがいっぱいよぉ』

画面の角度が変わり、十数人の若い女性が楽しそうに手を振っているのが映る。

「……行こうかな」「ええ、ぜひ行きましょう」

僕と鷹央がそんなことを囁き合っていると、鴻ノ池が声を上げた。

『あー、そういえば鷹央先生、完全に酔っぱらう前に報告しておきますね。凄いこと分かりましたよ。本当に凄いこと』

蕩けていた鴻ノ池の目つきが、わずかに鋭さを取り戻す。

『先生たちが行っている病院で、十八年前に起きた医療事故について色々分かりました』

鷹央は「本当か⁉」と画面に顔を近づけた。

十八年前の事故については、ネットで調べたものの、かなり昔の事件だということもあり、詳しい情報を得ることができなかった。そのため、鷹央は鴻ノ池に情報を集めるように指示を出していた。

極めてフットワークが軽く、異常なコミュニケーション能力を誇る鴻ノ池は、おそろしく顔が広い。その交友のネットワークは、天医会総合病院や出身大学にとどまらず、蜘蛛の巣のように四方八方に広がっていた。医者の世界は狭いうえ、学会や学生時代の部活の交流などで、かなり密な繋がりをもっている。鴻ノ池なら十八年前の事件について詳しく知っている者を見つけられるのではないか、という鷹央の読みだった。

『けっこう頑張ったんですよ。まずは、小田原先生に頼んで産科医の顔見知りのなかで、神無月っていうドクターの同僚を探して。その人から、十八年前、神無月の外来を担当していた看護師が誰か調べて。その看護師に新人時代指導してもらっていたナースがいまも現役で働いているっていうから、その人と仲良くなって、十八年前の情報を探ってもらって。そして今日の飲み会をセッティングしてきてもらって、色々と話を聞いたんです』

「……お前、凄いな」

賞賛と呆れが混じった声が漏れる。親友の循環器内科医にも、似たような特技を持っている奴がいるが、あいつと遜色ない情報収集能力だ。

『もっと褒めてください』

嬉しそうに目を細める鴻ノ池に、「それで、なにが分かったんだ？」と焦れるように訊ねた。

『ああ、すみません。えっと、神無月は大学の准教授だったんですけど、非常勤のバイトとして定期的にその病院に勤めていたらしいんですよ。で、十八年前、当時の院長が大きな医療事故を起こして、逮捕されたらしいです。最終的にはかなりの慰謝料を払うことで不起訴になったみたいですけど、逮捕の噂が広まってそのままじゃ経営を維持できないってことで、神無月が代わりに院長に就任して病院の経営体制を一新したんですって』

「なんだよ、それだけか」

鷹央の声に失望が混じる。鴻ノ池の報告には、目新しい情報は含まれていなかった。

『それだけじゃありません。ここからがサプライズなんですって。いまは神無月レディースクリニックになってるその医療施設、十八年前まではなんて名前だったと思いますか？　聞いたらもう、頭が真っ白になりますよ』

「そんなの分かるわけないだろ」

焦れてきたのか、鷹央は体を細かく揺すりはじめる。画面の中の鴻ノ池が指を鳴らした。

『楯石産科病院です』

「楯石⁉」

僕と鷹央の声が重なる。鴻ノ池の予告通り、思考が一瞬、真っ白に塗りつぶされた。

「え？　楯石って、なんで……？　意味が……」

　混乱する僕の隣で、鷹央は空中の一点を見つめる。その手からこぼれたスマートフォンを、僕は地面につく前に慌ててキャッチした。

「医療事故が起きたのは、十八年前の七月十二日……、そしてあの動画の日付は……」

　声をかけかけた僕は、鷹央が脳内で過去に見た映像を再生していることに気づき、口をつぐむ。次の瞬間、鷹央は踵を返して走り出した。

「あっ、鷹央先生、待ってください！」僕は慌てて鷹央を追う。

『あれー、鷹央先生、どうしたんですかぁ？　聞こえてますかぁ？』

「鷹央先生がなにかに気づいたみたいだ。切るぞ」

『えー、じゃあ、合流しないんですかぁ？　可愛いナースいっぱいいるのに』

　激しい逡巡に襲われる。できることなら、このまま飲み会へと走っていきたい。けれど、鷹央を一人で放っておくわけにいかなかった。

「断腸の……思いだが……合流は……できない」

『いや、そんな辞世の句を詠むような声出さなくても……』

　鴻ノ池の突っ込みを聞きながら『終了』のアイコンに触れた僕は、地面を蹴った。見ると、鷹央は再び神無月レディースクリニックへと吸い込まれていった。

「あっ、お待ちください。もう閉まっています」

受付の女性の声を無視した鷹央は、廊下を走って階段を上がる。鷹央に追いつき、ともに三階まで上がると、さっきまでいた面談室から神無月が出てくるところだった。

僕たちを見て、神無月の顔がこわばる。

「いい加減にしろ、本当に通報するぞ」

「好きにしていいぞ。困るのはお前だと思うけどな」

鷹央が不敵に笑ったとき、背後から足音が聞こえてきた。振り返ると、看護師が警備員を連れて階段を駆けあがってきている。

このままでは摘まみだされる。いや、最悪、本当に警察に通報される。僕が頬をひきつらせたとき、鷹央がつぶやいた。

「十八年前の事件、いったい執刀していたのは誰なんだろうなぁ……」

神無月の顔が、炎にあぶられた蠟のようにぐにゃりと歪んだ。

「おい、お前たち、さっさと出ていけ」警備員が近づいてきて、僕に手を伸ばす。

「やめろ！」

叫び声が壁に反響した。真っ青な顔で震えている神無月の叫び声が。警備員が「でも、院長……」と戸惑いの表情を浮かべる。

「いいんだ、行ってくれ。私はこの方たちと話がある」

警備員と看護師は、納得いかない様子ながらおとなしく戻っていく。二人の姿が見えなくなると、鷹央は舌なめずりするように桜色の唇を舐めた。

「とっとと面談室に戻ってもらおうか。私が予約した時間、じっくりと尋問させてもらうぞ。……じっくりとな」


「さて、それじゃあ、どこから話そうか」

椅子にふんぞり返り、足を組んだ鷹央が言う。面談室に戻った僕たちは、さっきと同じようにテーブルを挟んで神無月と向かい合うように座っていた。

「とりあえず事実の整理からはじめるか。おい」

鷹央に声をかけられた神無月は、俯いたまま体を大きく震わせる。

「ここはかつて楯石産科病院という名称で、院長は楯石源蔵だった。お前は非常勤の医師としてこの病院に勤めていた。そうだな？」

神無月の震える唇がわずかに開くが、そこから声が漏れることはなかった。

「そうだな？」

鷹央が再度、強い口調で訊ねると、神無月は「はい、そうです」とかすれ声で答える。

「十八年前、楯石源蔵はこの病院で医療事故を起こし、逮捕された。高額の慰謝料を払うことで起訴こそ免れたが、産科医として引退に追い込まれた楯石源蔵に代わって、お前がこの病院を引き継ぎ、院長に就任した。ここまでは間違っていないな」

「間違っては……いません」

俯いたまま、神無月が探るような視線を送ってくる。鷹央は大きく舌を鳴らした。

「なにが間違っていないだ。この嘘つきめ。十八年前と言えば、すでに楯石希津奈がアイドルとしてデビューしていたころだ。娘のことを溺愛していた源蔵は、地方公演などには絶対についてきたと比村が言っていた。そして……」

鷹央はスマートフォンを取りだすと、動画投稿サイトを開き、荒い画像の『フリルズ』のライブ映像を映し出した。

「これは、楯石希津奈が所属していたアイドルグループのライブ映像だ。センターで踊っているのが、楯石希津奈だな。そして、これが撮影された日付は、この病院で医療事故が起こったとされる日で、このライブが行われた場所は広島だ」

神無月の喉から、「ひぃ」という弱々しい悲鳴が漏れた。

「つまりその日、楯石源蔵は広島にいて、この病院にいるわけはなかった。では、本当は誰が医療事故を起こしたのかな？」

鷹央はすっと目を細めて神無月を見る。神無月は露骨に視線をそらした。

「そういえば事件後、非常勤医師でしかなかった誰かが院長に就任しているな。まるで、責任を取るように。普通、大学病院で准教授にまでなっていたら、こんな個人病院の院長なんかじゃなく、大学の教授か、大病院の診療部長あたりを目指すんじゃないか？　それに、その人物は比村にかなり便宜を図っていたという。それはもしかしたら、ここを比村に紹介したのが、楯石源蔵だったからじゃないのかなぁ？　どうなんだろうなぁ？」

鷹央はねっとりと言いながら、顔を傾けて斜め下方から神無月を睨め上げる。さっき追い出されたのが、よっぽど腹に据えかねたのだろう。完全にいたぶって楽しんでいる。

前から思っていたけど、この人ってかなりのSだよな。

「も、もう、十八年も前のことだ。もう……、時効だ」神無月がぼそぼそと話しはじめる。

「時効？　そうかな？　これは未解決事件なんかじゃない。お前が全然関係ない人間を身代わりにして逮捕を逃れたと警察が知ったら、再捜査になるんじゃないか。それに、法的に責任がなかったとしても、道義的責任はどうだろうな？　実は自分が起こした医療事故を隠していたということが世間に知られたら、お前の立場はだいぶ悪くなるんじゃないか」

鷹央の脅しに、神無月の顔からみるみる血の気が引いていく。

「私がお前の立場なら、素直に全て告白するがな。……警察に通報される前に」

神無月の表情が弛緩していく。力なく開いた唇から、弱々しい声が漏れだした。

「前置胎盤だったんだ。けれど、エコーでは指摘されていなかった。出産がはじまった瞬間、大量出血して止められなかった。開腹して必死に処置をして止血できたんだが、母体が持たずに心停止したんだ。胎児も……。あんなの、設備が整った大病院でもなければ、救命は不可能だった。私は全力で助けようとしたんだ。……助けたかったんだ」

神無月は悲痛な声を絞り出すと、両手で頭を抱えてテーブルに突っ伏した。その痛々しい姿に、鷹央もさすがにサディスティックな笑みをひっこめ、こめかみを掻く。

「悲惨な出来事だが、医療過誤というわけじゃなさそうだな。お前に大きな落ち度はないはずだ。なら、なぜわざわざ楯石源蔵を身代わりにしたんだ？」

「亡くなった女性の夫がマスコミの関係者で、父親が都議会議員だったんだ」

状況を察して、僕の口から「ああっ……」と声が漏れる。

「夫は完全に医療過誤だと決めつけ、テレビで大々的に取り上げてやると叫び続けた。父親も私に二度と医師として仕事をできなくしてやると脅した」

医療が高度に発達した現在、出産で命を落とすことはこの日本では極めて少なくなった。だが本来、出産というのは命がけの行為だ。どんなに注意し、なんのミスもなかったとしても、悲劇を百パーセント防ぐことはできない。

しかし、残された遺族がそれを受け入れるのは難しい。新しい命の誕生という、喜びにあふれた瞬間を期待していたにもかかわらず、家族の死という最悪の結末を突き付けられるのだから。その落差が激しい怒りとなり、医療者に向けられることは少なくなかった。

「どうしていいか分からなかった。そのまま警察を呼ばれることになった。そのとき事故が起こってすぐに連絡を入れていた楯石先生が、広島から戻ってきてくれたんだ」

「楯石源蔵がすべての責任を被(かぶ)ったんだな」

「ああ、そうだ」神無月はかすかにあごを引く。「戻ってきた楯石先生はすぐに、『すべて私がやったことにするから任せておけ』と言った。家族に会った瞬間に土下座し、自分が処置を行った。前置胎盤を見抜けなかったのも、出血が起きてから救命できなかったのも、全部自分の技術が未熟だったせいだと告げた。そのうえで、どんな罰でも受けるとな」

「それで騙(だま)せるものか？　カルテなどにお前が担当したという記録が残るだろ」

「あの頃は紙カルテだったから、警察に押収される前に徹夜で全て書き換えた。一緒にいた看護師にも、金を払って口をつぐませた。そして、自分のミスで患者が死んでしまったと、警察に楯石先生自ら通報した」

「なぜ、楯石源蔵はそこまでして、お前を助けたかった？」

「助けたかったわけじゃない」神無月は歯を食いしばった。「楯石先生は私に恩を売りたかった。いや、私の弱みを握りたかったんだ」

「どういう意味だ？」

「楯石先生は当時、医師としてのモチベーションを完全に失っていた。それよりずっと前、奥さんを亡くしてからというもの、娘さん以外のものに全く興味を示さなくなった」

「お前は、楯石源蔵のことをよく知っているのか？」

「知っている。うちの大学の大先輩だからな」

「妻との関係については」

鷹央が訊ねると、神無月の表情が複雑に歪んだ。

「ああ、もちろん知っている。楯石先生は奥さんにべた惚(ぼ)れだったよ。完全に奥さんのために生きているという感じだった。一度だけ会ったことがあるが、楯石先生より十歳以上若くて、目が醒(さ)めるほどに美しい女性だった。ただ、……美人薄命でな」

「白血病か」

「よく調べているね」神無月は弱々しい笑みを浮かべる。「そう、奥さんは白血病になった。そのときの楯石先生の狼狽ぶりと言ったら、痛々しくて見ていられなかったよ。なんとか寛解になったけれど、そのあとすぐに妊娠したと聞いて耳を疑った。白血病の治療が一段落してすぐ、しかも透析をしている状態で妊娠なんて……」

「透析？　楯石歌子は透析治療を受けていたのか？」

「そうだ。白血病の治療の副作用でな」

　白血病の治療で使用される抗癌剤の中には、腎毒性を持つものがある。それにより、歌子は腎機能を喪失し、透析治療が必要になったのだろう。

「透析を受けながらも妊娠、出産をし、そして白血病が再発して命を落としたのか……」

「楯石先生の悲しみようは尋常じゃなかったよ。まさに、世界が終わったって感じだ。抜け殻になった。仕事への情熱も完全に失って、院長といってもほとんど診療はしなくなっていた。十年以上、何人か非常勤の産婦人科医を雇うことで、なんとか楯石産科病院は回っていたんだ。けれど当然、院長がそんな状態では受診する妊婦も少なくなる、経営はかなり厳しかったはずだ」

「だから、自分の代わりにこの病院を盛り上げる院長を探していたということか」

「ああ」神無月は力なく頷いた。「それが身代わりになってもらう交換条件だった。そして、私は大学を辞め、この病院の院長になったんだ」

そこまで話し終えると、神無月は「もう、いいだろ」とつぶやいて、魂が抜けたかのように、こうべを垂れた。

「おいおい、なに勝手に終わらそうとしているんだ。本番はこれからだ。これから私がする質問にちゃっちゃと答えろ。ちゃっちゃとな」

鷹央はバンバンとデスクを叩く。神無月の口から「ううっ」とうめき声が漏れた。

……容赦ないな、この人。引いている僕の隣で、鷹央は口を開く。

「まず、十六年前、楯石希津奈が死産したというのは本当か？」

「本当だ。ここに救急搬送されたときにはすでに胎児の心拍は停止していた。妊娠は順調だったのに、なぜかは分からなかった。子宮収縮薬を投与して、胎児の遺体を取り出した」

「そのときの、楯石希津奈の様子は」

「希津奈さんは完全にパニック状態だった。なにがあったか分からないが、安定期に入ったあたりから、希津奈さんの精神状態は極めて不安定になっていて心配していたんだよ」

それは、お腹(なか)の子の父親である河合を殺害し、その遺体をタイムカプセルの中に隠したからだろう。もしかしたら、強いストレスに蝕(むしば)まれたことにより体調が悪化し、最後には胎児の命を奪ってしまったのかもしれない。僕がそんなことを考えていると、鷹央は「では、楯石源蔵は？」と質問を重ねた。

「楯石先生が到着したときには、すでに胎児を取り出したあとだった。彼はその遺体をじっと見つめていたよ。無表情でずっとね。なにを考えているのか、どんな気持ちなのか分からず、私は声もかけられなかった」

「その胎児の遺体はどうしたんだ？」

「遺体？　楯石先生が荼毘に付したはずだが」

ということは、やはり『死者の復活』を目撃した際、骨壺の中から見つけた小さな歯は、死産した胎児のものだったのだろうか。

「もう……、いいかな？」

おずおずと神無月が言うと、鷹央は強くデスクを叩いた。

「私を舐めるなよ。楯石希津奈について、知っていることを全て吐けと言ったはずだ。次の子供のことを話せ！」

僕が「次の子供？」とつぶやくと、鷹央は横目で湿度の高い視線を向けてきた。

「お前、まだ気づいていないのか？　楯石希津奈が妊娠したのは、その一回じゃない。なぜなら、十六年前に死産した際には、帝王切開は行っていないんだからな」

僕は「あっ⁉」と声をあげる。

「今頃気づいたのかよ。さっきこいつは、子宮収縮剤を投与して、死亡した胎児を取り出したと言っていた。つまり、帝王切開をしたわけではないんだ。しかし、防波堤で見つかった楯石希津奈と思われる遺体の子宮には、帝王切開の跡があった。つまり、死産のあと、楯石希津奈はもう一度妊娠し、そして帝王切開を受けているんだ。そうだろ？」

神無月は「いや、それは……」としどろもどろになる。

「そうだろ？」

鷹央は椅子から腰を浮かし、デスクに両手をつくと、ぐいっと神無月に顔を近づけた。神無月は息も絶え絶えに、「そ、そうです……」と答える。

「やっぱりな。娘の帝王切開を行うなら、院長の弱みを握り、実質的に自分が支配しているこのクリニックでするに決まっているよな。さて、詳しく聞かせてもらおうか」

「いや、死産から数ヶ月後に希津奈さんはまた妊娠して……、ただ、逆子だったから帝王切開での出産が安全だと……」

「そんなことを訊いているんじゃない！」

鷹央の怒声に、神無月は首をすくめる。

「その子供の父親は誰だった？　楯石希津奈は誰の子を妊娠したんだ？」

「それは……、分からない」

鷹央の顔から、潮が引くように表情が消えていった。

「小鳥、すぐに成瀬に連絡しろ。こいつを参考人として聴取してもらうから」

「ま、待ってくれ」泡を食って神無月が言う。「本当に父親は知らないんだ。だけど、別のことなら知っている」

鷹央は「別のこと？」とつぶやくと、神無月はためらいがちに告げた。

「希津奈さんは自然妊娠したんじゃない。受精卵を移植されたんだ」

「受精卵を移植ぅ⁉」鷹央の声が裏返る。「つまり、受精卵を子宮に移植することで妊娠したってことか？」

神無月が「そうだ」とあごを引くと、鷹央は眉間にしわを寄せて考え込む。

「たしかに不妊治療では、体外で受精させた卵子を子宮に移植することがある。他にも、受精卵を代理母に移植して出産してもらう、代理出産の技術も確立している。ということは、楯石希津奈が妊娠したのは、自分の子供でなかった可能性すらあるってことか？」

こめかみを押さえた鷹央は、じろりと神無月を見た。

「その受精卵は、誰の精子と誰の卵子を受精させたものだったんだ？」

「それは分からない」

「……小鳥、警察」

鷹央があごをしゃくると、「本当に分からないんだ！」と神無月は涙声で叫んだ。

「ただ、希津奈さんの卵子ではなかったはずだ」

「どうしてそう思う？」

「希津奈さんに移植された受精卵は、かなり以前からこの病院に凍結保存されたものだった。少なくとも、私が非常勤としてここで働きはじめた三十年前には、保存されていた」

凍結保存。卵子や受精卵を超低温で凍結することにより、長期間保存する技術。

「ああ、このクリニックは不妊治療にも力を入れているから、凍結保存までできるのか。しかし、三十年前ということは、楯石希津奈はまだ二歳だったはずだ。さすがにその年齢で、卵子を採取するとは思えないな。ということは、十五年前に楯石希津奈は、自分の子供ではない胎児を妊娠したということか……」

いったいなんで、そんなことをする必要があったというのだろう。

あまりにもわけのわからない状況に頭痛をおぼえる僕の横で、鷹央は腕を組んでぶつぶつつぶやき続ける。

「誰のものか分からない受精卵……、齢(とし)を取らない少女……、死者の復活……、遺体と同じＤＮＡ……。白血病！」

鷹央は唐突に、二重の瞳(ひとみ)を大きく見開き立ち上がる。

「え？　白血病がどうしました？　なにか気づいたんですか？」

訊ねるが、僕の質問が耳に入らないのか、鷹央は天井を見上げて声を上げ続ける。

「楯石歌子は白血病だった。そして、一度は寛解していたんだ。ああ、私はなんて間抜けだったんだ。こんな簡単なことに気づかなかったなんて。けれど、これで謎は解けた」

鷹央は椅子が倒れそうな勢いで立ち上がると、出入り口に向かう。

「え、もういいんですか？　どこに行くんですか？」

僕が慌てて声をかけると、ドアノブを摑んだ鷹央は、いたずらっぽく微笑んだ。

「なにぼーっとしているんだ。舞、桜井、成瀬を呼び出せ。〝家〟に戻って作戦会議だ」

7

黒塗りのリムジンが狭い路地に停車する。運転手が素早くおり、後部扉を開けた。恰幅の良い高齢男性に続いて、白いワンピースを着た少女が降りてくる。その顔は、息を吞むほどに整っていた。

運転手は恭しく一礼したあと、運転席に戻って車を発進させた。

「よう、久しぶりだな」

小走りに近づいていった鷹央が声をかける。自宅の門扉に手をかけていた楯石源蔵は、じろりとこちらを見た。

「……またお前たちか」源蔵は舌を鳴らす。

神無月レディースクリニックを訪れた翌日の水曜日、鷹央、僕、鴻ノ池、桜井、成瀬の五人は、保谷にある楯石家の前にやって来ていた。一時間前まで、希津奈がオンラインサロン会員用のライブ配信をしていたので、それが終わって帰宅するところを待ち構えていたのだ。

「リムジンで移動とは、なかなか豪勢だな。オンラインサロンがかなり儲かっているのか？　今日も配信、ご苦労さん」

「お前たちには関係ない」

門扉を開ける源蔵に、「それが関係あるんだな」と鷹央は笑いかける。

「なんといっても、『永遠の若さ』と『死者の復活』の謎が解けたんだからな」

源蔵の動きが止まる。希津奈は不安げに、源蔵のそばで体を小さくしていた。

「……なんのことだ？」源蔵は低くこもった声で言う。

「とりあえず、家にあげてくれないか。こんなところで話したら、誰に聞かれるか分かったもんじゃない。お前たちにも都合が悪いんじゃないか？」

硬い表情で十数秒押し黙ったあと、源蔵は「入れ」とあごをしゃくった。

家にあがった鷹央は、源蔵たちの後ろについて廊下を歩きながら周囲を見回す。

「あまり掃除が行き届いていないな。床に埃が溜まっているぞ」

「掃除は苦手だ」振り返ることなく源蔵が答える。

「お前が掃除をしなくても家政婦がいたじゃないか」

僕は先々月、閉鎖病棟で会った、伊豆花江という名の太った女性を思い出した。

「……あいつはいなくなった」

たしかに、閉鎖病棟でも源蔵と花江はかなりもめていた。あんなふうに叱責されれば、いくら『キヅナ様』に心酔している者でも、出て行ってしまうだろう。

源蔵が廊下の奥にある扉を開いた。そこは、なんの変哲もないリビングダイニングだった。十畳ほどの空間に、ダイニングテーブル、ソファー、テレビなどが置かれている。

源蔵は鞄からノートパソコンを取り出し、部屋の隅にあるパソコンデスクに置いた。

「普通の家だな。神無月レディースクリニックの実質的なオーナーとして、それなりに稼いでいたんじゃないのか？　それとも、無駄遣いをしすぎて、あまり余裕がなかったのかな。怪しいオンラインサロンを開かないといけないくらい」

鷹央の挑発的な言葉に唇を歪ませながら、源蔵は希津奈と並んで、ダイニングテーブルの席につく。その対面に鷹央も腰掛けた。僕たちは鷹央の後ろに立つ。

「しかし、オンラインサロンはうまくいってるようだな。そこのノートパソコン、ハイスペックの最新版だろ。かなり値が張るはずだ。オンラインサロン用の動画編集に使うのかな？」

　鷹央がパソコンデスクを指さすと、源蔵が舌を鳴らした。

「こっちは忙しいんだ。さっさと話をはじめろ」

「分かった分かった。それじゃあクライマックスといくか」

　これからなにが起こるというのだろう。『永遠の若さ』と『死者の復活』の真相とはどんなものなのだろう。緊張で心臓の鼓動が加速していく。

　いつもながら、事前に鷹央から僕たちへの説明はなかった。昨夜、鷹央の号令で呼び出され、桜井、成瀬、そして（べろべろに酔っぱらった）鴻ノ池は天医会総合病院の屋上にある〝家〟に集合した。得意げに全員を見回すと鷹央は高らかに宣言した。

「明日、事件の真相を解き明かしてやる」

　それを聞いた僕たちは、口々にどういうことか教えてくれるように頼んだのだが、鷹央はにやにやしながら「内緒だ」と言うだけで、翌日の楯石家への同行を全員に求めた。

　説明不足に業を煮やした成瀬は同行を渋ったが、いやらしい笑みを浮かべた鷹央に来ていた。

「残念だなぁ。手柄を立てるチャンスをやろうと思ったのに」と言われ、渋々ついて来ていた。

「それじゃあはじめるとするか」

胸の前で両手を合わせた鷹央は、微妙な表情になる。

「なんか、ダイニングテーブルで手を合わせると、飯を食べるような気分になるな」

「いいから、話を進めてくださいよ」

成瀬が文句を言うと、鷹央は振り返ってひらひらと手を振ってきた。

「まあ、そうカリカリするなよ。カルシウムを取った方がいいんじゃないか？　ああ、漢方薬でも苛立ちを抑えるためカルシウムを含むものがある。牡蠣の殻などがそうだが、面白いのは竜骨という成分だな。文字通り、かつては恐竜の化石を砕いて使っていたんだ。しかし、いまはそんなに貴重なものはつかえないので、牛の骨などを……」

「話を！　先に！　進めてください！」

成瀬の額に青筋が浮かぶ。鷹央は唇を尖らせながら正面に向き直った。

「まず、最初に言っておくと、お前が産科医だったことを私は知っている。医療事故の責任を肩代わりして、神無月の弱みを握っていることもな。すべて神無月が話してくれた」

「神無月……」源蔵の眉間にしわが寄る。

「怒るなって。お前にも竜骨入りの漢方薬、処方してやろうか？」

からかうような鷹央の声に、源蔵の眉間のしわが深くなった。

「さて、では最初からいこう。お前はかつて、北川歌子という美しい女性と見合いで結婚した。紹介したのは、義理の母、北川ウメだな？」

僕が「え？」と声をあげると、鷹央はじっとりとした目で見てきた。

「まだそこにも気づいていなかったのかよ。北川ウメは助産師の資格があり、孫を取り上げたと言っていただろ。そして、自分が娘の夫を紹介したと言っていた。つまり、北川ウメは楯石産科病院で助産師として勤務していた可能性が高いというわけだ」

「じゃあ、ウメさんがやけに嫌っていて、警戒していた『先生』って……」

「ああ、そうだ。こいつのことだ」鷹央は源蔵を指さす。「妻の死後、娘をまるで自分の所有物のように扱い、祖母にも会わせないようにした。そりゃ、嫌いもするわな。まあ、警戒していたのには他の理由もあっただろうが」

鷹央は思わせぶりなセリフを吐くと、「話が途切れて悪かったな」と正面に向き直る。

「お前は妻である楯石歌子を心から愛していた。なのに、そこに悲劇が訪れる。楯石歌子が白血病にかかってしまった。しかし、化学療法を受けることによって、楯石歌子は寛解状態になり、そして、娘である楯石希津奈を妊娠し、出産した」

言葉を切った鷹央は、顔の横で左手の人差し指を立てる。

「感動的な話だが、実はここに、かなりおかしな点があるんだ」

「おかしな点ってなんでしょう？」桜井が訊ねた。

「その時点で、楯石歌子が妊娠できる可能性は、極めて低いんだよ」

妊娠できる可能性が低い？　僕が首をひねると、鴻ノ池が甲高い声を上げる。

「あっ⁉　白血病の化学療法ですか！」

鷹央は「そうだ」と鴻ノ池を指さした。

「血液ガンである白血病の治療には、大量の抗がん剤を使用した、強力な化学療法がおこなわれる。最近は続々と副作用の弱い新薬が開発されて、体への負担も少なくなっているが、三十年以上前ではそうもいかない。抗がん剤は体を蝕んだはずだ。毛髪、骨髄機能。楯石歌子の場合は腎不全で透析が必要にもなった。そして、他にも高い確率で障害を受ける機能がある。……生殖機能だ」

源蔵の唇が歪む。

「そう、抗がん剤は卵巣に大きなダメージを与える。妊娠ができなくなることも多い。少なくとも強力な化学療法を受けてから、すぐに妊娠なんてできるわけがない」

「けど、現実的には妊娠したんでしょ？」

いぶかしげに成瀬がつぶやくと、鷹央は「いい質問だ」と唇の端を上げた。

「本来、妊娠できないはずの楯石歌子が実際に妊娠し、子供を産んでいた。それこそが、今回の事件の真相にいたるための最大の手がかりだ」

「さっさと説明してくださいよ」焦れたのか、成瀬の声が大きくなる。

「簡単なことだ。化学療法後でも妊娠が出来るように、あらかじめ処置をしておいたんだ。現代でも、将来妊娠を望む場合、抗がん剤の投与前に行う処置をな」

鷹央は目を細めて、源蔵を見る。

「卵子の凍結保存だ」

源蔵の目元が痙攣した。成瀬が「凍結？　どういうことです？」と眉をひそめる。

「言葉通りだよ。卵子を採取し、凍結させて保存しておくんだ。そうすれば、その卵子は化学療法のダメージを受けることはない。あとは、疾患が治癒したあと、その卵子を使って妊娠すればいい」

「そんなこと可能なんですか？」

驚きの声を上げる桜井に、鷹央は軽蔑の視線を向ける。

「世界中で普通に行われていることだ。お前たち男は、妊娠について知らなすぎるんだよ。自分は経験することがないからって、少しは興味を持てよ。最低限の知識ぐらい持つのがマナーだろうが。そんなんだから『うちのカミさん』に邪魔者扱いされるんだぞ」

辛辣な言葉に首をすくめる桜井をひと睨みすると、鷹央は「お前もだろ」というように、湿った視線を僕に投げかけてきた。

「ぼ、僕はそんなことないですよ。女性の体調に気をつかう配慮ができますからね」

「にもかかわらずモテないのか。かわいそうな奴だな」

憐憫の表情を浮かべながら、失礼極まりないことを言う鷹央に反論しようと口を開きかけるが、その前に彼女は源蔵に語りかけた。

「卵子凍結保存の技術が確立したのは、一九八〇年代後半だ。ちょうど、お前の妻が白血病にかかったころには色々な国で実際に使われるようになっていた。産科医として不妊治療に力を入れていたお前は、自分の妻にその最先端の技術を使用した。そして、白血病の治療を終えたあとの妻の子宮に受精卵を移植したんだ」

「それがどうした……」源蔵は喉の奥から絞り出すように言う。「妻は子供を望んでいた。私は自分の持てる技術を使って、その希望をかなえてやっただけだ」

「たしかに、楯石歌子は子供を望んでいたんだろうな。しかし、お前はそんな純粋な気持ちだったのかな？」

鷹央がすっと目を細めた。源蔵は「なにが言いたい？」と声を低くした。

「妊娠は体に大きな負担をかける。いかに寛解になったとはいえ、白血病と化学療法で消耗し、さらには腎不全で透析が必要になった妻に受精卵を移植するという危険な行為は、医師だったら止めるはずだ。特に、偏執的なまでに妻を愛していたお前だったらな」

「じゃあ……、なんで奥さんの希望をかなえたんですか？」

不吉な予感をおぼえ、僕の声が震える。

「子供が必要だったからだよ」鷹央は唇を歪める。「妻に腎臓を提供するための子供がな」

その言葉の意味を理解した瞬間、部屋の気温が一気に下がったような気がした。僕は反射的に自分の両肩を抱く。

「腎臓を提供って……、どういう意味ですか」

おぞましい雰囲気を感じ取ったのか、成瀬の声がかすれる。

「そのままの意味だ。白血病に対する強力な化学療法の副作用で、楯石歌子は腎不全になり、透析が必要な状態になっていた。命を繋ぐために必要とはいえ、透析はつらい治療だ。一生、週三回ほど数時間の透析を必要とする。ただ、末期腎不全の患者が透析から離脱する方法が一つだけある」

鷹央は人差し指を立てた左手を顔の前に持ってくる。

「腎移植だ」

「まさか、生まれた子供の腎臓を楯石歌子に移植するつもりだったっていうことですか⁉」

成瀬の声が大きくなる。鷹央はあごを引いた。

「そうだ。日本では死亡した人間からの臓器提供は諸外国に比べて極端に少ない。特に、いかに寛解になっていたとはいえ、血液ガンである白血病を患った患者に、移植用の腎臓が回ってくる可能性は限りなく低い。しかし、家族間の生体腎移植なら十分に可能だ」

「なら、自分の腎臓を提供すればよかったじゃないですか」

異形の怪物を見るような目を源蔵に向けながら、桜井が声を絞り出す。

「それはできなかったんだよ。なぜなら、ウイルス性肝炎を患っていたからな」

「肝炎？」桜井は眉をひそめた。

「そうだ。この男はウイルス性肝炎に感染している。おそらくC型肝炎だろうな。C型肝炎は血液を介して感染する。感染制御の方法が確立していなかった昔、外科医や産科医の多くは、手術や出産の際に大量の血液に触れることによってC型肝炎ウイルスに感染し、慢性肝炎を患っていた。外科医はみんな、酒の飲みすぎで肝臓を壊して死ぬなんて言われていたが、実は結構な確率でC型肝炎が原因だったんだよ。まあ、最近はいい薬ができて、ほとんどの場合ウイルスを体から除去できるようになっているけどな」

「C型肝炎にかかっていたら、臓器は提供できないんですか？」

「当たり前だろ。臓器移植を受けたあとは、免疫抑制剤の服用が必要なんだ。感染者からの臓器を受けたりしたら、ウイルスが大量に増殖して命にかかわる」

「あの、楯石源蔵さんがC型肝炎だというのは、間違いないんですか？」

桜井がおずおずと訊ねると、鷹央は源蔵を指さした。

「皮膚が微妙に黄ばんでいるだろ。そして、よく見ると白目の部分も微かに黄色い。これは黄疸だ。肝機能が落ちて、代謝しきれなくなったビリルビンという物質が血中に増えることで生じる。腕などに掻きむしったような跡があるのも、黄疸による掻痒感のせいだろう。あと、首元にうっすらと蜘蛛の巣のような細い血管が浮き出ている。あれは、クモ状血管腫といって、肝硬変の患者に生じるものだ。医者なら一目見ればこれくらい分かる」

よく観察すれば、鷹央の言う通りだ。しかし、指摘されるまで気づかなかった。診断医としての実力の差を突き付けられ、無力感が襲い掛かってくる。

「以上より、この男が長年の慢性C型肝炎が原因で、かなり進行した肝硬変を患っているのは間違いない。そうだろ？」

源蔵は言葉を発さない。その態度は、鷹央の予想が正しいことを物語っていた。

「ノーコメントか。まあいい、勝手に話を進めさせてもらおう。本来、透析患者が妊娠しても、問題なく出産できる可能性は高くない。だが、子供を望む楯石歌子の忍耐と、お前の産科医としての実力、そして幸運が重なった結果、楯石希津奈が産まれた。しかしその後、悲劇が起きる。……白血病の再発だ」

源蔵の顔に、痛みを耐えるかのような表情が浮かぶ。

「再発した白血病は楯石歌子の命を奪い、お前はまだ二歳の娘と遺された。最愛の人を亡くし、絶望の底へと転げ落ちたお前は、壊れそうになる精神をなんとか保つため、代用品が必要だった。妻の代用品がな」

「それが……、希津奈さん」

かすれ声で鴻ノ池がつぶやくと、鷹央は「そうだ」と頷いた。

「歌子にそっくりで、誰もの目を惹くほどの美しさを持っていた楯石希津奈。楯石源蔵はその娘を大切に育てることで、ぽっかり空いた胸の穴を埋めていたんだ」

「……だったらなんだと言うんだ？」

源蔵が口を開く。その声はさほど大きくないにもかかわらず、腹の底に響いた。

「妻を亡くし、遺された一人娘を大切に育てる。それのなにが悪い」

「別に悪くはないさ。美しい話だ。たとえ、もともとは妻の腎臓を採取するために作った子供だったとしてもな」

源蔵の額にしわが寄る。

「ただ、お前はよっぽど娘を甘やかしたみたいだな。芸能事務所の社長だった比村の話だと、楯石希津奈は外見こそ完璧だったものの、かなりのわがままで、金遣いも荒く、また気が強かったらしい。そして……情熱的だった。過剰なまでにな」

「なにが言いたい？」殺気すら籠っているような目つきで源蔵が睨んできた。

「もちろん、十六年前になにが起きたのかだよ」

鷹央は歌うように答える。

「大人びて、計算高かった楯石希津奈も、しょせんはまだ未成年の少女だった。手練れのプレイボーイである河合に嵌まり、その子供を妊娠してしまった。さて、問題はそこからだ。当然、楯石希津奈は河合が責任を取って、自分と結婚してくれると思っていた。しかし、根っからの遊び人である河合には、はなからそんな気はなく、それどころか二人の愛の結晶のはずの子供を堕ろすように言ってきた」

源蔵は歯を食いしばるが、その隣に座る希津奈は、当事者のはずだというのに無表情のままで、まるで自分とは関係のない話を聞いているかのようだった。

「激情型だった楯石希津奈は、想い人のあまりにも非情な言葉に激高し、その場から去ろうとしていた河合をトロフィーで殴りつけた。女の腕力とはいえ、固く重いトロフィーだ。河合の頭蓋骨は割れ、絶命してしまった。だよな？」

鷹央は源蔵を見つめる。しかし彼女の視線が、犯行を起こした張本人であるはずの希津奈に向くことはなかった。

「我に返った楯石希津奈は焦る。このままでは、殺人罪で逮捕される。いかに未成年とはいえ、大きな罰を受けるのは間違いない。生まれ持った美貌でのしあがろうとしてきた楯石希津奈にとって、それは人生の終わりに等しかった。だから、犯行を隠ぺいすることを決めた。あるものの中に封印することでな」

「タイムカプセル……」

僕がつぶやくと、鷹央は「そうだ」と口角を上げた。

「犯行現場だった倉庫には、間もなく埋める予定の巨大なタイムカプセルが置いてあった。すでにファンレターや衣装などを詰め終え、あとは埋めるだけだったそのタイムカプセルに河合の遺体と凶器のトロフィーを詰め込んで鍵をかけたんだ」

「それだけですか?」つまらなそうに成瀬が声を上げる。「さっきから得意げに話していますけど、十六年前になにが起きたのかぐらい、俺たちにだって予想がついていますよ。だって、そこに座っている女が自分で自白したんですから。崖から飛び降りる前にね」

成瀬に指さされた希津奈は、怯えた様子で体を小さくした。

「いいところなんだから黙って聞いてろ」

話の腰を折られた鷹央は、成瀬をひと睨みすると視線を正面に戻す。

「タイムカプセルは無事埋められたが、楯石希津奈の不安が消えることはなかった。なぜなら、十五年経てばタイムカプセルは掘り起こされ、開けられる予定だからだ。河合の遺体が見つかったら、自分の犯行がばれる。河合と付き合っていたことは同じグループのメンバーたちに感づかれていたし、なにより、殺害する際、河合に引っかかれている。殺害直後は気が動転して気づかなかったが、河合の爪に残った皮膚を調べられたらＤＮＡから自分の犯行だと明らかになってしまうはずだ。楯石希津奈にとってタイムカプセルは、もはや時限爆弾に等しかった。その凄まじいストレスのせいもあってか、楯石希津奈は数ヶ月後、子供を死産することになる」

　鷹央の表情に一瞬、同情の色が浮かぶ。

「心身の限界に達した楯石希津奈は、すべてを打ち明け、お前に頼った。どんな無理でも聞いてくれる父親にな」

「無理でもって、いくらなんでも殺人の罪をどうにかするのは無理なんじゃないですか」

　桜井の指摘に、鷹央は唇の端を上げた。

「ああ、普通なら無理だ。やるとしても、タイムカプセルを掘り出し、死体を回収してどこか山奥に埋めようとするぐらいが関の山だろう。しかしこの男は、なによりも大切な一人娘のために、とんでもない手段を思いつき、実行したんだ」

鷹央は唇を舐めると、その単語を口にした。

「身代わりだ」

「身代わりって、代わりに逮捕される人物ということですか？　美容手術で同じ顔の人を作ったりとか？　けど、いくら顔を同じにしても、ＤＮＡまでは同じにできないでしょ」

「いいや、ＤＮＡまで同じ人間を作り出したんだよ」

鷹央が不敵な笑みを浮かべると、それまで反応が薄かった希津奈の体が大きく震えた。

「同じＤＮＡってことはやっぱりクローンですか⁉」

僕が声を上げると、鷹央は呆(あき)れ顔になる。

「クローンはほぼあり得ないって何度も言ってるだろ。そんな確立していない不確かな技術ではなく、この男はもっと日常的に行われている方法を使ったんだよ」

「なんなんですか、その日常的に行われている方法って⁉」

鷹央のもったいぶった態度に我慢の限界がきたのか、成瀬が声を張り上げる。

「さっき言ったじゃないか」鷹央は左手の指を鳴らした。「卵子の凍結保存と子宮移植だ」

沈黙が降りる。しかしそれは、驚いて言葉がでないというよりも、戸惑ってなんと言ってよいか分からないからだった。

混乱した頭をおさえていた僕はふと、希津奈の体が細かく震えていることに気づく。

「あ、あの、天久先生」おずおずと桜井が言った。「卵子の凍結保存と子宮移植というのは、楯石歌子さんに行われて、その結果、希津奈さんが誕生したんですよね」

「そうだ。そして、それを完璧に再現することで、十七年の時間を経て、完全に遺伝子が同じ人間を生み出したんだよ」

十七年の時間を経て、完全に遺伝子が同じ人間……。そこまで考えたとき、脳天を殴られたかのような衝撃をおぼえ、僕は「ああっ⁉」と声をあげる。

「やっと気づいたか」僕を見た鷹央は、シニカルな笑みを浮かべた。

「分裂した卵子を……予備に保管して……」

あまりにも常軌を逸した想像に声がかすれる。鷹央は「その通りだ」とあごを引いた。

「え、どういうことなんです？　私には、なにがなんだかさっぱりなんですが……」

桜井の質問に、鷹央は淡々と説明をはじめる。

「透析患者が妊娠した場合、問題なく出産できる可能性は決して高くない。流産する可能性も高いし、そもそも、子宮に受精卵を移植しても確実に妊娠できるわけでもない。そして、体外で卵子を受精させるのは、かなり高度な技術がいる作業だ。だからこそ、この男は妊娠が失敗した場合に備えて、受精卵の予備を作って保管しておいたんだよ」

「受精卵の予備って、他の卵子も受精させて保管していたということですか?」

「いや、他の卵子じゃない。同じ卵子だ」

「同じ?」桜井の眉間にしわが刻まれる。

「そうだ。卵子は受精をすると、細胞分裂を開始する。細胞が二つに分かれたところでそれを分割すれば、それぞれの受精卵が別々に成長していくことになる。……まったく同じ遺伝子を持つ受精卵がな」

「そんなこと、可能なんですか?」

疑わしげにつぶやく桜井に、鷹央は湿度の高い視線を浴びせる。

「だから、もう少し妊娠、出産のことを勉強しておけっていっただろ。可能もなにも、普通に起きていることだぞ。一卵性双生児だ。あれは、母体内で一つの受精卵が二つに分かれ、別々に成長したものだ。だからこそ、同じDNAで同じような外見をしている」

「じゃあ、十六年前に希津奈さんが受精卵移植であらためて妊娠した子供って……」

鴻ノ池が言葉を失うと、鷹央は向かいの席に座る希津奈を、希津奈と名乗っていた少女をびしりと指さした。

「そう、ここにいる『キヅナ様』だ」

「つまり、十六年前、楯石希津奈さんは自分の分身を妊娠したということですか？」

桜井が声を震わせる。鷹央は「んー」と、怯えた表情を浮かべる少女を見る。

「分身というよりは、双子の妹というところかな。おい」

鷹央に声をかけられた少女は、「ひっ」と小さな悲鳴をあげて体を小さくする。

「お前の名前はなんていうんだ？　楯石希津奈でも、『キヅナ様』でもない、本当の名前だ」

少女は助けを求めるように、源蔵に視線を送る。源蔵は硬い表情のまま頷いた。

「……う、詩。詩って書いて、『うた』ってよみます」

蚊の鳴くような少女の声を聞いた鷹央は、唇を歪めて源蔵を睨む。

「詩、か。名付けたのはお前だな。死んだ妻と、ほとんど同じ名前だ。やはりお前にとって、楯石希津奈もこの詩も、妻の代用品に過ぎなかったんだな」

「お前になにが分かる？　歌子を失った私の気持ちが分かるとでもいうのか」

血走った目を見開いた源蔵が、噛みつくように言った。鷹央はひらひらと手を振る。

「お前の気持ちなんか分からないし、分かりたくもない。ただ、この楯石詩が帝王切開によって産まれてから、なにが起きたかは全て分かっているぞ」

鷹央は「私は全部お見通しだ」とあごを引いた。

「まず、お前たちは出生届を出すこともせず、楯石詩をスケープゴートとして育て、そのための教育をした。タイムカプセルが掘り出されたときに身代わりにするためには、誰にも楯石希津奈が齢を取っていくところを見せるわけにはいかなかった。だから、楯石希津奈は表舞台から完全に姿を消した。おそらく、偽名を使って生活していたんだろうな。そうして、タイムカプセルが掘り出される予定の去年、楯石詩は、楯石希津奈として殺人罪で逮捕されるはずだった。しかし、そこで想定外のことが起こった。芸能事務所がつぶれ、タイムカプセルが掘り出されなかったんだ」

説明を続ける鷹央の前で、詩は首をすくめる。

「楯石詩の身代わりとしての価値はなくなった。そこでお前たちは、ビジネスを思いついたんだ。『永遠の若さ』をうたって、オンラインサロンで金を巻き上げるビジネスをな。そして、それらしくふるまうように、楯石詩を『教育』していった。これが『不老不死』の『不老』の部分のトリックだな。実際は、十七歳年下の双子の妹に、楯石希津奈を名乗らせていたってわけだ」

家族であるはずの少女を、金儲けの『道具』として扱うという所業に、頬が引きつってしまう。

「しかし、そこで二つ、大きな誤算があった」

鷹央はピースサインをするように、左手の人差し指と中指を立てる。

「一つは、なんらかの原因で楯石詩が脳炎を発症し、精神症状を発症してしまったことだ。『教祖』としての神秘性が増すことにより、オンラインサロンに大量の『信者』が生まれ、大幅に収益が増すという作用はあったものの、最終的に楯石詩はパニック状態になってうちの病院に入院することになった。そして、もう一つの誤算は……」

鷹央は中指を折る。

「タイムカプセルが掘り起こされ、河合のミイラが見つかったことだ」

源蔵の眉がピクリと動いた。

「悪いことは重なるものだな。本来、楯石希津奈の身代わりにしなくてはならなかった楯石詩は、脳炎による精神症状でパニック状態だ。逮捕されたりしたら、全てをばらされてしまうかもしれない。警察の捜査はすぐそこまで迫っていた。なんとか精神症状を治そうと必死になったが、それもうまくいかず、お前と娘は衝突した」

「娘って、本物の楯石希津奈さんのことですよね。いったい、彼女はどこにいたんですか？」

訊ねた僕に、鷹央は「まだ気づいていないのか」と流し目をくれる。

「お前はすでに会っているぞ。墨田（すみだ）から依頼を受けて、楯石詩を診察したときについて来ていた家政婦、伊豆花江だよ」

「あの人が⁉」

あまりの驚きに声が裏返ってしまう。あの肥満体の中年女性が、かつて完璧なまでの美を全身に湛えていた楯石希津奈だとは、にわかには信じられなかった。

「あれだけ太っていたら面影がなくなるのも当然だよな。人を殺し、いつか自分が殺人犯として逮捕されるかもしれないというストレスで、過食症にでもなっていたのかもな。ただ、状況からしたらあいつしか考えられないんだよ。まるで家族のように楯石詩につきっきりになり、精神症状をすぐに治すよう、執拗に迫っていた」

鷹央はなにかを思い出したかのように、額を叩く。

「ああ、全身を高級ブランドで固めていたのも、あいつが楯石希津奈である状況証拠になるな。いかに熱狂的な信者といえども、あんなものを買える奴が家政婦をやるのはさすがにおかしかった。きっと、あいつの金遣いの荒さが、オンラインサロンなんて怪しげな商売に手をつけなくてはならないほど追い詰められた原因なんだろうな」

鷹央は「子供のとき、甘やかしたつけだな」と当てつけるように源蔵に言った。

「それから、なにが起きたんですか?」

事件の核心に迫っている気配を感じ取ったのか、成瀬が早口で言う。

「急かすなって。さて、入院してじっくり精神症状を治す余裕などないと思ったのか、お前は楯石詩を強制的に退院させ、自宅に連れて帰った。そしてそのあと、また事件が起きた。……大きな事件がな」

「大きな事件って？」成瀬が前のめりになる。

「楯石希津奈が死んだんだ」

僕たちは息を呑む。成瀬が「なんで……？」と言葉を絞り出した。

「さあ、退院時にかなりもめていたんで、その延長線上でなにか起こったのかもしれないな。そこはあとでお前らが詳しく聞き出せよ。大切なのは、河合殺害事件の真犯人である楯石希津奈が死亡したということだ。さて成瀬、お前ならどうする」

突然、話を振られた成瀬は「え？」と目を白黒させる。

「そりゃ、通報するんじゃ……。だって、真犯人が死亡したんだから……」

自信なげに成瀬が答えると、鷹央はこれ見よがしにため息をついた。

「少しは脳みそ使えよな。頭蓋骨にぬか床でも詰まっているのか。たしかに十六年前に河合を殺したのは楯石希津奈だった。じゃあ、楯石希津奈を殺したのは誰だ？」

僕たちはそろって、テーブルの向こう側に座る源蔵と詩に視線を向ける。

「そう、少なくとも通報なんかすれば、河合殺害についてはともかく、楯石希津奈の死については責任を追及されるだろう。そのうえ、大きく報道されれば、『永遠の若さ』のトリックまであばかれ、大金が入ってくるオンラインサロンを手放さなくてはならなくなる。だから、欲張りなこの男はなにも手放すことなく、全てを解決する方法を思いついた」

鷹央が源蔵を見つめる。源蔵は険しい表情で、その視線を受け止めた。

「まず、この前説明したように、サイフォンの原理を使ったトリックで『龍神(りゅうじん)の巣』を海水で満たしたうえで、そこに向かって楯石詩を崖から飛び降りさせて、自殺を装った。そして、楯石希津奈の遺体をテトラポッドに放置し、魚や鳥のエサにして外見を分からなくしたタイミングで、警察に通報して発見させた。そうすれば、DNA鑑定でその遺体が楯石希津奈のものであると判明し、十六年前の河合殺しの犯人が、捜査の手が伸びてきたので自殺したと誤認させることができるから。そしてお前は、最後の仕上げに入った」

鷹央は唇を舐(な)めて湿らせる。

「あの『死者の復活』だ。楯石希津奈の遺灰を撒(ま)いたタイミングで、前もってガソリンを仕込んでいた『龍神の巣』に楯石詩が火を投げ入れ、まるで蘇(よみがえ)ったかのように登場する。そのうえでDNA鑑定をさせて、防波堤で発見された遺体と同じだと確認されれば、晴れて『キヅナ様』の復活だ。河合殺しの罪に問われることもなく、楯石希津奈が死亡した事件も隠ぺいでき、さらに奇跡の演出により『キヅナ様』の神秘性を大きく増すことができる。前々から『死者の復活』の神秘性を増す演出として計画していたんだろうな。この男はその計画を、遺体遺棄に応用したんだ。ある意味、完璧な計画だ。楯石希津奈に対する扱いが、あまりにも残酷であることに目をつぶればな」

その通りだ。遺体をテトラポッドの隙間に捨て、魚や鳥についばませることで外見を分からなくする。それが、大切に育ててきた一人娘に対する仕打ちだとは、とても信じられなかった。

「お前が自分で一人娘の遺体を遺棄したんだろ？　『龍神の巣』を海水で満たしたりするぐらいなら、『信者』たちを利用することもできるが、さすがに遺体遺棄までは任せられないはずだ。なあ、どんな気持ちだった？　亡くした妻の面影をそこに見ながら、手塩にかけて育て上げてきた娘を、まるでごみのように捨てるのは。心が痛んだか？　それとも、わがまま娘と縁が切れてせいせいしたか？　そもそも、楯石希津奈が死亡したのは、お前が……」

「やめてください！」

鷹央が源蔵を責め立てていると、唐突に詩が立ち上がり、鼓膜に痛みをおぼえるほどの大声をあげた。聴覚過敏気味の鷹央は、その声に殴りつけられたかのようにのけぞって、両手で耳を押さえる。

「お父さんを責めないでください！　お父さんはなにも悪くないんです！　悪いのは

……全部、私なんです！」

この子にとっても源蔵は『お父さん』なのか……。

「自分が悪いとは、どういう意味ですか？」

硬直している鷹央の代わりに、桜井がすかさず訊ねた。

「私が……ママを殺したんです」

一転してか細い声で、詩は言った。

「ママというのは、楯石希津奈さんのことですね」

小さく頷く詩を見て、顔の筋肉が歪んでしまう。

源蔵が『父』で、希津奈が『母』。その歪な家族関係に胸がざわつく。

「お前は黙っていなさい。刑事さん、詩は混乱しているんです」

慌てた様子の源蔵が座らせようと伸ばした手を、詩は振り払った。

「いいの！　もう嘘なんてつかないで」

詩は駄々をこねるように頭を振った。桜井は鳥の巣のような頭を掻きながら、詩を見つめる。その目つきには、獲物を狙うハンターのような鋭さが宿っていた。

「話を整理しましょう。楯石詩さん、あなたはご自分の生みの母である、楯石希津奈さんを殺害したというんですね」

「……そうです」

着ているワンピースの生地を両手で強く握りながら、詩はかすれ声を出す。

「なぜ？」

「分かりません！」

詩は両手で抱えた頭を、激しく左右に振る。

「自分でも分からないんです！　なにがなんだか分からなくなって！　なんでそんなことをしたのか！　なんでそんなことになったのか！　本当になにも分からないんです！」

源蔵が立ち上がり、絶叫する詩を抱きしめる。詩は源蔵の胸もとに顔をうずめると、大きな声をあげて泣きはじめた。

「刑事さん……」詩を抱きしめたまま、源蔵は静かに言う。「そちらの天久先生がおっしゃった通りです。全て私が画策したものです。詩を……、娘を守るにはそれしかなかったんです。それしか、なかった……」

源蔵は血色の悪い唇を嚙むと、目を固く閉じた。

詩の嗚咽(おえつ)だけが、部屋の空気を揺らす。

「楯石さん。申し訳ないですが、ちょっとお二人とも田無署までご同行いただけますか？　そこで、詳しくお話をうかがいたいので」

鼻の頭を搔きながら桜井が言う。源蔵は「分かりました」と素直にうなずくと、桜井、成瀬とともに出入り口に向かう。

「えっ、おい、ちょっと待て……」

ようやく詩の大声に殴られたショックから立ち直った鷹央が止めようとするが、すでに源蔵と詩は部屋から出て行っていた。

「ご協力感謝いたします、天久先生。今後のことは我々にお任せください。経過は随時お知らせいたします」

慇懃に言って桜井が一礼する。

桜井が得意顔の成瀬とともに姿を消すのを、僕たちはただ呆然と見送ることしかできなかった。

第三章　転生の形

1

「お疲れ様でーす」

僕と鴻ノ池が〝家〟に入るが、電子カルテの前に座っている鷹央は、無言のままディスプレイを眺めていた。

「また、詩さんのＭＲＩを見ているんですか？」

近づいた僕が肩越しに画面を覗き込むと。振り返った鷹央がじろりと睨め上げてきた。明らかに不機嫌な様子だ。

なにか甘味でも与えておいた方がいいかな？　いや、ちょっと最近あげすぎかな……。僕はすごすごと退散してソファーに座る。

桜井たちとともに楯石家を訪れてから、二週間以上が経っていた。あの日、桜井たちに連れていかれた源蔵と詩は、殺人と死体遺棄の罪で、緊急逮捕された。桜井からの連絡によると、すべてを自白したということですでに送検され、源蔵は保釈、詩は精神症状によって犯行を起こしてしまった可能性が高いということで、精神鑑定を受けているらしい。

事件は一応の解決をみたが、あの日以来、鷹央の機嫌がすこぶる悪くて困っている。源蔵と詩が連行されたのを見送ったあとなど、「……一人にしてくれ」と暗い声で言って、僕たちを楯石家の外に追い出し、落ち込んでいたのか一時間近く出てこなくて、僕と鴻ノ池をやきもきさせたほどだ。

最初の頃は色々とお菓子などを与えてごまかしていたのだが、食べ終わって少し経つと、すぐにまた不機嫌になるので、最近は『触らぬ神に祟りなし作戦』を取っていた。

ただでさえ運動不足の引きこもりなのに、甘いものばかり食べさせ続けたら、本当に糖尿病になりかねない。

「なにか分かりましたぁ？」

僕に代わって鷹央に近づいていく鴻ノ池を見て、内心で「やめろよ」とつぶやく。あの事件について話題を振ると、さらに鷹央の虫の居所が悪くなる。そして、八つ当たりの矛先は決まって僕に向かうのだ。

「なにも分からないよ。桜井の奴が、連絡をよこさないからな」

「仕方ないんじゃないですか」僕は羽織っていた白衣を脱ぐ。「もう送検したんだから、あの事件は桜井さんの手を離れたんでしょう」

「……桜井の肩を持つっていうのか」

　まるでホラー映画のように勢いよく首を回した鷹央が、鋭い視線を送ってくる。僕は慌てて胸の前で両手を振った。

「いえいえ、そんなわけないじゃないですか。仕方なくなんかありませんよね。随時報告するって言ったんですから、検察に乗り込んででも詳しい情報を集めてくるべきですよね」

　鷹央は数秒間、僕を睨みつづけたあと、顔を前方に戻した。僕が胸を撫でおろすと、鴻ノ池は少し離れたところに置かれたパソコンのディスプレイを指さす。

「あれってオンラインサロンの動画ですよね。また、新しいのがアップされたんですか」

「ああ、上がっているよ。また、詩が『永遠の美』について語っているやつだ」

　だから、もうその話題はやめろって。

　鷹央の顔がさらに険しくなる。

　源蔵と詩が逮捕されたあとも、オンラインサロンには定期的に動画がアップされ続けていた。おそらくは逮捕前に、大量に動画が撮影されていて、『信者』に管理させているのだろう。その甲斐もあって、オンラインサロンの会員は、さらに増え続けていた。

「詩さんが逮捕されたことって、一応報道されたんですよね。それなのに、いまだにオンラインサロンの中じゃ、『キヅナ様』が神様みたいな扱いになっているんですね」

鴻ノ池が唇に人差し指を当てると、鷹央は苛立たしげにかぶりを振った。

「報道されたと言っても、本当にさらっとだけだからな。楯石詩は未成年で、戸籍すらないという同情される状況だ。そのうえ、犯行時に精神症状によって正確な判断ができない状態にあった可能性が高い。人権の問題から、詳しい報道はできない」

「オンラインサロンでも、『キヅナ様』の逮捕は公表されたんですよね。普通なら、会員って激減しません？」

鴻ノ池の言う通り、逮捕後数日でアップされた動画では、詩自身が今後、警察に逮捕されることになるだろうと語っていた。また、ホームページにも『キヅナ様』が逮捕されたという情報は掲載されていた。

「逆だよ、逆」鷹央は虫でも追い払うように手を振る。「逮捕されたからこそ、さらに『信者』たちの信仰が強くなっているんだ」

「どういうことですか？」

「陰謀論だよ。政府が『キヅナ様』の能力に恐れをなして、無実にもかかわらず逮捕させた。『キヅナ様』の不老不死の力を欲しがった権力者たちが、その身柄を拘束して、人体実験しようとしている。『信者』たちの間では、そういうことになっている」

「なんですか、それ？」鴻ノ池は二重の目をしばたたく。「そんな非現実的なこと、本気で思っているんですか？」

「本気も本気、大本気さ」

鷹央は皮肉っぽく肩をすくめた。

「あのオンラインサロンはもはや、美容や健康のためのものではなく、『キヅナ様』という不老不死の龍神を崇め奉る者たちの巣窟となっている。常識的な判断ができる奴らはどんどん退会していき、それより遥かに多くの狂信者が流れ込んできているんだ。そんな電子空間に入り浸っている奴らは、エコーチェンバー現象により陰謀論にのめり込み、認知が歪んでいき、やがてそいつらにとっての『現実』になる。そうなると、底なし沼に沈んだようなものだ。這い上がることは極めて困難だ」

鴻ノ池は「はぁ」と相槌なのか、呆れなのか分からない声を漏らすと、電子カルテのディスプレイに手を伸ばす。液晶画面に表示された脳の断面図、そこには大脳に淡く靄のような炎症の所見が映し出されている。

「けど、本当にこの脳炎の原因、なんだったんでしょうね」

「もっと楯石源蔵と詩から話を聞きだして、手がかりを集めるつもりだったんだ。犯行の全容が分かったと言っても、医学的にはまだまだ分からないことがあったからな。けれど、その前に楯石詩の自白がはじまったせいで、予定が台無しだ」

　自らの計画が狂うことを病的なまでに嫌う鷹央にとって、いくら事件が解決できたと言っても、先日の楯石家での出来事はかなりの屈辱だったのだろう。

　しかし、河合(かわい)殺しの犯人である希津奈(きづな)が死亡し、その希津奈を殺した詩が逮捕された以上、もはやこの事件の幕は下りたのだ。いまさらほじくり返しても、意味があるとは思えなかった。

　なにか新しい事件でも起きて、鷹央先生の意識がそっちに向いてくれないかなぁ。

　普段なら絶対に思わないことを願っていると、鴻ノ池が視線を彷徨(さまよ)わせる。

「えーっと、医学的に分からないことっていうのは、脳炎の原因と、どうして治ったか。あとは……あのお腹(なか)の手術痕(こん)でしたっけ」

「何年か前に子宮筋腫(きんしゅ)のオペをした跡だって、桜井さんが言っていただろ」

　僕は先日、報告にやって来た桜井が言っていたことを思い出す。

「それって、本当なんですかね。何年も前の手術痕って感じじゃなかった気がするんですよ。なんと言うか、治りかけというか……。元外科医の目から見てどうでした?」

「分かるわけないだろ。『死者の復活』の儀式のとき、裸で現れた詩さんから僕はすぐに視線を外したんだから」

「……引っかからなかったか」鴻ノ池が指を鳴らす。

「本当に見ていないぞ！　頼むから、僕におかしな疑いをかけるのはやめてくれ！」

悲鳴じみた声で抗議すると、鴻ノ池は「冗談ですよ、冗談」と手を振る。

冗談で済まないから言っているのだが……。

「えーっと、あとは……、骨壺に残っていた小さな歯ですかね」

「それは、十六年前に希津奈さんが死産した子供のものだろ」

「本当にそうなんですかね？　希津奈さんと、十六年前に死産した子供の遺骨を混ぜ合わせて散骨する。なんか、しっくりこないんですよね。子供と同じ場所で眠らせてあげようと思っても、普通なら別々に撒きません？」

「そもそもあの家族はまともじゃなかったからな……」

「事件は解決したはずなのに、なんか色々とすっきりしませんね。なんていうんでしょう、靴の中に小石が入っているような感じがして、靴を脱いだけど、実は小石があったのは靴下の中だった、みたいな？」

「……分かり易いような、分かりにくいような、微妙な比喩だな」

「あーあ」鴻ノ池は後頭部で両手を組む。「残った謎が全て一気に解けてすっきりみたいな感じになりませんかね」

僕が「無茶言うなよ」と苦笑した瞬間、鷹央が立ち上がった。

「いま……なんて言った？」

猫を彷彿させる双眸をかっと見開き、前のめりになって迫ってくる鷹央の圧に押され、鴻ノ池は一歩後ずさる。

「い、いえ……、謎が一気に解けないかなぁ、って……」

おずおずと鴻ノ池が言った瞬間、鷹央は「一気に⁉」と甲高い声を張り上げた。鴻ノ池が小さな悲鳴を上げて、さらに数歩後ずさる。

「そうか……、順番に解いていこうと思って、脳炎だけに集中していたのが良くなかったんだ。謎は独立しているのではなく、有機的に絡まり合っていた。一つの謎が、他の謎を解く手がかりとして存在していたんだ。地道に一つ一つなんて考えず、欲張って全て一気に考えて、真相を導き出すべきだったんだ」

さっきまでの地を這っていたテンションから一転して、ハイになっている鷹央を、僕と鴻ノ池は唖然として見つめる。

「と、すると、楯石詩から話を聞く必要があるな」

「え？　話を聞く必要があるって、詩さんはいま、精神鑑定を受けているはずですから、桜井さんでも会えないと思いますよ」

僕は腰を引きながら言う。詩が受けている精神鑑定は『本鑑定』と呼ばれるものだ。

精神科病院などの専門施設に容疑者を移送し、そこで二、三ヶ月かけて、精神鑑定医がじっくりと面接を行い、鑑定を下す。

「たしか、楯石詩が移送されたのは、光陵医大附属雑司ヶ谷病院だったな」

都内でも珍しい、精神科専門の大学附属病院の名を鷹央はつぶやく。桜井の話では、そこに有名な精神鑑定医がいて、詩の鑑定を担当しているとのことだった。

口元に手を当てて数十秒、ぶつぶつとつぶやいた鷹央は、鴻ノ池を凝視した。

「な、なんですか？」視線のプレッシャーに、鴻ノ池は背中を反らせる。

「舞、お前、光陵医大の出身だったよな」

「え、そうですけど……、それがなにか……」

頬を引きつらせる鴻ノ池に、鷹央は満面の笑みを浮かべる。

「え、いや、まさか鷹央先生。いやいや、まさかですよね。いやいやいやいや……」

胸の前で両手を振る鴻ノ池に、鷹央は笑顔のまま、無言で迫っていく。

「いやいやいやいやいやいや……」

細かく首を左右に振る鴻ノ池に、僕は内心で合掌するのだった。

2

「いやいやいやいや、ヤバいですって。これ、本当にヤバいですって」

　白衣姿の鴻ノ池がかすれ声で言う。腰を引き、せわしなく左右を見回す挙動不審なその姿を、僕は心を無にして眺めていた。

「大丈夫だ、心配するなって。堂々としていれば、案外気づかれないものだ」

　鴻ノ池の隣に立つ鷹央が軽い口調で言う。その小柄な体はいつもの手術着ではなく、白いナース服に包まれていた。わずかにウェーブした長い黒髪は団子状にまとめられ、ナースキャップに収められていた。

「心配しますよ！　まさか、母校の附属病院に不法侵入するなんて。これで捕まったりしたら、同級生たちの間でどんな噂になるか。それに、下手したら通報されますよ」

　鴻ノ池は泣きそうな顔で抗議する。

　翌日の土曜日、僕たちは楯石詩が精神鑑定を受けているという、光陵医大附属雑司ヶ谷病院を訪れて……、いや、そこに侵入していた。医大生時代、この病院で実習を受けたことがあるという鴻ノ池を道案内にして、詩に会おうという鷹央の計画だ。

鷹央は看護師に変装し、僕も男性看護師用のユニフォームを着込んでいた。

「大丈夫、大丈夫、なんとかなるって。大船に乗った気でいろ」

「なんの根拠もないじゃないですか。大船どころか、泥船に乗っている気がしますよ！」

混乱しているわりには、いい突っ込みだな。感心していると、鴻ノ池が僕を見る。

「小鳥先生もなんとか言ってくださいよ」

「統括診断部へようこそ」

「そういうことじゃなくて！」

鴻ノ池は、わずかに茶色が入ったショートカットの髪を掻き乱す。

「諦めろ、鴻ノ池。鷹央先生がこうなったら、もう止められない。あとはいかに被害を少なく、ミッションを遂行するかだけを考えろ」

「ミッションって、『スパイ大作戦』じゃあるまいし」

そこは『ミッション：インポッシブル』じゃないのか？

一年以上、鷹央と働いてきたことで、もはや悟りの境地に達しつつある僕が内心でつぶやくと、鷹央が「『スパイ大作戦』、面白いよな！」とどうでもいいところに食いつく。

「そんなことより、早く行きましょうよ。こんなところでうろちょろしている方が、見つかるリスクが高いんですから」

鷹央は「おう、そうだな」と意気揚々と、土曜日で誰もいない一階の外来待合を、スカートの裾をはためかせながら歩いていく。

「なあ、鴻ノ池」鷹央のあとを追いながら、僕は鴻ノ池に囁く。「なんで、鷹央先生の頭に、ナースキャップついているんだよ。いまの看護師は、ナースキャップなんて使わないだろ」

鷹央の変装用の服装は、鴻ノ池が準備していた。

「看護実習生はナースキャップをつけます。問題ありません」

「いや、問題はないかもしれないけど、わざわざつけなくても……」

「なんでですか、ナースのコスプレと言えば、ナースキャップじゃないですか。あの鷹央先生がこの前のセーラー服に続いて、ナース服まで着てくれるって言うんですよ。それなら、ナースキャップを被ってもらわないともったいないじゃないですか！　こんなリスクを冒すなら、それに見合った報酬があるべきです！」

鬼気迫る表情でまくしたてる鴻ノ池を、僕は「分かった、分かった」と必死になだめる。鴻ノ池が大きく息を吐くと、だらりと腕を下げて歩いていく。

「本当にヤバいんですよ。詩さんの鑑定をしているのって、この病院の院長だと思うんですけど、すごく怖いんです」

「怖いって、すぐキレるとかそういうことか？」

「逆です、逆。影山先生っていう精神科医なんですけど、いつも無表情でまったく感情が読めないんですよ。もう、ロボットみたいな感じ。私、そういうタイプが苦手で」

「お前って、自分のテンションに巻き込んで主導権を握らないと不安になるタイプだよな」

　そんなことを話しながら、僕たちは階段をのぼり、詩がいるであろう病棟がある階までやってきた。

「……本当に行くんですか？」

　渋る鴻ノ池の臀部を、鷹央が軽く叩いた。

「当たり前だろ。ここまで来て、なに言っているんだよ」

「でも、詩さんがいるのって、閉鎖病棟ですよ。そこって、鍵がないと入れませんよ」

「なんとかなるなんとかなる。ほら、舞。さっさと案内してくれ」

　適当極まりない鷹央の言葉に、鴻ノ池は自棄を起こしたのか大股で廊下を進んでいく。途中、看護師とすれ違うが、特に怪しまれるようなことはなかった。

「大丈夫だっただろ」

「まだ終わっていません」

唇をへの字にしながら、鴻ノ池はそっとナースステーションに入る。数人の看護師たちが忙しそうに動き回っていた。精神科病棟の特色として、男性看護師も多い。ステーションにあるガラス窓の向こう側に病棟が見える。あそこが閉鎖病棟だろう。そこに入るための扉が奥にあった。鴻ノ池は首をすくめ、足音を殺しながら扉に近づいていく。僕たちもその後ろについていった。緊張で掌にじっとりと汗が滲みはじめるのを感じながら、僕たちは閉鎖病棟への扉のそばまでやってくる。

「どうするんですか？　この扉は自動ロックになってます。鍵がないと開きません」

鴻ノ池が鷹央に囁く。鷹央は唇に手を当てると、僕を見上げた。

「小鳥、誰かから鍵をスリ取れ」

「そんな技術、持っていません！」

鷹央の無茶ぶりに僕が小声で突っ込んだ瞬間、扉が開いた。中から、点滴セットが載ったトレーを持った男性看護師が、ナースステーションに入ってくる。

僕たちを気にするそぶりも見せず、看護師は処置台へと向かう。扉が閉じる寸前、鷹央が足を伸ばして隙間につま先をねじ込んだ。

「これで入れるぞ」

得意げに言った鷹央がドアノブを掴んだ瞬間、背後から「あら？」という声が聞こえる。振り向くと、若い女性看護師がまじまじと鴻ノ池の顔を見つめていた。

「もしかして、鴻ノ池さんじゃない？　二年前に実習に来た」

鴻ノ池の顔から血の気が引いていく。僕も喉からうめき声を漏らす。よりによって、顔見知りの看護師に見つかってしまうとは。

「あ……、いや、そうですけど……」

しどろもどろになりながら鴻ノ池が答えると、看護師は嬉しそうに近寄ってきた。

「うわー、久しぶり。もしかしてこの病院で研修なの？　なら、また飲みに行こうよ」

ここで実習したとき、親しくなっていたのか。鴻ノ池の社交性が裏目に出てしまった。

「いえ、研修に来たってわけじゃ……」

「え、研修じゃないなら、どうして白衣を着てここにいるの？」

看護師が小首をかしげる。泣き笑いの表情を浮かべた鴻ノ池が助けを求めるような視線を送ってくるが、僕は目を伏せた。なんとか自力で切り抜けてくれ。

「……卑怯者」

恨めしげに鴻ノ池がつぶやいた瞬間、「鴻ノ池先生」という凛とした声が響いた。見ると、閉鎖病棟の扉を開けたまま、鷹央が微笑んでいた。

「どうしました、行きましょう。案内お願いします」

看護師が「案内？」と聞き返すと、鷹央は大きく頷いた。

「はい、私、看護学生なんですけど、鴻ノ池先生について光陵医大附属病院の各施設を案内してもらっているんです。そういう教育プログラムがあるんで」

「あ、そうなんだ。私の頃にはそんなのなかったな」

「今年から始まったプログラムです」

鷹央は胸を張って、適当なデマを並べ立てる。そもそも、看護学生が研修医につくこと自体がおかしいのだが、鷹央の自信にあふれた態度のおかげか、看護師は「へー、そうなんだ」と疑いをもつことはなかった。

「邪魔してごめんなさいね、鴻ノ池さん。それじゃあ、次の機会にまた飲みましょ」

「あ、はい、連絡しますね」

鴻ノ池が引きつった笑みを浮かべると、看護師は席に戻って看護記録を書きはじめる。

僕と鴻ノ池が安堵の息を吐くと、鷹央は「ほら、行くぞ」と手招きをした。

「助け舟、ありがとうございました、鷹央先生。さすがですね、とっさにあんな冷静に対処できるなんて。ドキドキしたりしなかったんですか？」

「ドキドキ？　なんでだ？」鷹央は不思議そうにまばたきをする。「あの状況なら、作戦が失敗しても捕まるのは舞だけだ。私はその間に逃げ出すことができる」

「……小鳥先生、こんなこと言っているんですけど」

鴻ノ池が話しかけてくる。僕が再び「統括診断部へようこそ」と言うと、鴻ノ池は下唇を突き出してそっぽを向いた。

不貞腐れた鴻ノ池に先導され、僕たちは白く磨き上げられた廊下を進んでいく。

「この奥が隔離病棟で、隔離室があります。精神鑑定を受ける被疑者は、そこに入っているはずです」

廊下の奥にある扉の前で鴻ノ池が言う。

隔離室。閉鎖病棟に入院している患者の中でも、特に精神症状が苛烈で、自傷や他害のリスクが高い者を収容する病室。

ここに楯石詩がいる。果たして、鷹央は彼女からなにを聞き出すつもりなのだろうか。僕は乾燥した口腔内を舐めて湿らせる。

鷹央は「よし、行くか」と不敵な笑みを浮かべて扉を開いた。中には幅二メートルほどの細い廊下が伸び、その右側に頑丈そうな鉄製の扉が四つ並んでいた。海外映画に出てくる刑務所を思わせる物々しい雰囲気に緊張が走る。

ゆっくりと廊下を進んでいき、最も手前の扉についている小窓を覗き込む。

床の一部がわずかに盛り上がっただけのベッドと、一メートルほどの衝立しか見えない部屋。おそらく、衝立の向こう側にトイレがあるはずだ。

偏執的なまでに物が少ないその造りは、患者を刺激しないためと、服などを引っ掛けて首を吊(つ)ることを防ぐ為(ため)だろう。

部屋の中心には、病的なほどに痩(や)せた上半身裸の男が胡坐(あぐら)をかいていた。こちらに向けられた背中一面に、派手な和彫りの刺青(いれずみ)が描かれている。男は小声でぶつぶつとつぶやきながら、しきりに腕の辺りをつねっている。力を入れすぎているのか、何ヶ所も出血しているのが見て取れた。

「覚醒剤(かくせいざい)精神病の寄生虫妄想ですかね」

僕の言葉に、鷹央は「だろうな」と頷いた。

長年、覚醒剤を乱用した者には、妄想などの精神症状が生じることが多い。特に、体の中に虫が這いまわっているという妄想に囚(とら)われ、それを取り出そうと皮膚をつねり続ける寄生虫妄想は、典型的な症状の一つだ。

最初の扉の前を通過した僕たちは、狭い廊下を奥に進んでいく。二番目、三番目の部屋に患者はいなかった。最も奥にある扉の小窓を覗き込んだ僕は、口元に力を込める。殺風景な部屋に、楯石詩がいた。

美しい少女が低いベッドに腰掛け、虚(うつ)ろな目を床に向けている光景はどこか非現実的で、西洋絵画でも見ているような心地になる。

鷹央が「おい」と声をかける。小窓の下に会話用の小さな穴が開いているおかげで声が届いたらしく、詩は華奢な体を震わせると、こちらを向いた。青白い顔に恐怖が浮かんでいるのを見て、胸に痛みが走る。事件を通して知った彼女のあまりにも苛烈な身の上に、あらためて強い同情心が湧き上がってきた。

「あなたは……」詩は身を守るように、自らの両肩を抱いた。

「天久鷹央だ。この前、会っているだろ。ちょっと話がしたいからこっちに来い」

鷹央が手招きするが、詩はベッドに腰掛けたまま、助けを求めるように視線を彷徨わせるだけだった。これはよくない。もし詩が大声をあげたりしたら、きっと異常に気づいた看護師たちが押しかけてくるだろう。

「早くこっちに来いって」

苛立たしげに鷹央が言う。当然、詩はさらに怯えた表情になり、目を伏せた。

他人の心情を理解し、共感しながら相手の気持ちに寄り添った行動をとる。生まれついての特性的に、鷹央はそれが極めて苦手だ。ここは僕がうまく仲介するべきだろう。

口を開きかけるが、その前に鷹央が静かに言った。

「私の話を聞くんだ。本当に生まれ変わりたかったらな」

「生まれ……変わる……？」

詩が再びこちらを見る。硝子玉(ガラス)のように虚ろだった瞳(ひとみ)に、わずかに意思の光が宿った。

「そうだ」鷹央は力強く言う。「この前の『死者の復活』のような、偽(いつわり)のショーじゃない。本物の『生まれ変わり』だ」

「どういう……意味ですか……？」緩慢な動きで詩は立ち上がった。

「お前は殺人罪をなすりつけられるために生まれ、スケープゴートとして教育を受けてきた。さらには、金儲(かねもう)けのために『教祖』になることを強要され、最後には、同じ遺伝子を持った生みの母を殺した罪で逮捕された。お前は楯石家の『道具』でしかなかった」

詩は悔しげに目を伏せる。嗚咽(おえつ)をこらえるかのように、その細い唇が固く結ばれた。

「それでいいのか？」

鷹央の言葉に、詩は「え？」と顔をあげる。

「このまま『道具』でいて、お前は満足なのか？　お前はすでに十五歳だ。いかに歪んだ教育を受けてきたといっても、自我が芽生えているはずだ。自らの人生を決められるようになっているはずだ。このままでは、お前はずっと『永遠を生きる少女』として利用され続ける。久遠(くおん)の檻(おり)に閉じ込められ続けるんだ。それでいいのか？　選択しろ。摑み取れ。自分が望む生き方を」

「私が……選択」蒼白だった詩の頰が、うっすらと上気していく。「でも……どうやって？」

「私の質問に答えろ。そうしたら、私がお前を一人の『人間』にしてやる」

「人間に……」

嚙みしめるように、詩はその言葉を口にした。小窓越しに鷹央が大きくうなずく。

「そうだ。お前は人形から、意思を持った一人の人間になるんだ。本当の『生まれ変わり』だ。それを手に入れたければ、私を信用しろ。こっちに来い」

力強い鷹央の呼びかけに、詩の口が再び固く結ばれる。しかし、それはもはや嗚咽をこらえるためではなく、強い決意によって生じたものだった。胸に手を当てて大きく息を吐いた詩は、ゆっくりと扉へと歩みより、小窓に顔を近づける。

ガラス越しに、鷹央と詩が見つめ合った。

「どんな質問ですか？　どうすれば、私は『生まれ変わる』ことができるんですか」

「質問は大きく二つある。まず一つはお前の腹にある、手術の跡についてだ」

「手術の……」詩は入院着に包まれた、自らの下腹部に手を当てる。

「その手術を受けたのはごく最近だな。おそらくは、うちの病院を退院してから、それほど経っていない時期」

「そうです」詩はあごを引く。「退院した次の日だったはずです」

「それを執刀したのは、お前の父親だな。おそらくは神無月レディースクリニックで」

「そうだと思います。気づいたら、神無月レディースクリニックの個室にいました」

「気づいたらと言うと、その前のことは覚えていないのか？」

「はっきりとは……。何ヶ月か前から、頭がよく回らなくなって、誰かに見つめられているような気がしたり、誰かの……神様の声が聞こえてきたり……」

「神様？　龍神か？」

「分かりません。でも、あのときはそう思っていました。自分の中に龍神がいて、それが話しかけてきているんだって。自分が本当に選ばれた人間で、私の能力を狙って軍隊が監視しているとか……。なんでそんな馬鹿なことを……」

自分でも混乱しているのか、詩は頭痛をおぼえたかのように、こめかみを押さえる。

「脳炎のせいだろうな。それにより、普段から演じさせられてきた『キヅナ様』の設定を元にした妄想が形成されていった」

「脳炎？」

聞き返す詩に、鷹央は「ああ、気にしなくていい」と手を振る。

「大事なのは、お前が三ヶ月近く前、父親から手術を受けたということだ。さて、それでは最後の質問といこう」

鷹央は小窓越しに詩の瞳を覗き込む。

「お前は、本当に楯石希津奈を、生みの母親を殺したのか?」

あまりにも直球の質問に、詩の体が大きく震える。かすかに開いたその唇から「そ、それは……」とかすれ声が漏れた。

「どうなんだ?」

無情にも鷹央が質問をくり返すと、詩は蚊の鳴くような声で答えた。

「はい……、私が殺しました……」

「はっきり覚えているのか? そのとき、お前は精神症状で混乱状態だったはずだ。意識が混濁していて、記憶が曖昧なんじゃないか?」

「で、でも、映像が浮かぶんです。目の前にママが倒れている映像が……。頭から血を流したママが……」

「楯石希津奈を殴ったところは、はっきりとは覚えていないんだな?」

鷹央が勢い込んで訊ねると、詩はおずおずと頷いた。

「よく、分からないんです。殴ったような気もするけれど、全部、夢の中の出来事みたいで……。もう、なにがなんだか……」

両手で顔を覆い、肩を細かく震わせはじめた詩に、鷹央は優しく声をかける。

「大丈夫だ、心配するな」

涙に濡れた目で、詩が見つめてくると、鷹央は慈愛に満ちた笑みを浮かべた。

「これでお前は本当に『生まれ変わる』ことができる」

「どういうことですか？」

「すぐに分かるさ。あと何日か待っていろ」

ナース服に包まれた胸を叩くと、鷹央は「それじゃあ、帰るぞ」と僕たちに声をかける。

「鷹央先生、なにが分かったんですか？　これから、なにをするつもりなんですか？」

廊下を戻っていく鷹央に声をかけると、彼女は「内緒だ」とへたくそなウインクをした。

またかよ。僕がため息をついた次の瞬間、数メートル先にある扉が開いた。白衣を着た長身の男が入ってくるのを見て、隣にいる鴻ノ池が「ひっ」と悲鳴を上げる。

年齢は四十代半ばといったところだろうか。髪には白いものが目立ち、グレーにも見える。精悍な顔は整っていて三十代でも十分に通用しそうだが、まったくの無表情のため、やけに圧迫感がある。

「……君は以前、うちに実習に来たことがあるな。たしか、鴻ノ池君だったかな」

まるで人工音声のように、抑揚のない声で男は言う。

「は、はい……。お久しぶりです、影山先生」

影山？　ということは、この男がこの病院の院長で、詩の鑑定を行っている精神科医？

　最悪のタイミングでの鉢合わせに僕が硬直していると、長身の影山の後ろにいて見えなかった白衣姿の若い女性が顔をのぞかせた。

「え？　鴻ノ池ちゃん。なんでこんなところに⁉」

「こ、こんにちは、凜先輩。どーもー……」

　弛緩した作り笑いを浮かべる鴻ノ池を見て、僕は頭を抱える。院長だけでなく、この凜と呼ばれた女性医師も鴻ノ池の知り合いか。もはや、言い逃れなどできる状況じゃない。

「ここでなにをしているのかな？」

　淡々と影山が訊ねてくる。無表情のままなので、責められているのか、それとも純粋に訊ねられているのか判断がつかない。

「この閉鎖病棟には、許可のある者しか入ることはできないはずだ。特に、精神鑑定を受けている被疑者がいるときには」

　ああ、これは責められているな。

「えっと……、ちょっと大学の研修でこちらの病院にお邪魔して……。で、後学のために隔離病棟も見ておいた方がいいかなぁ、とか……」

　鴻ノ池が支離滅裂な釈明をすると、凛の目がすっと細くなった。

「鴻ノ池ちゃんの研修先ってうちの大学じゃなくて、天医会総合病院じゃなかった？」

　ああ、もはや言い逃れはできない。諦めかけたそのとき、鷹央がずいっと影山に近づき、ナース服のポケットに手を入れた。まさか、スタンガン？

　僕が慌てて止めようとすると、鷹央はポケットからDVDケースを取り出し、それを影山に差し出した。影山が「これは？」と片眉をわずかに上げる。

「私は天医会総合病院統括診断部の部長、天久鷹央だ。楯石詩がうちの精神科に入院していた際に撮影した頭部MRIの結果を持ってきた」

「え？　部長って、この子が？　え、……なんでナース服……？」

　凛が眉間に深いしわを寄せるが、影山はやはり表情筋をほとんど動かすことなく、DVDを受け取った。

「脳炎の所見が映っているというMRIか。郵送でもよかったのに、わざわざ部長が届けてくれるとは思わなかった」

「脳炎の画像は鑑定のために重要な情報だろ。直接会ってじゃないとな」

「なるほど……、直接会ってか」

　影山は詩がいる部屋の扉に視線を向ける。僕たちが詩に会いに来たことに、完全に気づいている。

このあと、警備員を呼ばれて、身柄を拘束されるのだろうか。それとも警察に通報されるのだろうか。僕が緊張して成り行きを見守っていると、影山はゆっくりと口を開いた。

「楯石詩さんの精神鑑定には私も苦慮していた。現在は完全に精神症状は消えていて、犯行前に脳炎を患っていたという情報はあるものの、検査データなどがない状態だった」

「じゃあ、このMRI画像である程度、病状が分かりますね」

凛の言葉に、影山は「ふむ」と少し考えるようなそぶりを見せる。

「たしかに、MRIを見れば脳炎であったことは確認できるだろう。しかし、それだけでは不十分だ。なぜ、その脳炎が起きたのか、それが事件にどのような影響を及ぼしたのか、その情報まで必要だ。正確な鑑定のためには、正確な情報がかかせない。そのためには、私はどんな手段でも取るつもりだ」

「素晴らしい心がけだな。私も正確な診断のためにはどんな手でも使う。内科と精神科、扱う疾患は違うが、診断医としての志は一緒ということだな」

鷹央は右手を差し出す。影山はためらうことなく、その手を握った。相変わらず顔の筋肉はほとんど動かないが、かすかに口角が上がっているように見えた。

「また、なにか診断の役に立つ情報があればぜひ教えていただきたい」

「ああ、もちろんだ。すぐにでも教えてやるから待っていろ」

鷹央が胸を張って手を引くと、影山は優雅な仕草で出入り口を手で示した。

「それでは、外までお送りしよう。閉鎖病棟から出るには、鍵が必要だ」

影山と鷹央が連れ立って出て行く。

「え？　それでいいんですか？　え、ええ？」

凜の戸惑いの声を聞きながら、僕と鴻ノ池はそそくさと鷹央たちのあとを追ったのだった。

3

街灯の薄い光に照らされた、人通りの少ない路地を僕は、鷹央、鴻ノ池とともに歩いていく。光陵医大附属雑司ヶ谷病院で詩の話を聞いた翌日の午後十一時過ぎ、僕たちは成城学園前の住宅街を歩いていた。

やがて、目的地に到着する。三階建ての建物だった。コンクリート打ちっぱなしの外壁に、幾何学的な模様が描かれた窓ガラスが規則性なく並んでいる姿がやけに前衛的だ。

先頭の僕は、ガラス製のドアを開けて中に入る。広々とした空間に、受付台、ソフアー、ファッションや音楽関係の雑誌が表紙を向けて並んでいる本棚などが、淡い間接照明の光に浮かび上がっていた。

ソファーに座っていた五人の男女が立ち上がり、近づいてくる。

「やけにお洒落な建物だな。七十代の男には似合わないぞ」

集団の先頭に立って近づいてくる男、楯石源蔵に向かって鷹央は軽く声をかける。

「……前の所有者が置いていったものをそのまま使っているだけだ」

警戒に満ちた声で源蔵が言う。その背後に控えている者たちも、明らかな敵意を纏っていた。男二人に女二人、年齢は全員比較的若く、二、三十代といったところだろう。その大半に見覚えがあった。龍神岬での『死者の復活』のときにいたＶＩＰ会員なのだろう。

「ああ、調べさせてもらったよ。ちょっと前まで、音楽の収録などに使っていたスタジオだったらしいな。けれど、オーナーが破産して売りに出されていたところをお前が買い取った。値段は一億二千万円だっけ？　いい値段だが、『信者』たちから毎月何千万円もの金が懐に転がり込んでくるお前にとっては安い買い物か」

「信者なんかじゃない。俺たちはオンラインサロンの会員だ」

源蔵のすぐ後ろにいた、茶髪の若者が声を上げる。

「『キヅナ様』を不老不死の龍神の生まれ変わりと信じ、その力をおすそ分けしてもらおうと崇め奉る会員、ね。それと、カルト宗教の信者と、なにが違うって言うんだ？」

会員たちは気色ばみ、前のめりになる。しかし、源蔵が軽く手を横に伸ばすと、彼らの動きが止まった。

「おやおや、凄(すご)い統率力だな。まるで、『キヅナ様』ではなくて、お前が教祖のようだ」

「私は『キヅナ様』の父親であり、彼女の意思を伝えるという使命を担(にな)っている」

「その『キヅナ様』が逮捕されているいま、お前がサロンの頂点にいるということか」

さっきつっかかってきた若い男が唐突に、「不当逮捕だ！」と叫んだ。

「警察は『キヅナ様』の影響力を恐れて、罪をでっちあげて逮捕したんだ。もしくは、政治家が『キヅナ様』の力を研究して奪い取ろうと……、なにがおかしいんだよ！」

途中で吹き出した鷹央に、男が怒声をあげる。鷹央は「いやあ、悪い悪い」と腹を押さえる。男のセリフが、あまりにも先日の予想通りだったので、耐えられなかったのだろう。

たとえ『キヅナ様』が逮捕されたという情報を知っても、会員たちにとって彼女は、不当逮捕された被害者でしかないのだ。『永遠の若さ』や『死者の復活』のトリックを説明しても、認知が歪んでしまっている彼らが受け入れることはないだろう。会員たちは明らかに詐欺の被害者だ。しかし、それを彼ら自身に気づかせるのは極めて困難だ。僕がそんなことを考えていると、鷹央は髪を掻き上げた。

「なんにしろ、いまオンラインサロンを仕切っているのはお前だということだな。そして、このスタジオで会員用に様々な動画作成をしていると。後ろの奴らはオンラインサロンの幹部兼、映像加工のスペシャリストといったところか」

「そうだ。ここにいる幹部たちの献身的な協力があるからこそ、『キヅナ様』が不当に囚われているいまも、彼女の教えを多くの一般会員たちに伝えることができる」

会員たちの顔に明らかな優越感が浮かぶ。オンラインサロンに貢献することによって幹部となり、特別扱いされる。それが彼らにとっては至上の悦びなのだろう。

狭い水槽の中で人工のエサを与えられ、太らされ、最後には食べられる養殖魚。そんなイメージが浮かんできてしまう。

「ここはお前が実質支配しているオンラインサロンの本拠地というわけだ。自分のホームグラウンドで決着をつけたいというわけか」

鷹央の言葉に、源蔵の表情が険しくなった。

「決着？　お前が話したいと言うから、わざわざ時間を取ってやったんだ」

昨夜、光陵医大附属雑司ヶ谷病院を出たあと、僕が運転するＣＸ－８の中で誰かと長々と電話しつつ天医会総合病院の〝家〟についた鷹央は、桜井から聞いていた源蔵の電話番号へ電話をした。最初、源蔵は渋っていた様子だったが、電話で「私の話を聞かないと、お前は大変なことになるぞ」と鷹央が脅し、今夜、このスタジオで会うことになっていた。

「そう怒るなよ。私もオンラインサロンの会員だぞ。しかも、知り合いを勧誘して入会までさせた、模範的会員だ。さて、どうする。ここで話すのか？　それはお勧めしないぞ。そこの『信者』たちには、あまり聞かせたくない内容のはずだからな」

源蔵はちらりと、後ろに控える会員たちを見る。

「……二階に撮影用のスタジオがある。そこにいくぞ。おかしなデマを吹き込まれて、会員たちを惑わせたくはない」

「惑わせているのは、いったいどっちだろうな」

わきにある階段へと向かう鷹央を、源蔵が「待て！」と止めた。

「スマートフォンを出せ」

「ああ？」鷹央の眉根が寄る。

「だから、スマートフォンをここにいる会員に預けておけ。これからする話は、内密のものだ。スマートフォンを通じて誰かに聞かれていたり、録音されていたりしたら、あとでその音声をどんなふうに悪用されるか分かったもんじゃない」

鷹央は渋い表情を浮かべると、キュロットスカートのポケットからスマートフォンを取り出し、近寄って来た女性会員に渡す。僕と鴻ノ池もスマートフォンを会員に手渡した。

「なかの情報を覗こうとか思うんじゃないぞ」

苛立たしげに言った鷹央は、右手首の腕時計をちらりと見たあと、階段をのぼりはじめる。その背中に、源蔵が再び「まだだ！」と声をかけた。

「まだ、ボディチェックが終わっていない」

「ボディチェックぅ⁉」鷹央が甲高い声をあげる。

「そうだ。スマートフォンがなくても、ボイスレコーダーを持っていたら、音声を録音できる。それを隠し持っていないか、チェックさせてもらう」

「……お前。そこまでして私みたいなピチピチのギャルの体を触りたいのか？」

本当に若い女性は、「ピチピチのギャル」なんて表現は使わない。嫌悪感を露わにする鷹央に思わず突っ込みそうになり、僕は両手で口を押さえる。そんなことを口走ったら、命の危険がある。

「私がやるわけがないだろう！」

顔を紅潮させながら源蔵が叫ぶと、会員たちが近づいてきた。二人の女性会員が鷹央と鴻ノ池の、茶髪の若い会員が僕のボディチェックをはじめる。

「ボイスレコーダーなんて持っていないよ」

全身を丹念にまさぐられながら僕が呆れ声を出した瞬間、「なによ、これは！」という金切り声が響き渡った。見ると、鷹央のボディチェックをしていた女性が、掌に収まるような小さな機器を掲げていた。

「えっと……、なんだろうな？」鷹央は天井辺りに視線を彷徨わせる。

「どう見ても、ボイスレコーダーじゃない！　他にも持っているんじゃないの？」

女性は乱暴な手つきで、鷹央のボディチェックを再開する。すぐにもう二つ、ボイスレコーダーが発見された。

「……これで全部です。三つも持っていました」

女性会員の冷たい視線を浴びた鷹央は、下手な口笛を吹きながらそっぽを向いた。

僕と鴻ノ池のボディチェックを終えた会員たちが声を上げる。

「こいつは持ってません」「この人もです」

「よし、それじゃあスタジオに行くぞ」

勝ち誇った表情で鷹央とすれ違った源蔵が階段をのぼっていく。唇を噛む鷹央とともに、僕たちもそのあとを追った。

「どうするんですか、鷹央先生」

隣で腕時計に視線を落としながら階段をあがる鷹央に、僕は声をかける。彼女は

「なにがだよ？」と横目で視線を向けてきた。

「油断させて、なにか決定的な証拠を口走らせる予定だったんじゃないんですか」

「……ああ、そうだ」

「じゃあ、スマホとボイスレコーダーを没収された時点で計画は破綻していますよね。仕切り直した方が……」

「もう遅い。見ろ」

鷹央に言われて僕は顔をあげる。二階の踊り場で、源蔵が厚い扉を開けて待ち構えていた。背後では会員たちが、険しい目つきでこちらを睨んでいる。

「まあ、お前と舞が暴れれば、あいつらぶちのめして逃げ出すことも可能だろうけど、そうしたらもう二度と楯石源蔵に話はできなくなるし、私たちが訴えられるかもしれない。というわけで、前に進むしかないんだよ。虎穴に入らずんば虎子を得ずってやつだ」

二階へとたどり着いた僕たちは、会員たちに追い立てられるように扉の中に入る。そこは、窓もないテニスコートほどの広さのがらんとした空間だった。奥には音楽収録用のブースがあり、部屋の中心には長テーブルがいくつか並べられて島になっている。その上には、撮影機材やパソコンがいくつも並んでいた。

「なるほど、ここが『キヅナ様』の動画を撮影するスペースか」

鷹央がつぶやくと、部屋に入ってきた源蔵が扉を閉める。重い音が部屋に響き渡った。

「この部屋は完全な防音になっている。これからする話は、誰にも聞かれずに済む」

余裕の表情を浮かべた源蔵は、部屋の中心にあるテーブルの島に近づくと、そこに置かれていたパイプ椅子(いす)に腰かけた。

「サロンの方は順調みたいだな。会員は二万人を超えたんだっけか?」

鷹央がちらりと腕時計に視線を落としつつ、つまらなそうに言うと、源蔵は口角を上げてテーブルの上にあるノートパソコンを操作する。その画面にオンラインサロンのホームページが表示された。

「二万人どころか、もう三万人を超えている」

「それはすごいな。私が入会したときはまだ、一万人にも達していなかった。まさに指数関数的な増加だ。それなら月に一億円を超える収入があるんじゃないか。『キヅナ様』の逮捕すら、その神性を高め、会員を増やすブースターになっている。まさに塞翁(さいおう)が馬だな」

「……なにが言いたい?」

オペラ歌手のように両手を大きく広げる鷹央に、源蔵の表情に警戒の色が戻る。

「いやあ、大したことじゃないさ」

鷹央は手近にあったパイプ椅子を引き寄せると、それに腰掛け、足を組んだ。

「逮捕されたにもかかわらず、お前にとって状況が良くなっていると思ってな」

鷹央は顔の横で左手の人差し指を立てる。

「お前は死体遺棄で逮捕されたし、楯石詩の出生に関していくつか法に触れることをしている。しかし、楯石詩を守るためだったという情状酌量の余地もあり、おそらくは執行猶予(ゆうよ)付きの判決が下るだろう。また、楯石希津奈を殴り殺したという楯石詩は、明らかに脳炎の所見があったため、犯行時は精神症状による混乱状態だったと判断され、心神喪失で責任能力がなかったと鑑定されるはずだ。すでに脳炎の症状が治まっていることより、早期に釈放されるだろう。そして、犯人が未成年で、しかも心神喪失の疑いが強く、さらには殺人のスケープゴートとして生まれ、育てられたという悲惨な生い立ちから、マスコミ各社も詳しい報道は控えている。そのことが、『キヅナ様』が不当逮捕されたという陰謀論を信じ込んでいるオンラインサロンの会員たちの目には、まるで警察などが情報を隠蔽(いんぺい)しているかのように映って、『信仰』が強化されていく」

滔々(とうとう)と語った鷹央は、目を細める。

「さらに、犯人である楯石希津奈がすでに死んでいるので、十六年前の事件については詳しく報道されることもない。お前にとってはいいことずくめだな」

「……偶然だ」

「お前が懲役を喰らわないこと、楯石詩が罰を受けないこと、殺人で裁かれるはずの楯石希津奈が死んだこと、そしてオンラインサロンが拡大していること。あまりにも偶然が重なりすぎじゃないか？『偶然が二つ重なったら、必然を疑う』。それが私のモットーだ。今回はそれが四つも重なっている。もはや必然で間違いないと考えるべきだ」

「必然とはどういう意味だ……？」

源蔵は低くこもった声で言う。鷹央は立てた人差し指をくるくると回しはじめた。

「私は内科医なんでな、今回の事件で一番気になっていたのは脳炎についてだ。うちで撮影した頭部ＭＲＩで、『キヅナ様』を演じていた楯石詩には明らかな脳炎の所見が認められた。精神症状がそれによって生じていたのは間違いない。しかし、『死者の復活』の際には、しっかりと『蘇ったキヅナ様』という偶像を演じることができていた。そのことより、脳炎は治癒していたと考えられる。脳炎というのは極めて重篤な疾患だ。放置しておけば、致命的になることも少なくない。その脳炎がなぜ病院から退院したにもかかわらず、治っていたのか、それがずっと分からなかった」

「脳炎が自然治癒することもある」

源蔵の答えに、鷹央は肩をすくめる。

「たしかにその通りだ。さすがは元産科医、いや、医学の知識を駆使して様々な『奇跡』を演出し、オンラインサロンの会員たちを騙していたのだから、いまも現役と言えるのかな。まあ、ヒポクラテスの誓いを守っていない時点で、医師の風上にもおけないがな」

「そんな埃をかぶった価値観になんの意味がある」

源蔵は大きく手を振る。

「私は会員たちを騙していたわけじゃない。必死に培った産科医としての知識と技術を駆使して、あの間抜けたちに夢を見させてやっているだけだ。あんなものに嵌まる奴らは、実社会で落ち零れて、現実から目を背けようとしている敗北者たちだ。奴らにとって『キヅナ様』の奇跡を見ることで、現実とはまったく違う世界があるという錯覚に酔うことができる。そこなら、自分もなにか特別な存在になれるという幻想とともにな」

鷹央は「なるほど」と背もたれに体重をかけた。

「オンラインサロンはある意味、現実に絶望している者たちに希望を与える精神療法のようなものだというわけか。そして、お前は楯石詩を『キヅナ様』という偶像に祭り上げるプロデューサーだ。やはり、オンラインサロンの実質的な支配者はお前だな」

「だったらどうする？　詐欺罪で告発でもするか？　好きにすればいい。偶像を祭り上げて金を集めるなど、どこの新興宗教でもやっていることだ。罰することなんてできるわけがない。それに、会員の馬鹿どもは喜んで金を貢(みつ)いでくれるんだ。誰もが幸せになっているじゃないか。それのなにが悪い」

　まくしたてた源蔵は、出入り口を指さした。

「話がそれだけなら、さっさと警察にでも駆け込め。相手にされないだろうがな」

「ああ、違う違う」鷹央は軽く手を振る。「話がそれて悪かった。私が本当に話したいのは、脳炎についてだ。脳炎の原因はなんだったのか、なぜそれが治ったのか。それについてぜひディスカッションをしよう。この部屋にいるのは全員ドクターだ。私の部下たちの教育のためにも、症例検討会といこうじゃないか」

「症例検討会って、鷹央先生には脳炎の原因が分かっているんですか？」

　訊ねると、鷹央は僕を軽く睨んできた。

「当たり前だろ。これまでに集まったデータを見れば、一目瞭然(りょうぜん)だ」

「でも、治療せずに治る脳炎なんて……」唇に手を当てながら鴻ノ池がつぶやく。

「その前提条件が間違っているんだ。うちの病院を無理やり退院したあと、楯石詩は一ヶ月以上、行方不明になっていた。脳炎という重篤な疾患に罹(かか)っているという情報を得て、警察が多くの病院をしらみつぶしに当たったが、発見できなかった。そのことから、楯石詩は専門的な治療を受けていなかったとみていたが、この男が医師で、しかも神無月レディースクリニックを自由に使えるとなれば話が変わってくる」

　鷹央に指さされた源蔵の表情が硬度をました。

「じゃあ、詩さんは神無月レディースクリニックで脳炎の治療を受けていたんですか？」

　鴻ノ池が声を上げると、鷹央は「ああ」とあごを引いた。

「昨日、神無月に電話をして確認を取った。うちの病院を退院してすぐ、楯石詩が神無月レディースクリニックに一ヶ月ほど入院していたってな」

　昨夜、帰りの車の中でずっと電話をしているなと思ったら、神無月からまた情報を搾り取っていたのか。

「昔の医療事故の件でちょっと脅したら、知っていることを全部話してくれたぞ。お前が、神無月にどんな指示を出していたかまでな」

　鷹央はからかうように言った。

「警察か誰かに感づかれたら、病院の元院長が自分だった件、そして楯石希津奈に受精卵の移植を行った件までは話していい。ただし、楯石詩の入院については黙っていろ。それがお前の命令だったそうだな。つまり、お前は『永遠の若さ』や『死者の復活』のトリックがばれるのは、別に構わないと考えていたわけだ。たしかに、いまの状況をみるとその判断は正しかったな」

　唇を歪(ゆが)める源蔵を前に、鷹央は楽しそうに話し続ける。

「しかし、脅しに弱い男で助かったよ。なんでもペラペラ喋(しゃべ)ってくれるからな。共犯者としては、頼りなかったんじゃないか？　それとも、お前に人望がないせいかな」

「……べつに共犯者なんかじゃない。私はただ詩の治療を落ち着いてやりたかっただけだ」

「いいや、違うな。お前は楯石希津奈が自らの分身を産んだことよりも、楯石詩が入院していたことを隠そうとした。なぜなら、絶対に知られてはならない秘密があったからだ」

　源蔵が口を固く結ぶ。鴻ノ池が「秘密？」と前のめりになった。

「脳炎をどうやって治したかだ」

「脳炎を？　普通なら、抗ウイルス薬とかじゃないですか？」

　僕がつぶやくと、鷹央は立てた人差し指を左右に振った。

「たしかにヘルペス脳炎などなら、抗ウイルス薬で治療する。しかし、それなら別に隠す必要なんてない。一般的な脳炎とは異なる特別な治療を行ったからこそ、こいつはどうしてもそれを隠したかったんだ」

「特別な治療って、なんですか？」

鴻ノ池の問いに、鷹央は高らかに答えた。

「手術だ」

「手術⁉」

僕と鴻ノ池の声が重なる。

「脳炎を手術で治すって、そんなことあり得るんですか？　それって、頭部の手術ですか」

鴻ノ池が早口で言うが、鷹央は首を横に振った。

「いや、腹だ。楯石詩の下腹部に刻まれていた帝王切開の跡のような手術痕（こん）。あれこそが脳炎を治療した跡だったんだ」

「お腹（なか）の手術で脳炎を……」

戸惑い顔で鴻ノ池が額を押さえる。混乱しているのは僕も同じだった。なぜ、腹部の手術で、まったく違う場所にある脳の治療ができるのか分からない。

「神無月が教えてくれたぞ。うちの病院を退院させた翌日に手術室を使ってお前が楯石詩の手術を行ったと。麻酔科医も、機械出しのナースも、そして助手もつけず、たった一人でな。それだけ、なんの手術を行ったか知られたくなかったんだろ」

「なんの手術だったんですか？　なんで、腹部の手術で脳炎の治療ができるんですか？」

焦れた僕が訊ねると、鷹央は「まだ分からないのかよ」と、ため息をついた。

「この事件に残っていた三つの謎。それを考えれば明らかだろ」

「三つの謎……。脳炎の原因、腹部の手術痕、そして……骨壺の中にあった小さな歯」

僕がつぶやくと、鷹央は「それだ」と指を鳴らした。

「骨壺に入っていた歯だ。胎児のものとしか思えなかったので、十六年前に死産した、楯石希津奈と河合の子供のものだと思い込んでいた。しかし、そうじゃない可能性に気がつくと、違った景色が広がるんだ。一昨日、舞が言っていた『三つの謎を一気に解決する』ってやつだ」

「三つの謎を一気に……」つぶやきながら、僕は必死に思考を走らせる。

脳炎、手術痕、小さな歯。小さな歯が胎児のものでなかったとしたら、いったいどこから出てきたんだ。源蔵が手術で取り出したとでもいうのか？　しかし、詩は実際には妊娠などしていなかったはず……。

胎児がいるわけではないのに、歯が……。そこまで考えたとき、頭の中で火花が散った気がした。全身が硬直し、口から「ああっ⁉」という声が漏れる。

「ど、どうしたんですか、小鳥先生。大丈夫ですか？」

鴻ノ池が不安げに声をかけてくるが、それに答える余裕などなかった。パズルのピースが一気にはまっていき、恐ろしい真実が目の前に広がる。

「ようやく気づいたか。言ってみろ」

シニカルに唇の端を上げる鷹央に促された僕は、ゆっくりと口を開いた。

「テラトーマ……。奇形腫です」

「正解だ」

鷹央は大きく指を鳴らした。

「え？　え？　どういうことですか？」

まだ状況がつかめない鴻ノ池が、僕と鷹央の間で視線を反復横跳びさせる。鷹央は歌うように説明を始める。

「奇形腫は卵子や精子のもとになる細胞が腫瘍化した胚細胞腫瘍の一種で、頭蓋内、縦隔、後腹膜など人間の正中線に沿った部位に好発する。特に卵巣腫瘍として生じることが多い。卵巣に生じる奇形腫は良性の成熟嚢胞性奇形腫とやや悪性の性質を持つ未熟奇形腫がある。そして、成熟嚢胞性奇形腫では内部に脂肪や髪の毛、神経組織そして……歯などが含まれることがある」

「歯⁉」鴻ノ池の声が裏返る。「それじゃあ、骨壺に入っていた歯って……」

「そうだ。胎児のものじゃない。摘出された奇形腫の中に入っていた歯だったんだよ」

鷹央は源蔵を見つめる。

「お前は神無月レディースクリニックで楯石詩の手術を行い、成熟嚢胞性奇形腫を取り出した。しかし、誰にもその臓器を見せるわけにはいかなかった。楯石詩が奇形腫を患っていたことは、なんとしても隠さなくてはいけなかったからな。神無月に頼んで処理してもらうこともできない。警察に追われていることは分かっていたので、外に捨てることもできない。本当なら細かく刻んでトイレにでも流せばよかったのだろうが、大切な詩から取り出した卵巣にそんなことはできなかった。しかたなくお前は、それを病室の冷凍庫にでも保管しておき、そして防波堤で発見された楯石希津奈の遺体を火葬する際に、そっと忍び込ませた。だからこそ骨壺に、奇形腫の中にあった歯が紛れ込んでしまったんだ」

鷹央は「ああ、そうそう」と手を合わせる。

「本来、卵巣の良性腫瘍を摘出するだけなら、小さな手術痕で済むはずだ。それなのに、あんな帝王切開の跡と同じくらい大きな痕（あと）を残したのは、『死者の復活』の演出のためもあったが、なにより楯石詩が奇形腫だったということを絶対に隠したかったからだろうな。しかし、そんな理由で女の腹に大きな傷跡をつけるなんて、本当にひどい奴だな」

鷹央の揶揄に源蔵の眉尻が上がるが、その口は固く結ばれたままだった。

「どうしてそこまでして、奇形腫のことを隠さないといけなかったんですか？　たんなる卵巣の良性腫瘍ですよね。取れば完治する病気ですよね」

鴻ノ池が首をひねると、鷹央は横目で僕を見た。

「小鳥、説明しろ。統括診断部の先輩として、ちょっとはできるところ見せてやれよ」

ちょっとはって……。僕は苦笑すると、この事件の核心である病名を口にする。

「抗ＮＭＤＡ受容体脳炎ですね」

「ああ、その通りだ」鷹央は満足げに大きく頷いた。

「え、なんですか、その病気？　知らないんですけど」

鴻ノ池がまばたきをくり返すと、鷹央は歌うように説明をはじめる。

「抗ＮＭＤＡ受容体脳炎は、自己免疫性疾患の一種だ。脳の神経伝達物質であるグルタミン酸の受容体に対する抗体が産生される。その結果、脳炎が引き起こされ、統合失調症に似た妄想、幻覚、記憶障害などの精神症状が生じ、場合によっては痙攣をきたすこともある。さらに症状が進めば、意識障害や昏睡に陥り、人工呼吸が必要になることもある。そして、この疾患の患者の八十％以上が若年の女性であり、半数ほどに腫瘍が併発している。その腫瘍の大部分が……」

鷹央は言葉を切ると、源蔵に向かって挑発的な笑みを浮かべた。

「奇形腫だ」

テーブルの上に置かれた源蔵の両手が強く握られる。

「生殖細胞から発生する奇形腫には、さっき言ったように、脂肪、髪の毛、歯など様々な組織が含まれる。そして、その中に脳組織が含まれていた場合、それに対する抗体が生じ、抗ＮＭＤＡ受容体脳炎が生じるのではないかと考えられているんだ」

「でも、退院してすぐに源蔵さんは詩さんの奇形腫を取ったんですよね。ということは、最初から……」

両こめかみに指をあてる鴻ノ池に、鷹央は「そうだ」と声をかける。

「この男はうちの病院から楯石詩を連れ出した時点で、抗ＮＭＤＡ受容体脳炎だと知っていたんだ」

「じゃあ、なんでそれを言わなかったんですか？　なんでわざわざ天医会総合病院の精神科に入院させたんですか？」

混乱状態の鴻ノ池が細かく首を振ると、鷹央は立てた人差し指を顔の前に持ってくる。

「そう、それが問題だ。さて、それでは時系列を整理してみるか。そうすれば真実が見えてくるからな」

鷹央がくっくっといやらしい押し殺した笑い声をあげると、源蔵は大きく舌を鳴らした。

「去年の暮れごろから、楯石詩はそれまでぎこちなかった『キヅナ様』をうまくこなすようになってきた。まるで、自分が本当に永遠の命を持つ、龍神(りゅうじん)の生まれ変わりだと思いこんでいるかのようにな。おそらく、その辺りから抗NMDA受容体脳炎の症状が生じていたのだろうが、まだ症状は軽度だったし、それによる神秘性が増してオンラインサロンの会員も増えていたので経過を見ていた。しかし、精神症状はどんどんと強くなり、三ヶ月ほど前には、完全に混乱状態になってしまった。そこで産婦人科医であるお前は気づいたんだ。楯石詩は抗NMDA受容体脳炎だってな」

鷹央は芝居じみた仕草で手を叩(たた)く。

「見事な診断だ。抗NMDA受容体脳炎は二〇〇七年にペンシルベニア大学医学部が提唱した、比較的新しく認知された疾患だ。知らない医者も少なくない。それに気付いたということは、お前は産婦人科医としての知識のアップグレードを欠かさなかったということだ。まさに生涯学習だな」

「そんなことどうでもいい！」

それまで、ずっと険しい顔で黙っていた源蔵が声を荒らげる。

「いたぶっているつもりか？　言いたいことがあるなら、さっさと言え！」

「そうカリカリするなって。あと少しなんだから。あー、どこまで説明したっけか。そうそう、お前が抗NMDA受容体脳炎に気づいたところだな。さて、当然お前は、大切な楯石詩を助けるためすぐにでも治療をしようと思った。しかし、そこに思いがけないことが起こった。……河合の遺体の発見だ」

源蔵の頰がかすかに引きつる。

「芸能事務所が倒産し、去年予定されていたタイムカプセルの掘り起こしが行われなかったことで安心していたところに、工事で偶然、それが見つかってしまった。このままだと、楯石希津奈か、楯石詩、どちらかが殺人犯として逮捕されるだろう。当然、『永遠の若さ』のトリックも暴かれ、大金を生み出しはじめていたオンラインサロンも終わってしまう。さらに最悪の場合には、自分と同じDNAの子供を産み、殺人のスケープゴートにしようとした楯石希津奈の常軌を逸した行為も明るみに出て、マスコミが押しかけ、全国的に晒し物にされる可能性すらあった。お前も楯石希津奈も追い詰められただろうな」

ああ、精神科病棟で伊豆花江と名乗っていた希津奈が、早く詩を治すようにヒステリックにわめきたてていたのは、そうしないと身代わりにできないと焦っていたからか。

僕が納得するなか、鷹央は立てた人差し指を源蔵に向けた。

「そのとき、お前に天啓が降りた。すべてを一気に解決する、起死回生のアイデアがな。そのために、お前はまず楯石詩をうちの病院に入院させた」

「え？　精神科に入院したのも計画の一部だったんですか？　なんでそんなことを？」

首を傾ける鴻ノ池の問いに、鷹央は快活に答える。

「頭部のＭＲＩ画像を撮影させるためだ」

「頭部ＭＲＩを？」鴻ノ池がいぶかしげに眉根を寄せた。

「そうだ。精神症状を呈している患者に、脳腫瘍や脳卒中の後遺症などを疑い、頭部のＭＲＩを撮影するのは当然だ。うちの病院でもルーチンで行っている。それをさせることが、この男の目的だったんだよ」

「あっ」鴻ノ池が目を大きくする。「うちでＭＲＩを取れば、脳炎の証拠が残る」

鷹央は「その通りだ」と口角を上げた。

「楯石詩が脳炎を発症し、それによって精神症状が生じて混乱していたという客観的な証拠、それこそがこの男が求めていたものだったんだ。だから、ＭＲＩさえ撮り終えたら、すぐにでも退院する必要があった。私のような優秀な診断医に診察されれば、抗ＮＭＤＡ受容体脳炎であることを見破られてしまうからな」

だからあの日、頭部ＭＲＩを撮影したあと、源蔵は詩を退院させると言い張ったのか。

「さて、楯石詩をうちの病院から連れ去ったお前は、その足で神無月レディースクリニックに向かい、そして翌日にはたった一人で手術を行って奇形腫を取り去っている。奇形腫による抗NMDA受容体脳炎の特徴として、抗体産生の原因となっている腫瘍を除去したうえで、ステロイドパルスなどの適切な治療を行えば、完治しやすいことがある。そうして、お前の治療により楯石詩の脳炎は治り、精神症状も消え去ったんだ」

「え、それっておかしくないですか?」鴻ノ池があご先に指を添える。「詩さんは脳炎による混乱で、希津奈さんを撲殺してしまったんですよね。でも、それじゃあ事件は入院中に起こったってことですか?」

「いいや、そうじゃない。だよな?」

鷹央に声をかけられた源蔵は、無言のまま歯茎が覗くほどに唇を歪めた。

「答えないか。なら、私が代わりに説明してやろう。もし、事件が神無月レディースクリニックで行われていたなら、さすがに神無月も気づいた可能性が高い。誰にも気づかれず、成人女性の遺体をクリニックから運び出すのは困難だ。そもそも、死亡推定日時がまったく合わない」

鷹央の指摘に、僕と鴻ノ池は「あっ」と声を重ねた。

「そうだ。『キヅナ様』が崖から飛び降りたのは、うちから退院して四十日以上経ったあとだ。当然、楯石希津奈が殺害されたのもその頃のはずだ。でなければ、司法解剖で『キヅナ様』の遺体ではないと、死亡推定時刻で気づかれたはずだからな」

「でも、その頃には詩さんは脳炎から回復して、精神症状は回復していたはず……」

鴻ノ池の声がかすかにふるえる。鷹央は頷いた。

「楯石詩が精神症状によって混乱し、楯石希津奈を殴り殺したというストーリーは成り立たなくなる」

言葉を切った鷹央は、すっと目を細めて源蔵を見つめる。

「お前は最初から楯石詩を、河合殺害のスケープゴートにするつもりなんてなかったんじゃないか？」

「……なにが言いたい？」

押し殺した声で源蔵は言う。鷹央は軽く首をそらすと、挑発的な笑みを浮かべた。

「異常なほどに執着していた妻を亡くしたお前は、腎移植のドナーとするために産ませた楯石希津奈を妻の代用品として育てることで、心に空いた大きな穴を埋めていた。つまり、お前にとって楯石希津奈は妻の身代わりだったわけだ。しかし、その希津奈は河合という軽薄な男に惚れてしまい、あまつさえその子供を妊娠してしまった。お前にとってそれは、不貞行為に等しいものだったんじゃないのか？　おそらくそちらの方が、楯石希津奈が河合を殺してしまったことよりショックだったはずだ。そうだろ?」

源蔵の奥歯が軋む音がかすかに聞こえてきた。

「これまでの行動を見るに、お前は典型的な社会病質者だろう。他人への共感が乏しく、罪の意識というものに縛られることなく、冷静に自分の欲求を満たしていくことができる。そんなお前が、楯石希津奈の妊娠を知ったらどうするか。答えは明白だよな」

不吉な想像に僕は「まさか……」と言葉を失う。鷹央はかすかにあごを引いた。

「そう、おそらく楯石希津奈が死産したのは、河合を殺したストレスのためではなく、こいつが原因だ。産科医であるこの男なら、投薬などで胎児の息の根を止めることは簡単だっただろう。楯石希津奈も、まさかずっと自分を甘やかしてきた父親がそんなことをするとは思いもよらず、なんの疑いもなく薬を飲んだはずだ。胎児の成長に必要なものだと思ってな」

嫉妬心から、自分の孫として生まれる胎児の命を奪うなんて。僕は言葉を失いながら源蔵を見る。彼は無言のまま、ただ昏い双眸を鷹央に向けている。その態度は、鷹央の恐ろしい仮説が正しいことを如実に物語っていた。

「同じ穴の狢のくせに……」

舌打ち交じりに源蔵が小声でつぶやいた。鷹央は「なんだって？」と聞き返す。

「同じ穴の狢だよ。お前も俺の同類だろ」

表情を引き締める鷹央を見ながら、源蔵は忌々しそうに言葉を続けた。

「たしかに俺は社会病質者だろう。けれど、お前だって同類だ。他人の気持ちを読むことができず、人の目を気にせず自分の欲求を満たすために突拍子もない行動を取る。十分に社会病質者の素質を持っている。俺とお前は同類なんだよ」

「違います！」鴻ノ池が頬を赤らめて声を張り上げる。「鷹央先生はあなたの同類なんかじゃありません。難病で苦しんでいる人や事件の被害者をいつも助けているんです」

「それはただ、この女の興味が『謎を解く』ということに向いているからだ。決して他人の為ではない。自分の快楽のためだ。この女は目的のためには、社会のルールなんかに縛られない。どんな犯罪行為も躊躇なく行うはずだ」

鴻ノ池は言葉に詰まる。まさに昨日、精神科病院への不法侵入という不法行為を行っているのだから、当然だろう。

「……たしかに、私はお前の同類だろう」

静かに鷹央は語る。

「私の価値観では、『謎を解く』という行為は、社会倫理よりも上位に位置している。

いつか私は犯罪に手を染めるかもしれない」

いや、だから不法侵入……。

「しかし」鷹央の表情が引き締まる。「私が社会病質者であったとしても、お前と同じ立場ではない。実際に犯罪に手を染めたものと、そうでないものの間には大きな隔絶がある」

「……いつか、お前もきっと一線を越えるさ。同類の俺が言うんだ。間違いない」

「そうかもな。だが、いまはすでに起きてしまった過去の話をしているんだ。だろ?」

鷹央が水を向けると、源蔵はつまらなそうに視線を外した。

「反論がないようなので、話を続けるぞ。死産と河合殺害で心身ともに消耗したお前は一人娘にこう提案した。『スケープゴートにするため、同じDNAを持つ子供を作ろう』と。もはや、正常な判断がつかなくなっていた楯石希津奈はそれに同意し、そして楯石詩が生まれた。しかし、お前の本来の目的は、楯石詩を十五年後に殺人犯として差し出すことじゃない。他の男に穢(けが)されてしまった楯石希津奈の代用品を新たに作ることだった」

あまりにもおぞましい内容に、背筋に冷たい震えが走る。隣に立つ鴻ノ池も、青ざめた顔で絶句していた。

「つまり、お前にとって大切な妻の代用品は、楯石希津奈ではなくて、楯石詩になっていたということだ。それは、妻の『歌子』にちなんだ名前を付けたことから明らかだな。そして、ストレスから過食になったのか、肥満体になり、さらに金遣いが極めて荒くなった楯石希津奈は邪魔な存在になっていた」

鷹央は大きく息をつくと、静かに言った。

「だから殺したんだ。自分の手でな」

衝撃的な告発に、僕と鴻ノ池は息を呑む。源蔵は底なし沼のような瞳をこちらに向けた。

「私が希津奈を殺したというのか？」

「そうだ。お前は治療により精神症状が改善した楯石詩に、パニックになって楯石希津奈を殺害したとなんども言い聞かせた。楯石詩はその刷り込みによって、あたかも自分が楯石希津奈を殺害したことが事実であるかのように思い込んでしまった。まあ、半年以上患っていた脳炎から回復したばかりなので、混乱してそれを信じ込んでしまうのは当然だな」

「でも、実際そのとき、希津奈さんはまだ生きていた……」僕は呆然とつぶやく。

「そうだ。その間この男は、『死者の復活』の計画を整えていた。罪から逃れるためと説得して楯石詩に了解を取ったり、熱心な会員たちを使って、『龍神の巣』を飛込用のプールにする綿密な計画を立てたりした。そして準備ができたところで、お前は隠れ家の別荘で、楯石詩が回復したことで安心し油断していた楯石希津奈を殴り殺した」

話し疲れたのか、鷹央は大きく息を吐く。

「あとは知っての通りだな。お前は海水で満たした『龍神の巣』に楯石詩を飛び込ませ、楯石希津奈の遺体をテトラポッドの隙間に廃棄したうえで、十分に時間が経ってから通報した。その後、『死者の復活』を演出してオンラインサロンを大きくし、そして私に中途半端に事件の謎を解かせて、自分も楯石詩も大した罪を被らないですむ結果へと導いた。いやあ、完璧だよ。すべて完璧だった。私という天才を利用しようとしなければな」

源蔵の想像を超えた能力を持つ、鷹央の存在によってすべての謎は解かれた。計画を看破された源蔵は、このあと、どのような反応をするのだろう。僕が息を殺していると、険しかった源蔵の顔に不敵な笑みが浮かんだ。

「なかなか面白いショーだったな。いやあ、想像力豊かなことだ」

「私の推理が間違いだったとでも言うのか?」

「ああ、間違いだよ。まったくの見当違いだ。それとも、証拠でもあるのかな?」

「楯石希津奈の死亡推定日時の件はどう説明する?」

「奇形腫を取ったからと言って、すぐに完全に精神症状が消え去るとは限らない。手術から四十日経ってもう大丈夫だと別荘へと連れていったが、急に詩の妄想がぶり返して、止める間もなく希津奈を殴り殺してしまったんだ」

「なるほどなるほど、万が一のための言い訳まで、抜け目なく考えていたのか。ちょっと苦しいけどな」

「苦しいもなにも、それが真実だ」

鷹央は「いや、それは違う」とかぶりを振った。緩んでいた源蔵の表情に緊張が走る。

「楯石詩にはできないんだよ。楯石希津奈を殴り殺すなんてな」

「どういう意味だ？」警戒を露わにしながら源蔵が訊ねた。

「そのままの意味さ。楯石詩は人を殴るなんてできない。そもそも、腕が上がらないんだよ。抗ＮＭＤＡ受容体脳炎の後遺症でな」

源蔵の眉間に深いしわが刻まれる。

「その様子を見ると、知らないようだな。抗ＮＭＤＡ受容体は別に頭蓋内だけにあるわけじゃない。ほかの神経でも少量存在する。そのため、末梢神経麻痺がおこることがあり、特にそれは三角筋に生じやすい。三角筋はなにをするための筋肉か知っているよな？　そうだ、腕を上げるための筋肉だ。精神科でちょっと診察したとき、楯石詩は明らかに三角筋の萎縮が見られていた。つまり、三角筋の麻痺が生じていたはずなんだ。そして、その麻痺は、たとえ脳炎が治っても、少なくとも一年は継続するはずだ。つまり、楯石詩が楯石希津奈を殴り殺したわけがないんだ」

証明終わりというように、鷹央は人差し指を立てた左手を勢い良く振った。

鉛のように重い沈黙が部屋に落ちる。俯（うつむ）いた源蔵の表情はよく見えなかった。唐突に顔をあげた源蔵が、両手を大きく打ち鳴らしはじめる。

「素晴らしい。本当に素晴らしいよ、天久先生。私の完璧な計画が見破られるとは、思ってもみなかった」

「私の推理が正しいと認めるんだな」

「ああ、認めるさ。まさに完璧だ。驚いたよ、全（すべ）て見抜かれるなんてな」

「じゃあ、警察にいって全部自白するか？」

鷹央が言うと、源蔵は不思議そうにまばたきをする。

「自白？　なにを言っているんだ？」

「なにをって、すべてお前が裏で糸を引いていたんだろ。そして、楯石希津奈を殺したのは、楯石詩ではなくお前だ」

「だからどうしたのかな？　それを証明する方法なんてない」

「それは、三角筋が……」

「その三角筋の麻痺がいつ生じたかなんて誰にも分からない」

「私が証言すれば……」

「お前の証言」源蔵は嘲笑を漏らす。「そんなものになんの意味がある？　私に何度も絡んでいる時点で、お前は『善意の第三者』ではなく、私に対して敵意を持っているとみなされる。その人物の証言に客観性があるなど、裁判所が判断するわけがない。私を陥れるため、お前がでっちあげをしている可能性が高いと思われるだけだ」

「でも、真実は……」

鷹央が食い下がろうとすると、源蔵は吹き出した。

「真実なんてどうでもいいんだよ。たしかに私は自分の手で希津奈を殴り殺した。あんな醜くなった女など、もはやどうでもよかった。以前から捨てたくて、チャンスをうかがっていたんだよ。けれど、誰もそれを証明することはできない」

「警察がもう一度、鑑識を使って丹念に事件現場である別荘を調べれば、きっとお前が犯人だという証拠が出てくるはずだ」

「そうかもしれないな。しかし、警察はそんなことしない。私と詩がまったく同じ証言をしたことで、警察は大した裏もとらずに私たちを送検した。これで真実は違っていたかもしれないなどとは、よっぽど確実な証拠でも出ない限り警視庁のプライドが邪魔して言えないはずだ。そして、お前の証言は『確実な証拠』には程遠い」

鷹央は悔しげに歯を食いしばる。

「ボイスレコーダーを取り上げられて残念だったな。もし、俺の話を録音できていたら、『確実な証拠』になったのかもしれなかったのに。まあ、レコーダーがないことが分かってるからこそ、こうして認めてやったんだが」

「……推理が正しいのを知りながら、それを告発できないと知る方が、私に屈辱を与えられると思ったからか」

「その通りだ。君は賢いね。ただ、俺の方が君より遥かに賢いんだよ」

鷹央はうつむき、肩を細かく揺らしはじめた。勝ち誇った表情で源蔵は、「そろそろ、お暇を願おうか」と立ち上がった。鷹央は俯いたまま、緩慢な動きで立ち上がる。なんとかならないのだろうか。この男が自分の娘を殺害したのは間違いないのだ。それを証明する方法はないのだろうか。

僕は拳を握りしめる。隣では、鴻ノ池が悔しげに鼻の付け根にしわを寄せていた。

「……小鳥先生。あの男の関節、外したりしちゃダメですかね」

「気持ちは分かる。痛いくらい分かるが、やめとけ」

こいつなら肩どころか、首の関節を外しかねない。

「一つ聞いていいですか？」

僕は出入り口に向かう源蔵の背中に声をかける。扉の前までいった源蔵が、「なんだ？」と振り返った。

「あなたは黄疸がでるほどに進行した肝硬変患者だ。残された時間はそれほど長くないはずです。にもかかわらず、なんでオンラインサロンを大きくして、大金を得ることに固執したんですか？　一人娘を殺すなんてひどいことをせず、希津奈さんに罪を償わせながら、詩さんと平和に余生を過ごせばよかったじゃないですか？」

「余生？」源蔵は鼻を鳴らす。「肝硬変なんてなんとでもなる。詩がいるんだからな」

なにを言われたか理解できず、数瞬、黙り込んだあと、僕は大きく目を見開いた。

「まさかあんた、肝移植をするつもりか⁉」

「え？　え？　どういう意味ですか？」鴻ノ池が僕と源蔵を交互に見る。

「……この男は、詩さんの肝臓を自分に移植することで、肝硬変を治すつもりなんだ」

僕が喉の奥から絞り出すように言うと、鴻ノ池の表情がこわばった。

「なにか問題でも？」源蔵は挑発的に唇の端を上げる。「詩は私の娘であり、孫でもある。臓器提供が少ないこの国では、家族への生体肝移植は日常的に行われていることだ」

「詩さんはお前の所有物じゃない！」

思わず僕が激高すると、源蔵はあざ笑うように言う。

「いいや、所有物だ。あの子は私とともに、私の為に生きていくんだ。あの子は今後も『キヅナ様』として、目もくらむような大金を私にもたらしてくれる。その金があれば、きっと寿命だって買えるようになるさ」

無意識に握り込んだ拳を、僕は引き絞る。その拳に「ダメですよ」と鴻ノ池が手を添えた。

「私だって我慢したのに、小鳥先生だけすっきりするのはずるいです」

そういう理由か？　毒気を抜かれた僕が手をだらんと下げると、源蔵は錠(じょう)を外し、重い扉を開いていく。険しい顔をした四人のオンラインサロン会員たちの姿が見えた。

「話は終わった。引き取ってもらえ」

源蔵は指示を出す。しかし、会員たちは微動だにしなかった。僕は気づく。彼らの怒りに満ちた視線が、僕たちではなく源蔵へと向けられていることに。

「おい、どうした。さっさとこいつらを追い出せ」

異変を感じ取ったのか、源蔵の声に動揺が滲(にじ)む。その瞬間、大きな笑い声が部屋の空気を揺らした。驚いて振り返ると、鷹央が腹を抱えて大笑いをしていた。その目には涙すら滲んでいる。さっきから、俯いて肩を震わせていたので、悔し泣きでもしていると思っていたら、笑いを必死にこらえていたらしい。

「なにがおかしい！」怒鳴る源蔵の顔は、不安で歪んでいた。

「なにがって、お前の馬鹿(ばか)さ加減がに決まっているだろ。おい」

鷹央は近づいてくると、茶髪の男性会員に「私のスマートフォンを返せ」と手を差し出す。男が固い表情のまま差し出したスマートフォンを受け取った鷹央は、なにやら操作したあと、ディスプレイをこちら側に向けた。

そこに映っている光景を見て、僕と鴻ノ池は目を大きくする。そこには僕たちの姿が映っていた。画面の右上に『Live』の文字が見える。

「なんですか、それは？　どこから撮っているんですか？」

「これは、オンラインサロンの会員だけが閲覧できるサイトだ。そこで今夜、突然はじまったスペシャルライブ配信の映像だよ」

「スペシャル……ライブ……」

呆然とつぶやいた源蔵は、目を剝いて走り出すと、テーブルのノートパソコンを両手で鷲摑みにする。スマートフォンの画面に源蔵の顔が大映しになった。

「ようやく気づいたか。そうだ、お前のノートパソコンのカメラで中継していたんだ。午後十一時半。この部屋に入って話しはじめてからすぐにな」

鷹央が何度も腕時計を確認していたのは、ライブ配信の開始時間に合わせるためか。

「しかし、私の想像以上にお前がぺらぺらと喋ってくれてありがたかったよ。持ってきたボイスレコーダーを没収して、安心していたんだろ。残念、あれは罠だ。赤い鰊、レッドヘリングだよ。ミステリ小説などで、読者のミスリーディングを誘うための偽のエサさ。お前はまんまとそのエサに食らいついてしまったってわけだ」

「い、いつの間に、俺のパソコンを……」

「いつ？　そんなの、お前と楯石詩が私の説明中に突然自白して、桜井たちに連行されたときに決まっているじゃないか。あの時点で連行されるのは計算のうちだったんだろうが、致命的なミスを犯したな。無防備にノートパソコンを残しておくなんて」

「でも、パソコンにはパスワードが……」

「それくらいのパスワードを解くなんて、私にかかれば襖（ふすま）を開けるようなものだ。私のオリジナルクラッキングソフトを使えば、数十秒で突破できる。あとは、オンラインサロンのパスを手に入れて、私の好き勝手に管理できるようにしたうえで、お前のパソコンに『トロイの木馬』と呼ばれるハッキングプログラムを仕込めば出来上がりだ。オンラインサロンもお前のパソコンもすべて私の意のままに動かすことができるようになる」

　あの日、やけに楯石家から出てこないと思っていたら、そんなことをしていたのか。

「ハッキングは犯罪だ！」

　唾（つば）を飛ばしながら叫ぶ源蔵に、鷹央は流し目をくれる。

「お前が言ったんだろ。私はいつか犯罪に手を染めるって。それに関しては、お前が正しかったな」

源蔵がうめき声を漏らすと、鷹央は追い打ちをかけるかのように言葉を重ねていく。

「しかし、お前がもう少し家族を思いやる気持ちがあれば、オンラインサロンはダメでも、楯石希津奈の殺害までは告白しないで済んだかもしれないな」

「どういう……意味だ……？」

「抗ＮＭＤＡ受容体脳炎で三角筋の麻痺がおこるなんて、でまかせだ。両側の三角筋を支配する末梢神経にだけ、ピンポイントで炎症が起きるなんてあり得るわけがないだろ。お前が楯石詩を道具ではなく人間として、家族として接していれば、私のはったりなんかに騙されなかっただろうな」

源蔵の表情筋が弛緩する。その姿は一気に十歳以上老けたかのように見えた。

「しかし、あまりにも見事に引っかかってくれたんで、笑いをこらえるのが大変だったよ。特に、お前がすべてを自白したあと、得意げに『それを証明する方法はない』なんて言い出したときはな。証明もなにも、自分で世界中に向けて全て説明しているっていうのに」

鷹央は再び腹を抱えて笑い出し、言葉が出なくなる。そんななか、会員たちがゆっくりと部屋に入ってきて、源蔵に詰め寄っていく。彼らの顔には憤怒、混乱、絶望、悲哀、ありとあらゆる負の感情が浮かんでいた。

それはそうか。崇拝していた偶像が、それを作り上げた者の手によって粉々に砕かれたのだから。自分たちが騙されていた哀れな被害者であることを、これ以上なくリアルに突き付けられたのだ。

「ち、違うんだ。説明させてくれ。あれは誤解なんだ」

会員たちの圧に後ずさりした源蔵は、パイプ椅子に足を引っかけ転倒する。尻もちをついている源蔵を、会員たちが取り囲んだ。

「止めなくていいんですか？　なんか、このままタコ殴りにされそうですけど」

鴻ノ池が気乗りしない口調でつぶやく。

「お前、止めたいか？」

僕が訊ねると、鴻ノ池が「いいえ」と即答した。

「僕もだよ。あんな殺気立っている奴らを止めようとしたら、こっちも暴力を受けるかもしれないからな。なんとか止めたいんだが、残念ながら僕たちにはその力はなさそうだ」

僕は大根役者のように、棒読みのセリフを吐く。鴻ノ池も「そうですねー」と同意した。

茶髪の若者が拳を振り上げた瞬間、「ちょっと失礼しますよ」と気の抜けた声が聞こえてくる。見ると、茶色いコートを羽織った、鳥の巣のような頭をした中年男が、体格の良い男を従えて部屋に入って来た。

「桜井さんと成瀬さん⁉　どうしてここに⁉」

予想していなかった人物の登場に、僕は目をしばたたく。

「いえいえ、ちょっと楯石源蔵さんにお話をうかがいたくてね。あー、私たち、こういうものです」

桜井と成瀬が警察手帳を掲げると、会員たちはぎょっとした表情を浮かべたあと、悔しげに源蔵から距離を取った。代わりに、桜井たちが源蔵に近づいていく。

「なんで刑事がここにいるんだ。ここは、私のオンラインサロンのための施設だ。さっさと出ていけ」

悲鳴じみた声をあげながら両手を振り回す源蔵に、鷹央が声をかける。

「おいおい、そんな邪険にするなよ。大切な会員様に向かって」

「会員……様……」

源蔵がおずおずというと、桜井はコートのポケットからスマートフォンを取り出す。その画面には、へたり込んでいる源蔵の姿が映し出されていた。

「ええ、そうです。天久先生にお勧めいただいて、昨日、入会させて頂きました」

桜井にディスプレイを向けられた源蔵は口を半開きにしたまま固まる。

「小遣いが少ない中年男にとって、八千円はかなり痛い出費で、もし妻にバレ……」

鷹央の大きな咳払いに遮られ、桜井は言い直す。

「もし、うちのカミさんにバレたら、大目玉を喰らったでしょうが、そのリスクを取った甲斐がありました。あなたの告白を、リアルタイムで視聴できたんですからね」

桜井があごをしゃくると、成瀬が源蔵の腕を取って強引に立ち上がらせた。

「さて、ちょっと署までご同行願えますか？　先ほど、あなたがライブ配信でおっしゃった件について、お話をうかがいたいので。……じっくりとね」

桜井が口角を上げる。その姿はどこか、肉食獣が牙を剝いている姿を彷彿させた。

「それでは天久先生、失礼します。情報はまた適宜、お知らせしますので」

鷹央が「おう」と軽く手を挙げる。成瀬に強引に立ち上がらされた源蔵は、もはや木偶のように脱力したまま、引きずられるようにして部屋から連れ出された。

会員たちはお互いに顔を見合わせると、俯き、枷でもつけられたような重い足取りで扉から出て行く。あとには僕たちだけが残された。

「お疲れさまでした、鷹央センセー！」

鴻ノ池がばんざいでもするように、大きく両手を挙げる。

「さすがでした。まさかの大逆転劇、鮮やかすぎて感動しちゃいました。統括診断部で研修できて、本当に幸せです」

はしゃぐ鴻ノ池に苦笑しながら、僕は鷹央に声をかける。

「これで一件落着ですかね」

「いいや、まだだ」鷹央は首を横に振る。

「え、まだって……」

「お前もさっき言っていただろ。楯石詩は『所有物』なんかじゃないって。まだ私は約束を守っていない。『物』から『人』にしてやるという、あいつとの約束をな」

鷹央は表情を引き締めると、僕と鴻ノ池を見て唇の端を上げた。

「最後の仕上げ、一肌脱ぐぞ」

エピローグ

「あの……、本当に大丈夫なんですか？」

楯石詩は不安げに左右を見回しながら、廊下を進んでいく。

「大丈夫、大丈夫。心配しないで。私たちがついているからさ」

鴻ノ池が軽い口調で言いながら、詩の背中を軽く叩いた。

心配しないでって、無茶言うなよな。その様子を横目で見ながら、僕は内心でつぶやく。

成城学園前のスタジオで楯石源蔵と対峙し、すべてを告白させてから、一ヶ月近くが経過していた。

あの日、桜井たちに連行された源蔵は、あがいても無駄と諦めたのか、それともはや抵抗するだけの力が残っていなかったのか、素直に楯石希津奈の殺害を自供した。

希津奈殺害で源蔵が逮捕されたことを受けて、検察は詩を釈放した。そして、身寄りがなくなった詩は、一時的に児童養護施設に預けられた。

その後、児童相談所が血縁関係にある者たちを当たったところ、楯石歌子(うたこ)の妹夫婦が、詩を引き取ってもよいと申し出た。すでに還暦を迎えている夫婦には二人の息子がいるが、どちらも独立していまは二人暮らしなので、娘ができたら嬉(うれ)しいと言っているということだ。

当初は夫婦の自宅がある北海道まで詩を連れて行って対面するはずだったのだが、そこで鷹央(たかお)がある計画を思い付いた。僕と鴻ノ池は（鷹央に交渉能力が皆無なので）、必死に様々な関係者を説得し、そして今日、その『計画』を実行することになった。

養護施設からCX－8に乗って僕たちはここまでやって来ていた。その車内から、鴻ノ池がしきりに詩に話しかけているのだが、反応は芳(かんば)しくない。

そりゃそうだよな。緊張でこわばり、青ざめている詩の横顔を見ながら、僕は内心でつぶやく。

殺人のスケープゴート、妻の身代わり、『キヅナ様』、そして臓器移植のドナー。楯石詩の人生は、これまでずっと他人に利用され続けるものだった。しかし、彼女を利用しようとした生みの母と、祖父であり父である男は消え去った。それは彼女にとって、存在意義を失ったということを意味する。おそらくは、突然足元が崩れて、空中に投げ出されてしまったかのように不安なはずだ。

「私はこれから……、なんのために生きていけばいいんですか……？」

足を止めた詩が、震え声を絞り出した。詩を元気づけようと陽気な口調で語りかけていた鴻ノ池も、思わず言葉に詰まってしまう。

重苦しい沈黙があたりに降りかけたとき、それまで黙っていた鷹央が声を上げた。

「そんなこと、どうでもいいことだ」

目を伏せていた詩は「え？」と鷹央を見る。

「だから、生きる理由なんて考えなくていいんだ」

「でも、それなら私がいる意味は……」

「ただ、お前がこの世界に存在している。この世界に生きている。それだけで十分に意味がある」

迷いない鷹央の言葉に、詩の体が震える。

「人間はなにかの為に生まれてくるわけではない。生まれ、育つ過程で、自分が何者であるかを知り、そして自らの生きる意味を探していくんだ」

鷹央は詩の目をまっすぐにのぞき込んだ。虚ろだった詩の瞳に、意思の光が灯っていく。

「じゃあ、私は……生きていていいんですか……？」

「当たり前だろ。永遠の若さは持っていなくても、お前はまだまだ若い。それは無限の可能性を持っているということなんだ。まずは子供らしく、自分の人生を楽しめ。

失った青春を取り戻せ。そしていつの日か、自分自身で自らの存在意義を見つけるんだ」

　鷹央は言葉を切ると、へたくそなウインクをする。

「それでこそ、はじめてお前は『生まれ変わる』ことができるんだ。分かったな」

「はい……。はい！　分かりました！」

　詩は大きな瞳に涙を浮かべると、腹の底から声を出す。源蔵の操り人形としてではなく、一人の少女としての潑溂（はつらつ）とした声。その表情は憑（つ）き物が落ちたかのように穏やかだった。

「よし、行くぞ」

　拳（こぶし）を突き上げ、先頭を歩いていく鷹央の小さな背中を見て、僕は目を細める。

　かつての彼女だったら、きっと詩の心を動かすことはできなかっただろう。

　源蔵が言っていたとおり、鷹央は生まれついての性質として、他人の気持ちを読み取る能力が低い。相手に共感をおぼえづらいという意味では、たしかに源蔵と似通っていたのかもしれない。しかし、他人を道具としかみなさなかったあの男とは違う。

　鷹央は自らの性質を受け入れたうえで、その弱点を克服しようと必死に努力している。

　鷹央の指導のもと、僕が診断医として成長してきたように、きっと鷹央も医師として、そして人間として成長をしているのだろう。もし、自分がその成長の一因になれていたのなら、とても嬉しかった。

「おい、何しているんだよ、小鳥。置いていくぞ」

物思いに耽って足が止まっていた僕に気づき、鷹央が声をかけてくる。僕は「ああ、すみません」と小走りで鷹央たちに追いついた。

「なんだよ、にやにやして、気持ち悪い奴だな」

「気持ち悪いってことはないでしょ。普通に笑顔だっただけじゃないですか」

「いやあ、なんか気味悪かった。なあ、舞」

「そうですねー。小鳥先生みたいな大男がにたにたしながら走ってくると、さすがにちょっと怖いですよねー」

そんな馬鹿な会話をしているうちに、僕たちは目的地につく。そこは広々とした談話室だった。その窓際で、車椅子に腰掛けた老人が外を見ている。

栖石希津奈の祖母である、北川ウメ。僕たちはウメが入所している有料老人ホームに詩を連れてきていた。

談話室に入った鷹央がウメに近づいていく。そのそばには、上品な雰囲気を醸し出している壮年の男女が立っていた。おそらく、詩を引き取る夫婦だろう。児童相談所の職員らしき女性の姿も見える。

「よう、久しぶり」

鷹央が片手を挙げながら近づいていくと、ウメの顔がぱっと輝いた。

「希津奈ちゃん！」

生みの母の名を呼ばれ詩の顔がこわばる。

「だから、私は楯石希津奈じゃないって何度も言っているだろ。お前の孫……いや、ひ孫か……？　まあ、どっちでもいいか。会わせたいのはこっちだ」

鷹央は固まっている詩の手を引いて、強引にウメの前へと連れていく。詩は首をすくめつつ、おそるおそる俯いていた顔を上げる。

瞼が垂れ下がって細くなっていたウメの目が大きく見開かれる。大きく開いたその口から「ああ、あああぁ……」と言葉にならない声が零れだす。

ウメはしわが寄った両手を詩に向かって伸ばす。その迫力に、詩は一瞬、怯えた表情を浮かべて後ずさりしかけるが、前のめりになりすぎたウメが車椅子から落ちそうになるのを見て、慌ててその体を抱きとめた。

「希津奈ちゃん！　希津奈ちゃん、本物の希津奈ちゃんなのね！」

声を震わせながら、ウメは詩を抱きしめる。

「わ、私は……」詩は戸惑いつつ言う。「ごめんなさい、私は希津奈じゃありません。……詩って言います」

「歌ちゃん！」

ウメの目から大粒の涙が零れだす。

「歌ちゃんなの？　本当に歌ちゃんなの？」

「お母さん、歌子姉さんじゃなくて、詩ちゃんっていうのよ」

女性が声をかけるが、ウメは「歌ちゃん、歌ちゃん」と涙ながらに声を上げ続ける。認知症のせいで、白血病で亡くした娘と詩を同一視してしまっているのだろう。しかし、華奢な体を力強く抱きしめ、滑らかな頬に自分の額を当てるその姿には、溢れんばかりの愛情が迸っていた。

詩はおずおずと自らの両手をウメの体に回す。その瞬間、ウメは顔をあげて詩と見つめ合った。

「お帰りなさい、うたちゃん」

涙で濡れた顔に満面の笑みが浮かぶ。詩の端整な顔がしわくちゃになる。

「ただいま！　ただいま、おばあちゃん！」

詩の瞳からも大粒の涙が零れだす。はじめて本当の家族の温かさに触れた少女の姿をひとしきり眺めた鷹央は、踵を返す。

「あれ、もういいんですか？」

鷹央のあとを追いながら、僕が声をかけた。

「ここからは家族水入らずの時間だ。偽物の孫は、さっさと姿を消さないとな」

鷹央の顔に満足そうな微笑が浮かぶ。

「これで本当に一件落着ですね」

鴻ノ池が追いついてくる。

「ああ、そうだな。事件は解決したし、楯石詩との約束も守った。あいつはいま、生まれ変わったんだ」

「私、やっぱり統括診断部で研修出来てよかったです。これからも、三人で頑張りましょうね」

はしゃいだ鴻ノ池の言葉が、なぜか今日は心地よく耳に聞こえた。

僕も統括診断部で学べてよかった。この年下の上司とともに成長できることは、医師として、そして一人の人間として喜びであり、大きな誇りだ。

鷹央は柏手（かしわで）を打つように、胸の前で両手を合わせる。

「そうだな。とりあえず事件も解決したし、今夜は祝杯と行くか」

僕と鴻ノ池が顔を引きつらせるのを尻目（しりめ）に、鷹央は「今夜は飲むぞー」と高々と拳を突き上げた。

天国への道
天久鷹央の日常カルテ

「私はもうだめだ……。小鳥、あとは頼む……」

弱々しい声を絞り出しながら、鷹央はゆっくりと立ち上がる。

「ダメです鷹央先生、待ってください」

僕は鷹央の華奢な手首を握った。

「離せ、たのむから離してくれ。このままじゃ二人とも命が危ないんだ」

額に汗を光らせた鷹央は、潤んだ目で僕を見つめてくる。

「一人で逝かせたりはしません。死ぬなら二人一緒です」

鷹央の大きな瞳から発せられる視線を、僕はまっすぐに受け止めた。

「……分かった。それなら二人で脱出しよう。この地獄から二人で逃げ出そう」

「はい！」

僕が力強く頷いた瞬間、「だめですよー。もっと我慢しないと、この後の本当の快感は得られないんですよー」という鴻ノ池の明るい声が、灼熱の空気を揺らした。

「あとの快感なんて要らない！　いますぐにこの苦痛から逃れたいんだ。このサウナという地獄で蒸し焼きにされる苦痛から！」

紺色のスクール水着を着た鷹央は半泣きになりながら、止め処なく汗が吹き出している額に手を当てた。

『久遠の檻事件』が解決してから二週間ほど経った土曜日の夕方、僕は鷹央と鴻ノ池とともに、都内の大型健康ランドにあるドライサウナに入っていた。

このサウナルームはプライベート用に貸切ができ、最高で十人ほどが水着でサウナ浴を楽しむことができるとのふれこみだった。

楽しむ……？　これのどこが楽しいというのだろうか？　なんで僕たちはあのとき、拒否しなかったのだろう？

荒い息をついた僕は、あごの先からしたたり落ちる汗を眺めながら、胸の中で先週の出来事を思い出す。

鴻ノ池がとうとう統括診断部に研修にやってきたので、鷹央が「舞の歓迎会をやろう！」と言い出した。きっと鷹央は、歓迎会にかこつけて酒を浴びるように飲むのが目的だったのだろう。上機嫌に「なにが飲みたい？　奢ってやるぞ」と鴻ノ池に訊ねた。

鴻ノ池はあご先に指をあてて十数秒考え込んだあと、「そうだ」と両手を合わせた。

「三人でサウナに行きません？　水着で混浴できる広いサウナが貸切できるんですよ。この前の『旅行』のとき、小鳥先生だけ露天風呂入れなかったでしょ。そのリベンジとしてどうですか？　サウナ、めっちゃ気持ちいいですよ」

最近何かと話題になっているサウナにちょっと興味があったので、僕に異存はなかった。一方で鷹央は、唇を尖らせ「なんでわざわざ熱い部屋に入って、汗をだらだらかかないといけないんだ」と気乗りしない様子だった。その鷹央の気を変えたのが鴻ノ池が次にはなった一言だった。

「鷹央先生、知らないんですか？　サウナに入った後に飲むビールは最高なんですよ。もうこの世のものとは思えない、天国みたいな味がするんです」

「天国のビール……」

鷹央ののどがごくりとなる音が、はっきりと僕の鼓膜を揺らした。

そうしてサウナ自体に興味があった僕と、『天国のビール』につられた鷹央は（まんまと鴻ノ池の口車に乗って）健康ランドの貸切サウナルームへとやって来ている。

しかし、そこに待っていたのは想像をはるかに超える過酷な苦行だった。

更衣室で水着に着替え、ヒノキでできたロッジのようなサウナの扉を開けた瞬間、噴き出してきた灼熱の熱風に僕と鷹央は小さな悲鳴を上げた。

「こんなの人間が入っていい温度じゃない。食材を料理するための空間の熱だ！」

そう叫んで逃げ出そうとする鷹央の手首を掴んだビキニ姿の鴻ノ池は、「まあまあ、すぐに慣れますから」と暴れる鷹央をサウナルームへと引き込んだのだ。

そうして僕たちはサウナへと入り、すでに数分間、摂氏百度に近いこの空間で蒸し焼きにされている。

全身の汗腺からはとめどなく汗が吹き出し、息が上がってきていた。吐き出す空気も熱く感じるのは、気のせいか、それとも灼熱の空気を吸い込み続けて肺まで熱せられているからなのだろうか？

「はいはい、あと三分ぐらいですから我慢してくださいね」

鴻ノ池は陽気な声で言いながら、サウナルームの隅に置かれた砂時計を指さした。

「あと……三分も蒸し……焼きにされたら、美味しく……調理されちまう。私は……小籠包じゃない」

暑さで混乱しているのか、鷹央がよく分からないことをつぶやく。

「小籠包、美味しいですよね。形が可愛いし、皮が破けるとじゅわっと肉汁出てくるし。あ、鷹央先生も同じくらい美味しそうですよ」

鴻ノ池がよだれを拭うようなそぶりを見せるのを見て恐怖をおぼえたのか、鷹央は大人しくふたたびサウナ内の木製ベンチに腰かけて体を小さくした。

「……ところで、なんで鷹央先生、スクール水着を着ているんだよ」

朦朧としてくる意識をつなぎとめるために、僕は小声で鴻ノ池に話しかける。

「だって鷹央先生、それしか水着持ってないって言うんですもん。レンタル水着もあ

るらしいんですけれど、やっぱり鷹央先生にはスクール水着ですよね。超似合ってい
て、めちゃ可愛い」
暑さでテンションがおかしくなっているようで、鴻ノ池ははしゃいだ声で言うと横
目で視線を向けてくる。
「私たちみたいな美女と水着で一緒にサウナなんて、小鳥先生、幸せでしょ。私に感
謝してくださいよ」
「……美女？」
「なんですか、その微妙な反応は？　このシチュエーションなのにムラムラしたりし
ないんですか？」
鴻ノ池の目が鋭くなる。
「いや、こんな灼熱地獄でムラムラなんかするわけないだろ。どっちかというと、
『メラメラ』しているよ」
「まったく、甲斐性（かいしょう）なしなんだから。私はちゃんとムラムラしていますよ。スクール
水着の美少女のとなりにいながら、良い筋肉を鑑賞できるんですから」
「美少女って、鷹央先生、お前より年上……。って、いやらしい目で僕の腕を見るな。
なんか目つきが怖いぞ、お前」
「私、めちゃ幸せです。最高の歓迎会です」

おびえている僕と鷹央に囲まれて、鴻ノ池がぐふふと妖しい忍び笑いを漏らしていると、「三分経ったぞ！」と鷹央が声を張り上げた。見ると、砂時計の砂が全て落ちきっていた。

「あ、じゃあ出ましょうね」

鴻ノ池が言うや否や、鷹央は立ち上がると、猛獣から逃げる小動物のような俊敏な動きでサウナルームから脱出する。僕と鴻ノ池もそれに続いた。

「ああ、死ぬかと思った」

サウナルームを出た鷹央は両手を広げ、胸をそらして深呼吸をする。

「さて、これでサウナは終わりだな。それじゃさっそく『天国のビール』を……」

「なに言っているんですか鷹央先生、サウナで大切なのはこれからですよ。熱くなった体を水風呂で一気に冷やすんです」

「一気に……冷やす……」

熱で紅潮していた鷹央の顔から血の気が引いていく。それを見ながら、鴻ノ池は「はいそうです」と大きく頷いた。

「熱したあと、急に水で冷やすなんて、そんな刀の焼き入れみたいなこと、人間にしていいわけがない。断じて拒否を……」

「まあまあ、そう言わずに。一度やってみてください。すごく気持ちいいですよ」

身を翻して逃げようとする鷹央を、鴻ノ池は後ろから抱きつくようにして捕える。合気道の達人である鴻ノ池に捕獲されては、ナマケモノ並みの体力しかない鷹央が逃れられるわけもなかった。

悲痛な叫び声を上げながら、鴻ノ池に水風呂へと連行されていく鷹央を、僕は両手を合わせて見送ることしかできなかった。

「なんなんだこれは……？」

限界まで倒したリクライニングベンチに横たわりながら、鷹央は呆(ほう)けた声でつぶやく。その目は蕩(とろ)け切り、表情は弛緩(しかん)していた。

鴻ノ池に強引に連行された鷹央とともに、僕は水風呂に浸(つ)かった。最初はその凍えるような冷たさに心が折れそうになったが、数秒我慢すると体と水の間に薄くて温かい膜が張ったかのように心地よくなった。

それに気付いたのか、鴻ノ池につかまりながら暴れていた鷹央も、不思議そうに目をしばたたかせながらおとなしくなっていた。

一分ほど水風呂に浸かったあとに出て、タオルで体を拭くと、鴻ノ池が両手を合わせた。

「さあ、これからがサウナのお楽しみタイム、外気浴の時間です」

鴻ノ池に指示されるままに、僕は部屋のはじに数台並んでいるリクライニングベンチに横たわった。それと同時に、これまでの三十年の人生で味わったことのない感覚が全身を支配した。

重力が消えて宙を浮いているような浮遊感とともに、体の内側に残っている熱で柔らかく温められているような快感。まるで色とりどりの熱帯魚が泳ぐ南国の海を漂っているかのようだった。

「どうですかー、お二人とも」

となりのベンチに横たわっている鴻ノ池が、どこか得意げな表情で言う。

「最高……、白目剝きそう……」

蕩けた目で天井を眺めたまま鷹央が答える。

僕たちはそのまま数分間、『ととのう』を体感したあとゆっくりと身を起こした。

「サウナと水風呂は地獄だったが、まさかその先に極楽が待っているとは思わなかった。よし、このあとは『天国のビール』でさらなる快感を味わうとしよう」

スクール水着姿で意気揚々と女子更衣室へ向かおうとした鷹央の手を、鴻ノ池ががっしりと摑んだ。

「まだですよ、鷹央先生」

鴻ノ池は満面に笑みを浮かべる。

「え、まだって……」

悪い予感をおぼえたのか、鷹央の頬が引きつった。

「せっかくプライベートサウナを借りているのに、一セットで終わりなんてもったいないですよ。最低でも三セットはしますよ」

「いや、もうさすがにあれは無理というか……、溶けるというか……」

「大丈夫、限界を超えた先に本当の天国が待っているんです。というわけで、二セット目にレッツゴー！」

鴻ノ池は高らかに宣言すると、問答無用で鷹央を引っ張っていく。

「いや、マジで無理だから。あああ……」

絶望の表情を浮かべながらサウナルームへ引きずり込まれる鷹央を見送りながら、僕は再び両手を合わせるのだった。

本作は二〇二一年八月に刊行された
『久遠の檻　天久鷹央の事件カルテ』（新潮文庫）を
加筆・修正の上、完全版としたものです。
完全版刊行に際し、新たに書き下ろし掌編を収録しました。

実業之日本社文庫　最新刊

赤川次郎
花嫁、街道を行く

女子大生探偵・亜由美の元へ、女性を探して欲しいと依頼が。手がかりを探し、ある大使館にたどり着くが、事件は思わぬ方向へ展開し――。シリーズ第35弾！

あ127

荒崎一海
風霜苛烈　闇を斬る　六

辰巳芸者に江戸留守居役が執着し、無法な振る舞いに及んでしまう。陰湿な悪に怒った剣士・鷹森真九郎は思い切った行動にでるが――。長編時代小説第六弾！

あ286

いぬじゅん
旅の終わりに君がいた

最後の晩餐を提供する不思議なキッチンカー。そこは、人生という長い旅を終える人たちとの切ない別れを優しく包み込む場所……。心揺さぶる涙と再生の物語!!

い184

井上篤夫
志高く　孫正義正伝　決定版

孫正義本人が認めた唯一の評伝、『志高く 孫正義正伝』が文庫化。37年におよぶ独占取材で生い立ちから情報革命の全貌を鮮烈に描く。（解説・松尾豊）

い23

近衛龍春
嶋左近の関ヶ原

戦場の勇者振りで「鬼の左近」と呼ばれ、徳川家康の引き抜きの誘いにも乗らず、石田三成を支え続けた漢は、関ヶ原で天下分け目の戦いに臨むが――。

こ63

知念実希人
絶対零度のテロル　天久鷹央の事件カルテ

九月の熱帯夜、緊急搬送された男の死因は「凍死」だった。天久鷹央は真相に迫るが、それは日本全土を揺るがす大事件の序章で……。圧巻の書き下ろし長編！

ち1209

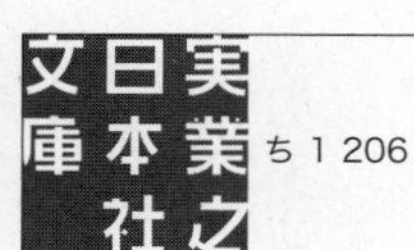

ち1 206

久遠の檻　天久鷹央の事件カルテ　完全版

2024年4月15日　初版第1刷発行

著　者　知念実希人

発行者　岩野裕一
発行所　株式会社実業之日本社
〒107-0062　東京都港区南青山6-6-22 emergence 2
電話［編集］03(6809)0473［販売］03(6809)0495
ホームページ　https://www.j-n.co.jp/
DTP　ラッシュ
印刷所　大日本印刷株式会社
製本所　大日本印刷株式会社

フォーマットデザイン　鈴木正道（Suzuki Design）

ISBN978-4-408-55879-0（第二文芸）